U0077331

戴國煇全集 

史學與台灣研究卷・六

◎台灣史探微

現實與史實的相互往還

◎歷史研究法

目次

contents

台灣史探微
現實與史實的相互往還

輯二　二二八事變絮語

輯三　李登輝時代的開幕與挑戰

歷史研究法

【圖表目次】

戴國煇全集 6

史學與台灣研究卷・六

台灣史探微

現實與史實的相互往還

總序

一、必須的交代

1996年3月17日，筆者攜伴內子自東京返回台北，為的是同月23日的總統選舉，行使我們夫婦有生以來第一次在台灣政治上的投票權。月底，我提早一年向所服務學校立教大學申請退休一事獲准，繼而5月17日返鄉定居。終於對流浪四十又一年的日本學界生涯，告了辭。同月20日，我參加了在桃園舉行的第一屆直選總統就任大典的同日，既是偶然又是必然，更可能是「奇緣」，筆者被安置於總統府國家安全會議，就任了諮詢委員。此「特聘」職位並不屬於特任官，故離職時不支付退職金。只規定一年一聘，與總統同進退等，係我在台正式任職的第一遭。某博士同事君，有一天自嘆而云：我們的職位「妾身不明」，頗為中肯，引發相關人士的共鳴實感。

有關職位的小插曲還可談其一、二。在我就任的第四日，受邀到台大演講，講題為「光復後的歷史經驗與台灣知識分子」。結束前的討論過程中，有位年輕朋友起而質疑。他說：「戴教授，你以前是黑名單人士，為何返台來還要搞特務這一行業？」

顯然，他是把「國安會」與「國安局」混為一談。記得，6月17日早上，時任國安局長的殷宗文上將（後升任為國安會秘書長）來訪，是我們頭一次的會晤。閒聊中，我把前述台大演講會的軼事介紹一番。殷局長回答的頗為乾脆；「我們國安局只有『情』而沒有『治』，一切依法行事。」我立即搭了腔，「那太好了，希望局長能多向外作些publicity（公關），並非『宣傳』（propaganda），讓一般老百姓能有所釋懷……」第二類小插曲該是屬於大眾媒體界的習氣。一般而言，我們台灣的媒體，與一般社會人士的「思考模式」並沒有太大的差異，人人認為官位優先且重要於學術地位。每一次在媒體出現時，總需要叮嚀再三，「我不能代表官方（國安會）發言，只是以學者個人身分表示一點未成熟的看法而已。若有需要標誌頭銜，請用立教大學名譽教授抑或政治大學、文化大學兼任教授便夠了，謝謝！」。但效果一直都不彰，甚至於有些報紙還代筆者另設「國安會研究員」等職銜，真叫人啼笑皆非。

任期第一年之前半，畢竟，因我少年離台老大回，難免惹發些許不適及困惑之累。因遷家、搬書（十八噸貨櫃之量）及適應新生活而忙。上班時繫領帶，穿著西裝革履係夠拘束的。後半，則是掙扎於築構非我專業的「國家安全保障」有關的獨特概念，而不得不陷於窘困境地。在台灣，要找出相關日文文獻是相當不易的。

經過，大約七、八個月之苦思，建構了研究主題架構的雛型。繼而邀約數位同好之士，組成小型「日本現況研究會」。主題則定為「五十五年體制崩潰後日本的綜合研究」。研究會的運作逐步上了軌道。在此過程中，常感有「現實政治的所需」與「學術研究之本質」間橫跨有難於彌補的落差。

雖然，筆者蒐集與收藏不少日本文獻，但其主要者卻是與歷史相關之類，難於對應日本現況研究之廣泛需求。除了運作研究會以外，又得花上相當多的精神，代我研究同仁蒐集相關資料和書籍，倍感吃力。

又過了幾個月，財團法人交流協會台北事務所隈丸優次秘書長（1999年4月調任駐聯合國日本代表團公使）前來總統府向我致敬訪問。外交禮數上，有需回拜他的頂頭上司後藤利雄所長於新光人壽敦化大樓之該協會。

後藤所長，原本相當被期待及看好的歐美派職業外交官，後因長期患病而耽誤了升遷，遂被改派為駐韓大使。他自韓國退休後，來台就任交流協會台北所長。駐韓時期與我老友小林慶二——《朝日新聞》駐韓支局長成為忘年之交。

1996年3月上旬，小林打個電話到我日本家中來，說他已自朝日新聞社退休，轉檯到九州國際大學就任教授，將主持東南亞華人、華僑問題的研究，能否幫他物色台灣的適當學者與他合作，我立即回電給他：「當然可以，我17日即將返台，準備參加總統選舉的投票，社會氛圍滿熱鬧的。若能與老兄在台北會晤，我擬找幾位好友與你見見面，方便你們相互討論合作有關事宜。如此，既快又省事，不知高見如何？」一言為定，3月17日晚間我們倆在台北晤了面。

記得，小林參觀選情後，還給我惡補了台、韓政情之比較分析。隨後他邀我一同與後藤共用午餐。雖然，在高雄召開的「亞洲公開論壇」（1995年）會場上，我曾與後藤打過招呼。但僅是點頭之交。

交談後，深感他是一位正派君子。其不亢不卑的談話態度及拿捏十分穩當的談話內容，又帶給我新鮮感。返台以來，偶爾有機會參加歡迎所謂親台日方人士之集會，有時會碰上真是不識泰山，又「盲目」囂張頗難入流的一類日本人。尤其不入流的學界人士，目中無人，開口閉口試圖訓我國人，還不遺餘力地說些大話，甚至會誇口說：「若無日本的支援，台灣甚至中國大陸都難得支撐下去的。」他們真是不可救藥的，既單純又粗獷的「政治細胞」，真不值得行家一談。

俟我小圖書室整理初成的1997年夏天，我開了個小家宴。除了邀請後藤和隈丸二位日方貴賓外，我們還邀了國內數位有識之士相聚交誼。後藤參觀了小圖書室後，他說：「能否借些給交流協會，我們剛開設了『日台交流中心』，書架尚且空空的。」後藤的話，當然是一種戲言。我倒向他提出要求請他們的中心盡速能把年鑑、統計書等基本資料類補足，方便研究者訪查及利用。

日本人，有些的確是夠單純，又素樸，更患有欠缺「政治細胞」的通性。其國民性既是易興奮、又具有偏走一邊倒的通病。在明治天皇神格化成型以來的舊權威影子下，不同聲音仍然不易彰顯。日本社會的同質性（homogeneous）頗強，它狹窄的日本神國思想及自1930年代迄敗戰為止的大和民族優秀論之歇斯底里症候群，既教人恐懼又難忘。

近幾年來亦步亦趨的日本式新保守主義的風尚，將向何方走？有無重新轉向為軍國主義老路子之可能？連非左派的日本自民黨大老們（例如，後藤田正晴前副總理及宮澤喜一前總理暨現任大藏大臣）都一再地表示憂慮。筆者返鄉已滿三年有餘，真不知為何我們朝野人士會對日本的右傾化現況，懷有那麼樂觀的認知及對待態度？

今年（1999年）6月間，筆者受邀赴日演講及參加「評審申請獎學金的亞洲留學生會議」。順便造訪《外交論壇》誌（*Gaiko Forum*）的前總編輯近藤大博（現已退下，任同誌之編輯顧問，並轉任日本大學大學院總合社會情報研究科專任教授）。主要目的，在於致謝他四月間及時航空寄贈我奈伊（Joseph Nye）的新著《髒手》（*Dirty Hands*）一書。《外交論壇》係日本外務省委託民間所辦的雜誌，標榜著「出錢不出口」的原則。其實，那一類美麗的「看板」是難於被遵守的。我有位年輕朋友武見敬三君，是現任參議院議員，被小淵惠三總理提拔，獲任外務政務次官。他專管亞洲及中國有關事項及國家安全保障問題等。

近藤編輯顧問與武見外務省政務次官具有密切關係該是不必贅言的。我老友近藤當然知悉我與武見，自他學生時代以來的老關係。在某個場合，近藤告知武見，筆者即將訪日一事。武見念舊，要我留個時間。雖然，國會尚在會期中，他非常繁忙，但極願與我面晤詳談。

武見敬三議員，是日本醫學界「龍頭老大」故武見太郎的公子。武見太郎與我恩師東畑精一，及我私淑良久的松本重治——國際文化會館理事長三人是吉田茂周邊的三賢人。他們三位，生前都夠格被稱頌敬重的在二大戰後「日本知性」的三大風範。

敬三君，大三時就立志攻讀研究所，他自幼稚園一直念到大學部，一貫地，在他父親的母校慶應大學系列學園接受教育。不僅如此，他還是慶應大學橄欖球校隊之好手。

眾人皆知，日本名校例如早稻田、慶應、明治、法政等校的橄欖球的校隊，頗近似於職業性球隊，練球時間之多及猛是有名的，哪有多餘的時間鑽研書本？貪睡是生活的常態。武見君有意願念研究所，教他父親高興得合不攏嘴，於是他父親找上了上述松本重治老先生商談。松本原是新聞界的名士，曾經在其「同盟通信社」（日本最大的通信社，現共同通信社之前身）上海支局長任內（1933～1939年）的1936年，報導了有關西安事件的全球獨家新聞，揚名一時。松本一貫地認為，未來亞太地區的和平及安全，全繫於能否把日、美、中（包括大陸及台灣）三者間搞好既平衡又和諧的關係上。他鼓勵敬三研究中國問題。筆者本不認識敬三。松本重治遣其長男松本洋兄（現任國際文化會館專務理事）攜敬三叩我家門。洋亦是我老友，是一位留英的都市計畫專家。筆者云，我與慶應大學關係不深，但很願意盡我棉力。斯時，我獨自定位，承擔「提燈者」，只伴走在敬三之半步前便足夠。武見太郎某一天帶上名酒訪我茅舍，向我們夫婦鞠了一躬道謝。以「明治人的傲骨」享譽於日本的名士，不嫌棄更放下身段對我等晚輩致如此般的禮數，教我終生難忘。

1999年6月17日下午，我探訪武見於參議員會館五一二號武見敬三事務所，會晤時間約為一個小時。將對話內容有關本序文的部分特此公開，以資諸賢參考。不過，這些都是憑我記憶中的大概記述，文責當然由我自負——

我說：「很忙吧！《美日防衛合作新指南》相關法案剛通過，你又得為小淵首相七月上旬訪中國大陸事而忙。」他答說：「還好。」武見亦問及明春的台灣總統選舉相關敏感問題。因未得他的承諾，恕我在此不便公開。我相繼亦說：「自5月19日下班後，我已離開總統府國家安全會議。現在是『無官一身輕』，訪日又不需請假，自由一些了。」他搭腔，「那太好了，你將返東京來？」我說：「不，我準備返回台灣學界。」日本的知心朋友們，先前都知悉，我返台定居的初衷為何。在台灣，筆者為了一些顧慮，不曾公開宣明過。其實，我本來所設想的是，模仿日本的國際文化會館，在台北搞一個附設有特殊文獻圖書館的國際交流中心。但經過這三年的台北經驗，我已不敢抱有任何幻想。除非，我自己能創設一個基金會。目前，在台灣能見到的社會現實，確是瀰漫了功利主義及既短視又自私的社會氛圍。若能洞察實際政治運作的軌跡及實質，人人都可體會到，目前的台灣係難有催生並維護具有大本領真學識的傲骨人士之公共空間的。要作好明哲保身，迴避奴氣和媚骨，不自陷卑微之境地已是相當不容易了。

早有朋友警告了筆者，「你有話直說的性格不適於『作官』。」又有知音者說：「你常常會把事情點破。點到為止，已教人夠難受的了。」活躍商場的一位親侄，甚至說出：「叔叔，你的一板一眼作風，在日本抑或德國，人家會肯定你的，那該是屬於誠信一類的。但返台來了，說話留些餘地及曖昧些比較好。」學界朋友亦勸說：「老戴，何必那麼認真，吃力不討好的。太認真中國史上是留不下名的。你的生活方式（life style）

是夠叫你疲倦的吧！」等等相勸美言。

筆者呷著日本綠茶，聆聽武見敬三敘述如何支持若林正丈組織「日本台灣學會」等事。而上述一些勸言及其我的感觸同時一直在我腦海中不斷地迴旋。

在日本四十年的學術生涯的筆者，雖然卑視某些不正派人士既高傲又小格局的作風，但我對正派學者的敬業性、笨工作法是肯定的。日本學界鮮見中國式厚黑之學以及馬基雅維利主義等的橫行又是我所讚揚的。

筆者參觀過日方設立在東京和台北的「日台交流中心」，並已收到該中心所編的《台灣關係圖書目錄：1997》（1998年7月發行〔非賣品〕），瀏覽後真教我驚訝！短短三年多（1995年10月～1998年6月）他們之中心，已有如此般的成果。後藤利雄（從台灣返日後接任了財團法人交流協會理事長），只是為負責，在發行者處標了名，但同書的序文根本見不到他的大名。我們捫心自問，台灣的官員們，到處為建築物題字，為官方出版物寫序文（大都是祕書們代為捉刀者），到處剪綵，到處為人證婚，到處做些與他本人根本無關的「專題演講」。或許是筆者的孤陋寡聞，我不曾讀過任何媒體，亦沒有見過任何有識之士，向這些外華內貧的官場文化提出質疑，不無天下大怪事在台灣闊步橫行、大行其市之嫌。官員們不可能是孫悟空，哪裡還有多餘的時間去看書，哪裡有可能坐下來，以鎮靜的心情去沉思治政之道。

全台灣住民都該知道，日本對我們而言，是僅次於美國的重要國家。光復以來，已經超過半個世紀的歲月，我們在台灣依然找不著夠水平的日本研究機構。當然也找不出像樣的有關日本文獻圖書館，抑或資料中心。這些窘境和怪事，難道不值得我們有識者去關切及質疑？

當筆者向武見議員告辭時，他說了二句話：「我們期待著台灣能出現夠水平的日本研究，也盼望戴先生，您能多自愛及多保重！」

我重新確認，我個人當今迫切需要的是「時間」，是「自由」。為了獲得屬於我自己的「時間」及「自由」，我有需要重新樹立我自己的主體性，並掌握住我自己的「座標軸」。為重尋我的「夢」，在我內心深層將高揭全新的挑戰大旗。

二、有關台灣近現代史研究的幾個問題──方法暨切入視角試論

（一）爲何要特別劃定「台灣近現代史」爲研究對象？

1. 本人的思考和方法與時髦、應景無關。這可從我早在1978年以前，於日本醞釀創設「台灣近現代史研究會」可以得到佐證。

2. 歷史研究的主要目的，簡單地可以歸納為二：⑴整理相關「空間」（在此即是「台灣」）居民生活的歷史。⑵並認知相關居民的歷史經驗，包括正負兩面及心性（比較接近法文的mentalité＝精神、心理狀態、思維方法。在我的感受上，是與英文的mentality有些許差異的）。

3. 筆者早認為自鴉片戰爭（1840年）迄今（1999年），以

「台灣」為名之地理範疇的居民，所經歷的生活之歷史及歷史經驗頗特殊，值得我人更深一層去探討。

4. 任何社會事物都是某個時間與空間的產物，因而我們有需要把我們所要研究的對象之相關時、空的定位劃定清楚。不然容易陷入泛泛之談的境地。故在此我們把台灣近現代史之空間鎖定為「台灣地區」，時間的斷限（區分）暫時劃定為鴉片戰爭迄今，以便研討。

（二）台灣近現代史期內的分期（時代區分抑或時代斷限）

務必再把台灣近現代史期內，再分為二期來思考及追索：

1. 前期：晚清至日據時期（1840～1945）

2. 後期：光復至當今（1945～1999）

（三）當爲地理範疇的「台灣」的內涵該釐清

台灣一詞，本來是泛泛的地理名詞。我們為了學術研究，有需要給它賦予社會科學的真正內涵：

前期（晚清至日據時期）：以台、澎為核心的相關島嶼。

後期（光復後國府遷台迄今）：台、澎及金、馬諸島嶼。

（四）居民之結構分析及其各自生態之具體掌握，亦該是研究之一個大前提

前期：

1. 自大陸被清朝派遣官民之出身地及其背景之分析不可欠缺。此期間，科舉及第官員不能在其故鄉任官，而斯時的地方山

頭主義也比當今更甚，值得考量。

2. 原住民（當今的政治用詞，筆者不甚同意此種稱呼。理由甚為簡單，目前被法定的原住民身分在人類學上通常被分為九族、九個系統。他們相互間之語言、社會組織，以及宗教、生活習慣有異。用何種標準來劃定原住民，是我質疑的焦點。筆者認為，以先住系台灣人（Native Taiwanese）來稱呼並敬重他們為宜）。

3. 平埔族，被漢化較深的先住系台灣人。

4. 福佬人（內部又分為二大類：漳州人及泉州人）。

5. 客家人，以所用客家話之種類又被認為有四縣、海陸、饒平三大類，另得加上福佬客（具有客家意識，但不會講客家話的「原客家人」）。

6. 殖民方的日本人百態，日本人的「個人之善意」及「日本帝國主義體制的作為」該區隔來看待。

當今的台灣社會，情緒性反彈、泛政治化或意識形態化的狀況相當嚴重。

學子多是只為取得學位而念研究所，學術研究已陷入獲得學位，占據職位的手段。這是個不健康、非正常的社會。於是，筆者特別強調，我們宜先從事物的表相切入，並加以比較分析，如此較易弄懂社會事物的本質。

後期：

1. 唐山（又稱為「長山」，本為尊稱）→阿山（罵詞）→半山（賤稱）之變化。

參照：狗仔（日本人）→四腳→三腳→雙腳（係真正的人＝

本島人，即是今日的台灣人）。日本人「有禮無體」，日女穿和服時不穿內褲，日男之「兜襠布及裸身而行」的日常習慣，台人視為野蠻，加上隨地小便之陋習，因此罵日人為「狗仔」。此種個人低層次之情緒發洩，雖然改不了大狀況，卻是小市民喜歡做的無奈性或世俗性之「小動作」。

2. 在當今省籍矛盾的無限上綱及逐漸消褪之社會背景下，自有設身處地＝生活者意識來正視，並凝視歷史事物之重要性是不必贅言的。

3. 外來政權概念之形成、普及，當今更有一般化的傾向，其虛實與其背後的邏輯有需要慎重考察。在此，筆者特別得指出，我們的大眾媒體不夠成熟，欠缺背後（景）分析之功力。形式上的抄襲與比較到處可見。有關此類缺陷，學界之作法及氛圍，我們學界人士該不該肩負部分責任，又值得我們相關人士省思。欠缺主體性的消化，融合外來事物能力時，哪來的「自我認同」（ego identity）的落實暨「自我尊嚴」之回復及擴充？自我尊嚴無法樹立時，又有何可能談及自下和自內推行改革、變革、革命等之社會性課題？

（五）種族性（ethnicity）概念在社會學及文化人類學領域的風行與「台灣學」（包括台灣近現代史的諸多領域）

以日本人為例（省得筆者撈過界，只報告日本之例子）。

愛奴人（先住民）——和人（日後，演進為日本民族之主流勢力）——外來僑民（韓、華〔台〕僑等人）。

古基層文化——大和文化（日本文化）——外來（新來）文化。

多元化及國際化——促使日本學界重新撿出老問題，研討新課題的新動向，筆著甚早（1973年夏）在日本便提出「日本內在的亞洲問題」的新視角。日本人所常提者為，世界中的或亞洲中的日本，他們藉此來設定自己的問題，頗欠缺內在性的自我對話。日本人雖然喜歡談反省，但其反省多時卻自限於圈內，是不夠徹底的另外一個原因，該與他們既收斂又封閉的社會性格有關。同質性的對話，頗難突破「老套」，原因在於不擅長聽取不同聲音，並經過社會的內在對話中尋找自我成長之作法有關。

台灣社會的轉型，亦迫切地逼著我們重建社會秩序。它的課題不外是打造暨築構「短暫性的新國民意識」。它又可解讀是為台灣地區住民謀自保的過渡性「概念」之一種築構工程。

因為有此類社會需求，學界受到了時潮的衝擊，為了因應、迅速地開展，並展示「如何自居民結構的視角」來探討「何為台灣人」、「何為台灣社會」、「何為台灣文化」等緊迫性課題。尤其對掌握票源之所需，其緊迫度在政界，比學界要來得高，因而，政界人士忙著高喊「本土化」的口號，但甚少人會去深究所謂本土化的真正內涵，探討的捷徑確在於「史實與現實」間的相互往還中，既是雙管道又該保持平衡的層面上，同時著手推行為適。

台灣社會的當今的氛圍，一方面「台灣民族」論已快速地失去市場。另一方面因抗拒中共過台海之民意高漲，排拒中華民族主義抑或中國民族主義的社會輿論亦隨而形成，其往後的去向是值得人人關注的。

為了支撐上述的輿論，政治家抑或政客們，尤其屬於民進黨系及台獨系的人士，面臨著新的挑戰。他們更是為了因應「福佬沙文主義」一類的反彈，有需要伸張「原住民」在歷史及現實上所以存在的道德正當性，由而他們再也不能以同化論來對待弱勢「少數民族」。特別，能獲得執政的「美夢」，看似可伸手便得的近年，省籍矛盾的提法顯然既是落伍，又不合多數選民的胃口，代而被提示的係族群間的相互尊重及和諧。不過，大和解的提法作「秀」成分有餘，欠缺理論及學術根據多多是有識者皆知之事。

族群（ethnic group）概念在台的風行，其實有其現實政治的背景。原本出自美國學界的族群概念，是與當今全世界規模的少數民族、弱勢族群、弱勢種族們的自我覺醒、自我主張等的訴求是有密切關係的。基本上是弱勢族群對優勢民族、人種和統治集團暨權力中樞所發出的「獅子吼」。兩者之間存在一脈相通的時代精神。

同時，我們又不該忽視ethnic group之集團訴求，與其渴望保持自己族群的「文化認同」（cultural identity）及「血緣的宿命屬性認同＝頗難更改的認同」，亦是通底的[1]。族群和諧背後所存在的原理性，暨本質性問題——類似族群間之矛盾及利益衝突，

1 請參照，*in search of common ground□conversations with Erik H. Erikson and Huey P. Newton/Introduced by Kai T. Erikson*, New York: Norton, 1973。按牛頓為「黑豹黨」之創黨元老之一，被暗殺於加州奧克蘭，1989年8月22日。本對話錄該可譯為「探索共有的基礎」。

暨族群糾葛等——亦該是我們台灣近現代史研究課題之一部分。因為它具有其歷史脈絡及背景之故。

若要構築「台灣學」的話，我們亦可藉族群概念來剖析台灣當今社會，甚至於又可延伸去構思「在台灣如何建構族群之社會學」的一類新課題。

（六）光復後的居民結構

1. 光復隨後至1949年底；可分如以下幾個子題來研討：

⑴本島人（灣生仔）的自外復員與分歧。

⑵漢奸及半山之虛與實。

⑶台灣人概念抑或稱呼的萌芽。

⑷初期來台的外省人與二二八的相關層面，如何正視及剖析是重要研究課題。

2. 國府中央遷台至迄今；應該先把何為本省人，何為外省人之內涵釐清才夠科學的。

本省人vs.外省人；「外省人」稱呼之不夠科學與不合理是人人周知之事。但鮮見有人把它釐清是憾事。原本只是人類學概念的本、外省人概念之分，被政治符號化，甚至促進了外省人的原罪觀之形成，這既是偏狹又危險之思考方式。對於本省人概念亦頗欠缺科學的定義，並不具備任何制約的疑似正當性主張，顯然是學界人士的怠慢。由而筆者才提出了「共犯結構」之概念。

我們中國人社會，當然包括新台灣人之社會，充滿了不結怨，更不該與他人結仇的「人生哲學」，抑或鄉愿式生活智慧。這一種鄉愿習氣的一般社會規範，一直阻礙著我們社會科學在這個社會中生根與真正發展。尤其在社會科學屬性的學術研討會中，人人仍然採取了只婉轉地點到為止，盡力迴避把問題點破為善之一種治學之道，是值得質疑的。筆者真不知，我們學術研究將如何展望，我們相應的發展前景在何？換句話說，我們社會科學的發展前景是堪虞的。如何善於分辨人身攻擊（所謂的整人）與學術批判間之區隔，該是從事學術研究以前，必須釐清的前提性大工程。

（七）如何總結日據五十年

學界人士皆知，社會科學研究的前期作業該是相關領域先行者業績之批判性整理。在此類作業上，當為研究主體者，千萬不該站在媚日之立場，連親日的立場都該有所揚棄。最理想的立場，不待言該是知日立場。筆者早察覺台籍中上層人士有失去自我尊嚴，抑或自我迷失立場者不少，因而提示樹立「台灣人」該保持的主體性，但人微言輕，我所言的主體性被有心人扭曲改用外，本人亦被中傷為頑固的反日主義者，可嘆也。

日帝的治台期，日本人及日本究竟對台灣及台灣人是何種性質的存在？這個總結性探討課題並非一蹴可得、一朝一夕所能獲得正確答案的，對我們研究日據時期台灣史的學人是需要一而再、再而三，鍥而不捨地向自我內心發問的重要課題。

例如：後藤新平如何評斷，學界人士不該盲從部分商人和遊走台日間的「皮條客」人士言論。他們或許為了生意和低層次私人利益上的考量而對日方有所顧忌，並對日人有獻媚之需要。近年，我們已目擊過日本的大企業，例如「山一證券公司」、「北海道拓殖銀行」等之自宣破產或倒閉慘劇，我們學界人士哪有迎合台灣「小巫」商賈抑或商場小丑之流的淺薄言詞來「共舞」的道理！

（八）如何總結兩蔣威權時代及當期的美國對台政策

光復、接收、二二八以及國府中央遷台後的一段歷史時期，目前，大家關心的中心，主要在於光復至二二八為止的各種課題。最近，有關「白色恐怖」的實相研究，又與受害者群的補償及平反訴求相對應地被公眾注目。往後，政治激情消褪，社會矛盾在其質量兩層面亦發生變化後，學術研究的熱點及焦點又可能隨而發生轉移是可以意料的。設若這一種新情況展現時，筆者仍然得呼籲，我們學界人士萬不可把孫文先生、蔣介石老總統以及蔣經國前總統神格化。把領導人或不管任何領域的人士祭上神壇，係社會科學研究上的大忌。我們更不能陷入媚美、親美之境界，眾人皆知，國府中央遷台後，若沒有美軍的保護傘（包括第七艦隊之巡弋台灣海峽）及美國對台的經援，「中華民國在台灣」是保不住的。這個雖然是史實，但與我們客觀的歷史研究是無相干的。相關學界人士只要冷靜地正視歷史便足夠的。大可不必為此拜美國作「阿公」。因而我主張能早一天樹立具有主體性的知美觀和立場才是正派作風。筆者更相信上述正派作風才能對我們的研究台灣現代史、認知台灣的總體圖像及真正面貌會有幫助的。

（九）暫時的結尾話

筆者套用湯恩比（A. J. Toynbee）的說法，改稱為「An Approach for a Study of Taiwan History」，也就是它的冠詞「An」所標示的一個對台灣近現代史初步性未成熟的看法。本人，當然不敢冒昧地僭稱要代表，抑或能代表什麼人來發言，我能代表的僅是我個人而已。本文只是生為客家系台灣人一員的我，對台灣近現代史所抱持的一些切入視角或解讀方法的暫時性呈現而已。

研究台灣近現代史，將是一個長期的，足夠我們學術界人士挑戰的思想性及原理性的大工程。本系列叢書（戴國煇說台灣歷史與現實）不過是筆者把自己未成熟的一些想法，用中文整理出來向讀者諸賢討教的小文集而已。

按：三月中旬以來，我一直為精神上的「自我解套」，開始著手編我文集。另一面又為總結過去近三年的一些學習暨思維，答應了三個演講：⑴為成大歷史系創系30周年紀念而作的〈有關台灣近現代史研究的幾個問題——方法暨初入視角試論〉（1999年5月15日）；⑵為逢甲大學所辦「丘逢甲、丘念台父子及其時代學術研討會」而作的〈我所認識的丘念台先生〉（1999年5月16日）〔參見《全集》15〕；⑶為自由時報主辦「亞洲安全保障與兩岸關係學術研討會」所作的〈從奈伊博士的戰略思考，考察東北亞二大火藥庫之未來〉（1999年6月13日）〔參見《全集》13〕。其中的第⑴篇經過補正潤色後當為本文（總序），收入本叢書。在此，特別向成功大學歷史系所諸友好表示衷心的謝意。

戴國煇

定稿於1999年7月5日

謹識於出發美國旅遊前夕

《台灣史探微》序

1985年3月25日，筆者出版了有生以來的第一本中文書。題為「台灣史研究——回顧與探索」（台北：遠流出版公司）。遠流的王榮文社長，告訴我銷售得不錯，一共印了四刷。但我一直對此文集不甚滿意。它並不是我有系統地將其編排集結成的文集。1983年以前，筆者除了有必要與國內知音通信外，很少用中文撰述文章。當台灣島內的知心朋友們，發現我的一些有關台灣史的論點頗有新鮮感，以及具有突破性觀點（這些都是朋友們所云者，並非筆者在此老王賣瓜）時，他們督促我提供中文稿。但我的文章已成為中文者不多。僅有的多半是朋友們代我自日文譯成，在中文刊物發表過的。我便匆匆忙忙地把它蒐集寄回台灣。經過陳宏正兄的引薦，初識王榮文社長，沒有意料到，他會那麼果斷，欣然同意並樂於出版該書。

繼後，筆者在遠流出版公司上梓了下記的一系列中文書：

《台灣總體相——住民・歷史・心性》（1989年9月16日）。

《愛憎二二八——神話與史實：解開歷史之謎》（1992年2月16日）。

《台灣結與中國結—— 罣丸理論與自立・共生的構圖》（1994年5月16日）。

有幸，一概獲得好評。但諸如中傷、毀謗、圍剿、孤立等逼我者隨而亦湧至，好不熱鬧。

我並不是英雄主義者，更不可能是唯我獨尊、自以為是的頑固分子。請讀者諸賢允許筆者不謙虛地說一句：「我在日本學界的挑燈夜戰、孤獨而行、實幹經驗，教我學會如何劃定自我的座標軸而不動搖，如何開拓自己的學術前線卻不躊躇。誠然，根本就不曾去介意那些無聊人士的諸多舉措的。」

記得，當我出版《台灣總體相》不久時，我便向王榮文社長提出，能否把《台灣史研究》停止發行，日後重新編排以嶄新體裁上梓的要求，他並無二句話，便答應下來。

1996年5月中旬，返台後，又發現我的台灣史研究相關觀點若要出新書，在「遠流」的出版系列中，頗不易找出合適的相應定位。1998年來，為了籌辦幾個有關台灣史的國際研討會過程中，與南天書局的魏德文社長有了多次深談機會。我一貫地遵守家祖父留給我「可遇不可求」的待人並相處為善之道。經過多次交誼後，我們兩人終於擬成一些合作出版計畫，本系列叢書可以說是第一個嘗試。

第一冊文集之所以題名為「台灣史探微——史實與現實的相互往還」，是出自於筆者在日本之學術生涯經驗的一種反彈。日本的歷史研究者，尤其東洋史學界的前輩們，鮮見其在職時著書。多數學者都在退休時依靠門生們代其蒐集、整理舊文時，並籌募樂捐而出版其大部頭論文集為常例。

筆者一貫地，敬佩日本學者的自謙作法及敬業精神，唯認為他們只能見樹但看不透森林。因此日本人的史學者很少能作、抑或敢作歷史哲學性的大格局發言。

反觀我們中國人的史學界，甚多人士都盼望，在世期間能圓滿其撰述通史之「美夢」。一個人撰述通史，談何容易。日本人常用「中國人的白髮三千丈式想法和表達方式」來笑諷中國人的好大喜功、喜愛吹牛、言而不實、大言不慚等等陋習。其實，我們自己的俗話亦有反映此類的比喻。諸如，「天下文章一大抄」、「天下烏鴉一般黑」等。不管如何，我們國人不很敬業、喜歡耍嘴皮、慣用影射、不尊重先驅者業績等等惰性倒是真的。往好的方面解釋，中國人之上揭「美夢」即便團圓，仍然是茫茫遠望森林，但難窺樹木之微。

如何克服、彌補或平衡上述兩極端的落差或是作法的隔閡，是筆者多年來的夙願性課題，由而我提出了史學研究時務必保持「生活者意識」，並時時刻刻關切自己有無脫離「生活者意識」境地的重要性。所謂生活者意識便是不與生活現實脫節，而來省察歷史的具體流程。考察過程亦不可忽視史實與現實的相互往還（feedback）或其原理（feedforward principle）的適當應用。筆者是否能運作得順暢，自當別論。這一本文集是我有意識地應用上記方法的一個小結果，尚不敢自滿地說是成果。勉強地，或許可以說是我獨立思考的一種小小呈現而已。

不斷地試圖擴充對歷史的能見度或透視度，亦是我的夙願。擴充知識的獲得量和累積，當然是需要的。但知識之質量不能等同認知（或認識）的正確及深度。若要加深我人對社會事物及歷史暗流等的精確認知，我們需要支付相應的能量，去嘗試把零散的諸多知識組成具備有機性相互關聯的一種構圖。不然的話，零散或零亂的諸多知識，依然是「死」在原地，搞不活來。既是原地踏步又是搞不活的諸多零散知識，它僅是個社會性浪費，對我人建構真正的歷史認識係無濟於事的。

在編本文集時，筆者一再地重新確認「世紀末思潮」在台灣彰顯的嚴重性。

人們只在「自求多福」，不信任任何人的懷疑主義彌漫於社會。人人沉迷於眼前一時的「成就」及享樂主義。當今流行於世的「只要我喜歡，有什麼不可以」不過是這一類意識在語言上的反映而已。英文的「so what?」、法文的「et alors?」、美國社會的「meism」（自私，自我中心主義）等之流行及影響老早已浸透到台灣了。

世俗的拜金暨拜官主義，亦吹向台灣學界。繼而「包工程」現象處處可見於學界的各個角落。拜拜屬性的「研討會」到處開，好不熱鬧。

傳統的阿諛、諂媚、厚顏、馬屁文化不但在島內復甦，更有向美日兩國政、學界輸出擴張之勢。

只為了「博士學位」而搞（非從事）學術研究。有了博士學位，不關它的虛與實才可謀到「職位」。有了「職位」便可享受大半生之「名利」，難到它不是台灣式「大鍋飯」共犯結構是什麼？

本文集若能給不願與上述「世紀末台灣思潮」同流合污之有識之士，提供些許正面性刺激的話，筆者雖然又在冒犯「眾怒」，我認為還是值得的。

只要讀者諸賢能覺得，本書對樹立台灣史研究者真正的主體性將是有益的話，我也就十分滿足和感謝了。

本著作的成書，承南天書局編輯部諸朋友，尤其魏社長親自為我整理稿件付出的辛勞，是筆者應該倍加致謝的。至於訪問筆者，把我未成熟的想法整理成文的媒體界朋友們，除了致謝外，我還得向他們報告，筆者的中文，近幾年來真託各位的福，的確進步了許多；因為他們都是我的中文老師。更使筆者不能忘記的是，一群知心朋友的存在，他們不斷地激勵了懶惰的我寫一些反潮流的小文章，或逼我說些有心人聽起來不甚爽快的話。沒有他們的激勵，這些小文是成不了形的。最後，又得感謝他們的餿主意。本書粗疏和謬誤之處在所難免，最後懇請讀者先進們多加雅正，是為序。

戴國煇

1999年7月5日赴美前夕

謹識於新店梅苑

輯一

晚清與日帝時期台灣史

晚清期台灣的社會經濟

——並試論如何科學地認識日帝治台史

一、前言

日本人有一句俗話，稱十年為「一昔」。第二次世界大戰結束，也就是日本戰敗投降，已有22年（譯者按：本文成稿於1967年）了。換句話說，台灣脫離了殖民地統治桎梏亦已等於22年。套一句日本俗語，恰恰好是「二昔」多出二年來。

我們可以暫時不述及，因殖民統治而惹起的統治民族（日本人）與被統治民族（包括高山諸族和漢族的台澎諸島住民）間的心理糾葛能否藉光陰的流逝而被沖淡以及被忘懷。但為了建立及發展今後中日兩民族間的友好關係，筆者認為雙方的有關學者必須積極承擔起加強研究中日甲午戰爭本身的真相，以及中日甲午戰爭以後所展開的中日兩國關係之責任。

日本學界對有關中國的研究一向頗為盛行，但照理應該被包括在近代中日關係史，且為其重大一環的台日關係，尤其是有關日本帝國主義統治台灣的社會科學研究，卻是意外地、少有學者從事[1]。

如眾所知，日本統治台灣是根據1895年清朝與日本明治政府所簽訂《馬關條約》而「割讓」台灣作為開始。終止於戰敗了的日本帝國接受《波茨坦宣言》，末任台灣總督安藤利吉在台北市中山堂簽訂降書（1945年10月25日）時。其期間約為50年6個月。

近幾年來，台灣的「經濟發展」為世人所稱道，由是有一些日本人，尤其是舊台灣總督有關官員和他們的眷屬們所自誇的「日人治台殖民統治是成功的」、「台灣是借了日本的力量才開發出來的」、「台灣是由日本才被近代化的」等等議論已大大地越出「往事只能回味」的領域，而慢慢地且普遍地開始被肯定接受。

筆者在本稿裡，無暇對上述議論是否確當作出全面性的探討，但我願意且大致地承認，台灣經濟在日據時代是有過它殖民地經濟類型的發展的。不過這種經濟發展是需要加上括弧來表示有別於其他一般經濟發展類型才對。日帝統治下的台灣經濟發展畢竟不是為了被統治民族的利益而所計且所為的。追根究柢，該

1 部分台灣人以「台灣獨立」為前題而從事的「研究」之外，少有其他研究。值得注意的著作，僅有向山寬夫的〈日本統治下的台灣民族運動史〉（為其向九州大學提出的學位論文，1987年7月才由向山本人所經營的中央經濟研究所出版。按：此書已譯成中文，由台北：福祿壽興業公司出版，1999年12月。筆者所能得閱者為向山氏初期作品〈台灣民族解放運動史——在日本統治下〉，《歷史評論》通卷26～27號），以及尾崎秀樹的〈決戰下的台灣文學〉、〈台灣文學札記〉、〈殖民地的傷痕〉（均收載於尾崎秀樹著《近代文學之傷痕》，普通社出版，由勁草書房發行，1963年2月。當近，比較容易獲得參閱者，為同筆者的《舊殖民地文學之研究》，勁草書房，1971年6月30日）。

時期的台灣經濟是陷於日本資本主義全體系的逼求之下，以強有力的日本帝國主義之政治、經濟政策，先把台灣經濟從中國經濟圈（其實，當年的主要範圍多限於東南沿海諸省的經濟圈，因國民經濟尚未成熟故也）割開，轉而使其淪為日本資本主義體系的附庸（台、澎諸島——一直沒有受過作為日本列島主要構成分子的平等待遇。殖民地就是殖民地，不可能被提升為主人翁之一員的）。台灣經濟確實有過它殖民地類型的一種發展，但這種發展不過是當了附庸而帶來的副產品而已。

我們還得指出，未來不過是「副產品」的殖民地，台灣經濟發展也不是日本人心甘情願地留下給台灣島民的。是因日本戰敗，日本人被逼迫無法帶回日本去，不得不將「副產品」留下來。上舉一味歌頌殖民地經濟發展的人們，似乎故意忽視這個極其簡單且嚴肅的史實。在戰前戰中，沒有言論自由的日本作出如上一類歌頌殖民體制功績的言論，我們尚可原諒，但在第三世界新興勢力已抬頭，連先進帝國主義者的後裔們都普遍地能接受「不管任何形式的殖民體制，一概應該被否定」這種想法的今天，居然還有日本朋友對殖民地經濟發展作出無條件的歌頌，真叫有識者痛心，且深感遺憾。

再者，上述一類歌頌論者，往往亦片面地只從殖民統治者的政策措施之結果，單線地來觀察這該加括弧的經濟發展。換句話說，他們習慣於只從身為統治者地位的日本當局及日本人的立場，單方面來探討所有促進經濟發展的原動力所在。結果這些論者，無法對同樣受了日本帝國主義統治的台灣和朝鮮——雖然兩者成為殖民地的開始期有其先後，統治期間有50與36年之別——

為何在統治過程（包括殖民統治體制下，主體、客體相互間的因應型態和作用）及統治後果上呈現極其不同的現象，作出合情合理且具有說服力的分析與詮釋。

總而言之，世界史上的任何殖民體制，是包括有主體、客體雙方面既綜合又整體抑或既矛盾又互動的體制。因而若忽視客體方面的歷史條件及政治、社會、經濟發展之階段，尤其是忽略或輕視被殖民統治前夕，客體方面所具備條件及所達到的生產力發展階段的話，當然不可能深入且全面地掌握殖民地統治史的全貌。

上舉歌頌論者亦真正忽略了這個理所當然的邏輯。在日本的有關日人治台史研究的重大缺陷亦正在於此。

由於一直輕視並且未有效地著手過晚清時期台灣的社會科學研究，所以往往會對「台灣民主國」（1895年，為了抗日的大義，由台民與清朝在台開明官吏等相謀組成的抗日體制）的成立感到驚奇，而那激烈的抵抗、防衛日本侵台軍的台民軍事行動力亦成為他們不可思議的存在。

他們陷於「死角」，當然亦看不透且不願親自下功夫去摸透，台灣島民為了防衛「台灣民主國」而付出偌大犧牲在前，在竹越與三郎稱讚不已的「兒玉、後藤政治」的毒辣政治（包括違反「武士道」【？】的引誘騙殺）下，上萬的台民又壯烈成仁在後，為何仍然不放棄抗日行動？甚至到了1930年，霧社山胞還冒了全村被虐殺之險而勇敢地敲起震撼全世界的「台灣霧社起義」的戰鼓。這一連串的抗日史實當然可視為一脈相承的。上舉論者大致來言，他們是不會亦不願以同一個歷史脈絡來掌握並洞察貫穿抗日事件時，台民所具反抗殖民主義的時代精神。

據史料，在防衛「台灣民主國」戰爭中，台方的犧牲，僅戰死的兵士就達7,000人[2]，至於民間的犧牲者則因為沒有確實統計，無法確知。但數字絕不會少於數千人的。激烈的抗日運動當然也給日方帶來不少傷亡和困擾，因而在日本國內，台灣放棄論或出售論曾倡行一時。

另外，據後藤新平之女婿鶴見祐輔的記載[3]，在兒玉，後藤政治」的前期——1897年至1901年的五年間，所逮捕的「土匪」（日方蔑稱土匪者，站在台方來言當然是抗日義民）有8,030人，所殺戮者達3,473人。更有甚者，單單在1902年的大鎮壓（林少猫事件），逮捕後被處死的就有539人，被誘殺的多達4,034人。至於霧社起義山胞的悲壯情懷，以及日後所受的夢魘般反人性的滔

2 竹越與三郎，《台灣統治志》，頁153。另據莊嘉農《憤怒的台灣》，頁29，為數十萬人，數字略嫌過大，但把竹越所言的7,000人，加上民間人被處死者等犧牲者，則為數甚眾。

3 鶴見祐輔，《後藤新平・台灣統治篇（上）》，頁159～160。又，鶴見直稱我們抗日義民為土匪，而無抗日游擊隊的一種看法。就一般而言，在台灣並非完全沒有真正的土匪，而當時的統治者，拘於他們的立場將抗日游擊隊和土匪混歸為一類是極為當然之事。遺憾可惜的是，這種統治者史觀、被扭曲的看法直至戰後的今日猶存。甚至連93高齡（譯註：此文成立於1967年）而仍以向前看的態度闡釋中國革命的《中國人民革命史論》（發行人三島海雲，1966年12月1日發行，非賣品）之作品矢野仁一博士，也把當時的抗日游擊隊視為匪賊。他所描述的誘殺事件如下：「兒玉總督在對全島之匪賊所發出的布告『到×月×日為止，要呈報洗面革心，更改匪賊行徑，歸於順民，這是給予你們的最後機會』中，督促他們『絕毋忘此期』。於是在嘉義之北的斗六設置廣大的歸順場所，在該地聚集出面歸順的全島匪徒，以武裝警察包圍而一起加以射殺。」（矢野上揭著作，頁16～17）。錯誤的歷史認識是如何不斷地毒害善良的學者博士，並叫人們不斷的歪曲且錯看台灣史的真相。至於一般讀者，將來仍會如此下去嗎？心寒者恐不只筆者一人吧！

天報復罪行是眾所周知的（譯者按：請參考戴國煇編著《台灣霧社蜂起事件——研究與資料》，1981年6月30日，東京：社會思想社初版）。

筆者1955年秋天出國來日本留學，從事研究工作，一直待在日本學界圈子內。我觀察到日本許多研究中國的學者，他們的大多數雖然主張「一個中國」的立場，但至今仍然不把台灣擺在他們研究對象的視野裡頭。而僅有少數研究台灣的學者，亦欠缺將台灣和全中國的政治、經濟、社會以及歷史上的動態、脈搏結合起來思考，來掌握問題的研究方法。或由全中國的動態中以及從其有機的關係中去發掘問題，認識研究對象，從而開拓他們台灣研究領域的眼界。同時也少看到日本朋友真正抓住圍繞台灣的時代精神來掌握「台灣問題」的本質。

由於上述研究態度的積弊，使他們所抱有的台灣史形象依舊模糊不清，對於所謂「台灣問題」亦不曾有過堅持該有的公平立場、發揮過充滿自信的言論。

起草本文的目的，正是試圖彌補上述缺陷，讓晚清時期台灣的洋務運動登上學術解剖台，介紹、闡明其運動的背景和實況，藉以評估晚清台灣的總貌。

二、洋務運動在台背景

（一）台灣開發小史

出乎我們意料之外，日本人雖然統治了台灣50年，但台灣史的一般面貌日本人卻很少有人熟知。尤其是有關晚清時期的台灣，也就是說被「割讓」前夕的台灣，若為有意地掩蔽其實相，情有可原。但至今仍然流傳在一般日本知識界的，卻是被歪曲且有利於殖民統治體制和殖民統治民族的史觀。因而我覺得問題相當地嚴重。

古今中外的歷史告知我們一個普遍的史實——統治部族、種族或民族，通常為了方便於他們的統治以及樹立他們的統治秩序和機制，他們是習慣地且不擇手段地，培養統治民族對被統治民族的優越感。並且有意且有組織地讓他們的社會瀰漫著他們統治者俱有先天的優越屬性。讓他們的一般老百姓停留於感性的認識階段，而「盲目」地迷信他們的文化、社會、民族等等優越於且有別於被統治民族的文化、社會、民族性。統治當局當然盡其所能，運用了這種優越感和心態來進行對殖民地原住民族的壓迫及榨取。

台灣當然亦不例外。初期的、特別是頭十年過後不久的在台日本統治當局，開始沿襲並有意增幅清朝體制統治台灣時留下來的一批蔑視台灣和台民的用語。例如「化外之地」、「瘴癘之地」、「三年小反，五年大亂」、「好亂成性」等輕蔑用語，有意造成台灣是未開化之荒地、野蠻之地，其居民不外是「隨便殺人頭顱的生蕃和好亂成性、不守秩序、亂來械鬥、桀驚不馴的土人、支那人等等台灣形象[4]。筆者將另尋機會，起稿批判統治者

4 日本當局在「牡丹社事件」（有關牡丹社事件請參考藤井志津枝著《日本軍國主義的原型——剖析1871～1874年台灣事件》，1983年4月，台北：三民書局）發生前夕，派遣樺山資紀（後來的首任台灣總督，當時為少校）到中國大陸和台灣調查近二年

史觀，故對統治者史觀的批判暫時擱筆在此。為批評並糾正這類錯誤的「台灣形象」，茲特別略述台灣早期歷史。

由現存史料觀之，台灣被編進中國勢力圈，開始與漢文化接觸，大致是在西元三世紀以後的事。最早期的接觸，當然我們可以易於想像，它當是斷斷續續的。直至倭寇興起活動於南海，葡萄牙、荷蘭、西班牙等早期西歐列強窺伺台灣的17世紀初葉，大陸向台移墾的移民潮也慢慢地開始旺盛。

明代台灣的開發始於1710年代，當時鄭芝龍一派人所領導的反政府武裝交易集團，為避免明朝統治者的干預，開拓台灣本島西南部的北港一帶作為基地，從而揭升了開發台灣的序幕。

其後，荷蘭人於1624年占據了以台南為中心的南部台灣。然直至1661年，逐漸把它的勢力擴展至全島西部平野，並作了它38年的殖民統治。荷蘭東印度公司，不但以台灣為貿易的轉運站，而且從對岸大陸的華南（閩、粵為中心）招募許多漢人到南部台灣一帶開墾。荷蘭人利用了漢人開拓勞工，透過米、糖、鹿皮、鹿茸等中心商品，攫取重商主義階段殖民統治的利潤[5]。

（1873年2月自東京出發，翌年12月返回長崎，值得注意的是隨員之一，為後來的首任民政局長水野遵）（參照樺山愛輔，《父・樺山資紀》，1954年7月油印本所記錄的《台灣日記》，或參謀本部所編輯的《台灣誌》，1895年1月編，同年7月13日發行，該書採錄某領事在1891年調查台灣的紀錄）等早期調查紀錄中，並未見有對台灣的蔑視記述。由此可知，後來的日本殖民主義者的台灣觀往往是為了保護他們的既得權益而加以潤色，有時且是任意捏造的。

5 詳閱拙著《中國甘蔗糖業之發展》（亞洲經濟調查研究叢書第129集，亞洲經濟研究所出版）〔參見《全集》10〕第四章。

另一方面，在差不多同一個時期，已於菲律賓呂宋島確立勢力的西班牙人企圖與荷蘭對峙，在1626年占領了荷蘭勢力尚未侵透到達的西北部台灣。西班牙人以雞籠（基隆）、淡水等地作它的貿易轉運與傳教事業的基地。西班牙人少有從事農業發展，直至1642年因受荷人攻擊逼迫退至馬尼拉，而結束其為期16年的西北部台灣的統治。其後荷人繼承了西人對西北部台灣的統治，但西北部的社會經濟的變化進展不如西南部台灣來得大和快。

迨至1661年，抗清失敗逃至金門的鄭成功軍終於驅逐荷蘭人，而在台灣開始樹立反清復明基地。從此開始，台灣名實相符地變成由漢族直接控制政權並從事廣泛的開拓事業，經營台灣。

鄭氏統治，開拓台灣歷經三代，共22年。尤其在第二代的鄭經治台期間，尚能維持「反清復明」精神的高潮，不甘接受滿清異族統治的明朝遺老知識分子大舉移住台灣，興學設校，導入大陸先進有關製作鹽糖、水利以及栽培稻米等技術，大大振興各種行業，力促台灣經濟的開展。尤其台灣農業展現出台灣史上未曾有過的繁榮與進步。值得我人特別注意的是對外貿易的進展。鄭氏當局為了確保其政權的經濟基礎，充分地動用了兵船（由大陸開進台灣來的），為了突破滿清當局的經濟封鎖，採取了積極政策，擴展其與日本及透過東南亞等地直接與新興西歐列強樹立貿易關係，因而貿易經濟頗為興盛。另外我們得指出，流入了為數不少的明軍殘部，鄭氏把他們轉為屯田兵，向高山諸族的占有地侵占，開了不少水田，使農業開發的範圍不再僅限於台南附近平原一帶，大規模地向北擴張至竹塹（新竹），南至鳳山[6]。

隨著上述的開發，短短20年間，漢族人口由荷蘭統治末期的五萬左右[7]增加為二倍多的12萬人[8]。

及至1680年代，清朝康熙帝的政績所帶來的直接及間接影響和衝擊越過台灣海峽，以及清朝歷年對台所作的軍事、政治、經濟的封鎖政策逐漸奏效，搖撼了鄭氏治台的根基。

同時在台灣內部，因鄭經去世（1681年）所引起有關繼承人的權力鬥爭，綱紀廢弛，政治紊亂日增月盛，呈現日暮途窮的一般社會形勢，遂為清朝所乘，1683年，水師提督施琅征台，鄭克塽被逼開了軍門向清投降。

清朝治台約為二百年（1683～1895年），在此二世紀長的開發過程，在本稿無法詳細介紹。茲僅列舉三大指標便於概觀之所據。

1. 漢族人口由12萬人增為255萬人（1893年）[9]。

2. 耕地由18,000甲（1684年）[10]激增為75萬甲[11]。

3. 行政區劃及設施方面：當初台灣只是隸屬於對岸福建省的一府三縣。因開拓的進展和有關國防和治安的考慮，遂於1885

6 參照前引拙著，頁152～199。

7 陳紹馨纂修，《台灣通志・卷二・人民志・人口篇》（1964年6月，台北）頁111。陳紹馨指出「漢人在五萬以下」，略嫌曖昧，故在此根據其文脈改為約五萬。

8 同陳紹馨上引著，頁117。

9 伊能嘉矩，《台灣文化志・中卷》（1928年版本），頁241。

10 陳紹馨前引著，頁137。

11 井出季和太，《台灣治績志》，頁371，略謂1904年時，所完成的土地調查之田畝面積為77萬7,850甲。自「割讓」至調查完成為期九年，但治安不佳，雖有新墾地之增加，但為數甚少，故本文作75萬甲看待。

年，清朝在台設省，分台灣為三府、一直隸州、六廳和11縣[12]。

以往，許多論者陷於清朝體制所遺下的「框架」，盲目地過度強調清朝治台期的所謂「三年小反、五年大亂」和「分類械鬥」，因而相對地忽視或輕視了以開拓農民作為中心的農業開發的成果。農業開發附帶地促進生產供出口的農產品，主要有糖、茶、樟腦以及米。從而貿易商人活躍起來。貿易商的特化慢慢地形成發展了「郊（Guild）」──前期性商業資本。上舉論者必然地亦低估了「郊」的形成發展，以及它在台灣社會經濟結構上的重大意義[13]。

我們當然知道，清朝派在台灣的大多數官吏們仍然陷在「三年清知府，十萬雪花銀」的劣根官僚傳統中，難於自拔的境界。來自於大陸他鄉的地方官，他們當然不會認為台灣是自己「長留埋骨之地」，他們時常與地主惡霸們勾結，胡作非為，榨取民膏民血以充實他日衣錦還鄉的老本，「三年小反，五年大亂」不正是老百姓對上述貪官惡霸們反抗的一種語言上的反應嗎？至於「化外之地」之稱，不過是反映了清朝中樞難於統治台灣、具有「鞭長莫及」之感。這個「化外之地」的成語，不外是表示當年的台灣，正處於「開拓地的最前線，frontier」，到處尚留有處女原始林地帶及所謂「蕃害」而令漢族人人恐懼，山胞勢力所據的「勢力圈＝蕃界」之存在。「蕃界」毋寧是為「開拓先驅者」

---

12 請參照周憲文，《清代台灣經濟史》（台灣銀行經濟研究室編印，台灣研究叢刊第45種），頁3～6。

13 例如細川嘉六在其著《植民史》，頁104，或中村孝志在其論文〈台灣史概要（近代）〉（季刊《民族學研究》第18卷第1～2號，台灣研究特集）一概如此。

（往往是反體制者），突破既存秩序的「造反者」的廣大「避風港」，暫時退避養神之地。

我們不要忽視，這個「開拓地的最前線」——邊境所具有的條件，正提供開拓農民抵抗體制的多種方便。開拓農民常常利用了上述的絕好條件，前仆後繼地揭竿起義，演出多次的農民起義。開拓農民有時會向地主與清朝官吏的連合體揭竿起義，有時亦會連合開拓地主直接向清朝體制擊鼓挑戰。

不以社會經濟史學的觀點和方法來整理、掌握並分析農民運動[14]，反而陷惑於「三年小反、五年大亂」一類的統治者史觀的一般常識論者，當然不易看透歷史的真相。這一類庸俗的論者其實也無法對後來的土地調查事業（1904年所完成，由台灣總督府所強制施行的土地調查）為何能發現隱田（未登在官廳土地簿冊的田地）多達40萬甲的事實[15]，作出合情合理的說明。要注意40萬甲地，其實占有當年實際耕地面積的二分之一強，其數字之大是不可忽視的。

因此，被清朝統治者視為「化外之地」的台灣，對大部分移台漢族系開拓地主和農民來說，毋寧可說是幸運的。處於清朝政治權力最為軟弱的「化外之地」——台灣，漢族系移、殖民們利用清朝綱紀之紊亂，不斷地展開抗拒、抗租運動中，反而能夠累積了一些他們自己的勞動成果。充滿了「開拓者精神」（frontier

14 據筆者所知，真正以社會經濟史的觀點來論述台灣農民運動的論文，只有宋明哲〈從台灣社會經濟史的觀點看分類械鬥的意義〉（載於《唯物論研究》第28號，1935年2月）。但宋氏論文的資料大部分為二手資料，其運用分類械鬥的分析方法亦不甚恰當，尚有檢討之餘地，容後另文研討。

15 同註7。

spirit）的開拓農民，一為直接生產者的「現耕佃戶」，二為「小租戶」（直接向清朝政府申請開墾的自耕農戶），一步一步地由點向面擴展開墾各地沃土，造成後日的水田。當然這一種擴展「邊境」的行動另一面引起「蕃害」——高山諸族，抗漢族侵占的武力行動。所謂拓殖者給先住台灣人——高山諸族帶來不少損害亦是史實的一面，這一點我們是不該忽視與忘記的。

另一面，鑽清朝體制的漏洞，商人們尤其是貿易商人獲益非淺，他們逐漸形成「郊」的一大勢力，不外是一個最好的見證。

如上，我們才可指出，清朝治台期，尤其是晚清期間，台灣的小農經營有其特殊的發展，因而在台灣農村才能見到小租權的樹立以及「寄生性地主制」的展開。社會經濟的發展同時亦促進了台灣商業資本有一定程度的累積，並出現了「郊」及買辦商業資本家等的一群人。

（二）晚清期的台灣

到了19世紀中葉，歐美資本主義列強，進一步地加強了它們對世界「落後」地域（套一句今天的詞彙則為「第三世界」）的瓜分，進行殖民主義式的野蠻、侵略、擴張主義行徑。

帝國主義開始垂涎台灣

中國已變成它們下手的目標，台灣當然地亦被捲入漩渦之中。僅僅列舉其較為顯目的行徑，就有如下不少事件的相繼發生：

鴉片戰爭（1840年）之際，英軍為了牽制清軍，出兵派艦在台灣近海巡弋。

1854年，美國東印度艦隊司令培里（M. C. Perry）派軍艦至雞籠（今基隆），測量港口並調查煤礦。事後根據調查報告，積極建議華盛頓當局占領雞籠，以確保有關美國船艦的補給（煤、食品、用水等）基地。

1858年，根據《天津條約》，清朝被逼開放台灣府（當時，包括台南和安平）與淡水為通商口岸。

1860年，普魯士船向南部台灣山胞部落砲擊。

1863年，清朝被逼增開打狗（高雄）、雞籠（基隆）為通商口岸。

1867年，美國軍艦砲擊並侵攻南部台灣山胞部落。

1869年，駐台英國人商行因買賣樟腦同清朝官吏發生衝突（一般稱為「樟腦紛爭」），英艦無理砲擊安平，要挾謀取貿易上的優勢。

1874年，日本明治政府發動所謂「牡丹社（現屏東縣境）討伐出兵事件」，向清朝示威，並藉而要挾清朝承認其吞併琉球為合法。

1879年，日本明治政府完成吞併琉球王國的國內行政手續，適用所謂「廢藩置縣制」於琉球，創制沖繩縣，終於把琉球列島強制完全編入日本勢力圈內。

1884年，中法戰爭之際，法國艦隊侵襲並封鎖雞籠、淡水及澎湖島等港口，藉以牽制清軍[16]。

從「亂自內生」到「亂自外至」的台灣

上述一連串的外來威脅事件，逼迫清廷有關當局不得不加深其對「邊陲之地」台灣的認識。也就是說，清朝被迫檢討，地當東南七省門戶要衝重地的台灣，其在國防上所占地位的重要性。並迫使清朝修正其傳統治台基本方針一向由「亂自內生，鮮有外至」的認識而策定成的「以防台而治台」方針，且為了適應「亂自外至」的新情勢而不得不轉趨且採取「以防外患而治台」的新方針。

新方針在政策實踐中，最具體且最集中的表現，乃是在台建省（自福建省獨立，另成一省），和派任具有開明幹練之稱的劉銘傳為台灣巡撫，並委劉在台力行洋務運動。

未闡明在台洋務運動的實貌以前，我們似乎有必要略述當年的台灣產業經濟概況。

當年，台灣產業的中心在於農業，自不待言。台灣農民以75萬甲的耕地面積作為基礎（1941年的全耕地面積約為89萬甲[17]，值得我們憶起藉資參照），大大地發展他們的稻作以及蔗作和植茶等商品作物農業。

鴉片戰爭前的台灣稻作

稻作的豐盛，誠如巡視台灣監察御史內陸黃叔璥載云：「三

16 參照吉國藤吉譯，《台灣島史》，頁147～150。

17 台灣總督府農商務局編，《台灣農業年報》（1943年版），頁4。

縣（1684～1722年期間的台灣行政區劃，只有台灣〔現台南一帶〕、鳳山〔現高雄一帶〕、諸羅〔現嘉義一帶〕三縣，其他地區尚未成縣）皆稱沃壤……千倉萬箱不但本郡足食，並可資贍內地，居民止知逐利，肩販舟載，不盡不休，所以戶鮮蓋藏。」[18]，在1820年代台灣（請留意，只限於南部西海沿岸平原部的三縣），已有相當多量的餘米可接濟對岸大陸（國內間交易我們名為「移出入」，國際間交易我們稱其為「輸出入」，以便區分）。

其後，開山闢土更加進展，除正規的移出及「走私」之外，乾隆以迄嘉慶年間，每年移出被稱為「台運」的軍用米（包括軍眷用米）約為十萬石。到了道光年間，復受官府命令增額至14萬石向天津移出[19]。

鴉片戰爭後亦影響台灣經濟

可是，鴉片戰爭後，因大陸港口受逼開放於洋商故，洋商從越南及暹羅等地輸進大量「洋米」，擾亂了「台米」在大陸的市場秩序。「台米」因競爭而跌價，遭受嚴重打擊，遂使台灣農村呈現「豐作但滯銷」的不景市況。

類似景況，可透過當年身任台灣府學教諭席的劉家謀所述：「台地糖米之地，近濟東南，遠資西北……唉唎（英國）販呂宋諸夷米入於中國，台米亦多賤售。商為虧本而歇業，農為虧本而

18 黃叔璥撰，《台灣使槎錄》（《台灣文獻叢刊》第4種）之〈物產〉，頁51。

19 參閱前引《清代台灣經濟史》（同註12），頁36。

賣田，民愈無耶賴矣。」[20]而窺知一斑。

鴉片戰爭對台影響所及，不止於搶奪了「台米」在大陸的市場，另外還讓「不速之客」鴉片擁進來台。鴉片的大量進口，必然地導致台灣經濟在貿易收支平衡上失調，逐漸造成台灣經濟的混亂。

自1847年到1854年（清道光27年～咸豐4年），就任福建台灣兵備道的徐宗幹即曾歎謂：

> 銀日少，穀日多。銀何以日少？洋煙愈甚也。穀何以日多？洋米愈賤也。……米穀不流通，日積月累，望豐年乎？歉更甚矣，抑待歉年乎？賤如故也。蓋內地食洋米而不食台米也。不食台米，則台米無去處，而無內渡之米船。無內渡之米船，即無外來之貨船。往年春夏，外來洋元數十萬。[21]

我們後人當可藉以上揭的徐言，為當年台灣經濟困境作一見證。

在西方資本主義的衝擊下，中國傳統的經濟體制逐漸走上解體及崩潰之路，是眾人皆知的史實。台灣的稻作經營當然難免受其波及。然而，對稻作經濟的「外來災禍」卻因台灣的特殊條件，它可受之無愧地，轉變為新的「刺激因素」，逐漸發揮它的

---

20 劉家謀撰、吳守禮校，《校注海音詩全集》（台灣省文獻委員會），頁7。成書於1855年（咸豐5年），其詩作於1851年，故大致可以說是描述1840年代末年之事吧。

21 徐宗幹，《斯未信齋文編》（《台灣文獻叢刊》第87種），〈請籌議積儲〉，頁66～67。

獨特功能。

台灣諸島與對岸大陸，因中間介有台灣海峽之故，本來就具有妨礙大陸與台灣諸島經濟結為一個整體、使其經濟動態成為高效率、有機體的先天「負面因素」。特別在中國國民經濟尚未成熟、交通工具未現代化的道光年間前的清朝期為然。

通商口岸的開放，一方面給台灣稻作經濟帶來不利，但另一方面，卻給台灣的茶業和樟腦打通了進軍世界市場的新道路。茶葉和樟腦的外銷多利，遂吸引家境瀕臨破產的華南農民和一些已定居於台灣的漢族系移民直奔台灣中、北部墾殖幹活。大大地開闢「處女林」製造樟腦，開墾丘陵地種植茶樹以振興茶葉，發揮他們的「開拓者精神」，導致日後「台灣烏龍茶」和「台灣樟腦」名震歐美的盛況。當然，我們不能忘記「開拓者精神」卻惹起並紀錄了台灣史的另一面。則，漢族系人物慣稱為「蕃害」或「出草」，令有良知人士內疚且不堪回首的一些歷史「負面」。高山諸族——這個時期，其中心為泰雅族——的對漢族的「出草」或「蕃害」一類行為，該定位為抗漢人的義舉才夠公正。我們漢族再也不該一昧地墨守成規，夜郎自大地總括、數落其反漢人行為野蠻暴虐。這點真值得我們漢人們常作為自己警惕和自我反省的。

其結果，台灣中、北部茶葉與樟腦的生產大有發展，不但使1865至1869年間的貿易（包括輸出入口和移出入口）赤字逐漸減少，並且自1872年以後直至「割台」當年均能維持出超局面[22]。

---

22 參照東嘉生，《台灣經濟史研究》，頁351～352之表。

話題歸回稻米生產的檢討上來，我們當前並無足夠資料可資推斷劉銘傳時代的稻米產量。不過若據「臨時台灣舊慣調查會」（台灣總督府為了調查台灣風俗習慣所組織的調查研究機構）報告所云：「米產量雖不知其詳，惟當時除正供十九萬餘日石（日本量穀單位，值180公升）上繳官庫外，移進大陸的平糶米、軍糧及軍眷米等亦約與正供數量相當。此外，從打狗、鹿港、尤其是淡水等港口以「商品米」輸（該為移）出之數量亦不少，足見其產米量決不少於今日。」[23]。

由此我們亦可推斷其產量已達到甚為高額，幾乎不需存疑。至於文中所謂「今日」當指明治34年至37年（1901～1904年）[24]，故縱使以產量最低的明治33年（1900年，因抗日侵台戰事，兵荒馬亂，百姓難於安居樂業，必然地影響產量低落，斯年尚未回復正常。）立為推斷基準年，斯年稻穀產量亦已達約為430萬日石[25]的可觀數目。一般而言，每人一年平均所需的糙米量為一日石，若將稻穀以77%的碾米比率換成糙米來計算的話，上述產量可折為330萬日石的糙米量。這個數目，不但可供255萬人口充分消費外，顯然尚且保有充裕的輸、移出量於後。

蔗糖是日本垂涎台灣的經濟理由

台灣的第二種主要農作物甘蔗，在國際與國內商場受到重

23 臨時台灣舊慣調查會第二部編，《調查經濟資料報告・上卷》，頁12。

24 根據上引書（同上註23）之序言（頁1～2）；本調查是根據明治34年（1901）10月25日之敕命而公布該調查會規則，於明治37年（1904）4月中止調查，故以此推測。

25 《台灣總督府第五統計書》，頁410。

視，可說較稻米還要早。自1730年代起，台產蔗糖即不斷地向日本及波斯（今伊朗）等國輸往銷售。18世紀初葉，製糖生產方式已漸趨手工工廠制（manufacture）而開展[26]。

到了1820年代，也就是雍正年間，自對岸大陸來台的商船日漸頻繁，加上「郊」（在台灣的商人、商業資本所形成的同業公會）的成立，更促進了蔗糖向大陸的移出，同時促成大陸同台灣往還的商船陸續不斷[27]。

就劉銘傳到任台灣巡撫前五年的統計來研討並推斷蔗糖的年平均產量，我們可得五年間（1880～1884年）的年平均為8,300萬斤[28]。若再加上在台消費推計量的話，其總產量大約相當於1億日斤（1日斤等於600公克）。明治28年，日本全國所輸入的各種蔗糖量為2億4,000萬日斤，為它日本得支付1,200萬圓的外匯（當年日本叫它為「正貨」，可與同值黃金兌現的貨幣）[29]。由此觀之，當時日本廟堂所以垂涎台灣的經濟理由亦甚為明顯[30]。

茶葉繁榮了北部台灣

我們下面得談一談，台灣的第三位農產物的茶葉生產。茶樹，其實很早就有漢人栽植於台灣北部。據1820年代的記載，在

26 參照，前引《中國甘蔗糖業之發展》，（同註5），頁163～166。

27 前引《台灣經濟史研究》（同註22），頁304～305。

28 根據J. W. DAVIDSON, *THE ISLAND OF FORMOSA*, p.457之表sugar export statistics，本文所引數字將其英磅換算為日斤。

29 糖業協會編，《近代日本糖業史・上卷》，頁71所載第4表。

30 事實上，明治24年（1891）2月，日本當局曾經派遣駐福州領事到台灣調查台灣糖業。根據該領事之記述，當時日本每年輸入台糖三、四十萬擔，價值海關銀多達六、七十萬兩。參照參謀本部編《台灣誌》（同上註4），頁110～118、頁188～189。

水沙連（現在的淡水附近）一帶茶樹繁茂，每年通事與各「蕃」（指高山諸族的各部落）協議，入山焙製[31]。再至嘉慶年間（1796～1820年），有名為柯朝者，引進福建產茶名地武夷的茶樹苗，栽植於鰈魚坑（石碇堡，今石碇）一帶，因土質、氣候合適，栽培得法，非常成功。至道光年間（1821～1850年），已發展到有力向大陸移出的成就[32]。其後，根據天津條約，淡水亦被逼開放列為通商口岸，來到北西部台灣的，不管其為國人商家或外國商人，當然不會放過向北部台灣的重要特產——茶葉和樟腦打主意謀大利的機會。因而樟腦及茶葉生產更進一步的被重視，促進了漢族系開拓農民除了向北西部台灣的「邊境」地區繼續「進軍」外，還伸向北東部一帶，一向為高山諸族所占據的「處女林」，揮其刀斧，闢山開墾。他們一方面製造樟腦，另一方面栽植茶樹，並且種植稻米，以期樹立自給自足的開墾型農家經濟。

同治4年（1865），英商陶德（John Dodd）在考察樟腦產地實況時，發現北部台灣適於栽植茶樹，乃自福建安溪引進茶樹苗，以預貸資金予開墾農戶之方式，鼓勵農民種植，以備謀外銷茶葉的大利於日後。杜德除了在農耕栽植過程假藉預貸來控制原料外，他亦在艋舺街（今萬華）開設茶葉精製工廠，從掌握焙製、精製茶葉工程並對外銷美國、開拓新市場下了不少功夫。結果他獲得了大利，「台灣產茶」因而揚名於世界，並樹立了「台

31 前引《台灣使槎錄》（同註18），頁62。

32 連橫，《台灣通史》（《台灣文獻叢刊》第128種）第4冊，頁654。

茶」在國際市場的地位[33]。

茶葉盛況及其利潤之大，可由光緒元年身任福建台灣道（署）的夏獻綸，致其上司福建巡撫之報告中，略窺其一端。夏文述道：

> 淡水之種茶也，始於同治初年，嗣洋商有到該處販賣出洋者，茶價驟高，農民趨之，競植以爲利，所以海隅片土，市樓賈船日聚月增。……傳聞種茶萬株，工本百金，三年以後，一歲所採，便足抵之，其利甚厚。台北千巖萬壑，居民寥寥，誰非曠壤？或招民佃種，或傭工種墾，行古官焙之法，取息裕餉，其利當倍於屯田。[34]

我們仍然可以依據劉銘傳到任台灣巡撫以前五年的統計，來算出茶葉年平均的輸、移出量為1,160萬磅。當年一洋擔（133磅）約值流通於淡水交易市場之銀元36元，故其總輸、移出額將相當於320萬銀元。此外，包種茶的輸、移出量在1886年，約可計為77萬磅，其後不斷增加，到了1894年也就是「割台」之前一年，其量則大增為230萬磅[35]。由這些數字，我們不難推出，晚清朝的台灣茶葉亦頗為興盛。

---

33 《台灣文化志・中卷》（同註9），頁648。

34 中國科學院近代史研究所史料編輯室編《洋務運動》第7冊，頁71～72。

35 參照J. W. Davidson, op. cit., pp.395～396之表。又，根據前述明治24年2月到台灣調查的福州領事之報告，則謂當年「茶況甚為昌盛……聽說台灣一年間之茶葉輸出量勝於我（日本）全國之輸出量」，前引《台灣誌》，（同註4），頁53。

台灣是世界最大的樟腦產地

除上述的農產品之外，我們得對林產加工品中之一的樟腦，特別加以留意。

在化學合成「樟腦」未被發明製造以前，台灣乃是眾人皆知的世界最大的樟腦產地。由於羊毛紡織工業的興起引發「防蟲藥劑」的大量需要，樟腦除了另有醫藥、化妝品用途外，還可成為當年正在興起的賽璐珞（celluloid）工業之原料，故歐美的市場需要逐年俱增。台灣未正式向外國開有通商口岸之前，英商早已透過走私方式輸進鴉片，換取蔗糖和樟腦貪圖暴利。台灣島有了對外開放通商口岸之後，北部台灣，尤其是淡水，很快地變為外商雲集、積極從事樟腦貿易之中心港口。不過，樟腦交易的利潤特高，常常惹起有關樟腦交易之糾紛。樟腦交易糾紛，不但在民與民之間、民間與官方之間、官方與外商之間也不例外且不斷地發生。日後，為抵抗「割台」而成立的「台灣民主國」之要員林朝棟道員，就是依靠樟腦發跡的典型人物之一。

由於，高山諸族常常發動抵抗漢族入山的軍事行動，山地的「治安」不但難於保持，「安寧」的生產秩序不易持續，因而樟腦的產量變動頗大，輸、移出量當然亦是變化無常。

1880年輸、移出量有160萬磅，約值15萬銀元。到了1894年則增為約680萬磅，約值220萬日圓。我們可據日方統計得知同一年（1894）的日本樟腦的輸出量只有台灣的一半以下之280萬磅，僅僅幫了日本當局賺取100萬日幣而已。

因樟腦在世界上的分布已相當有限，故樟腦產地必然地形成局限於華南、台灣及日本[36]三地域的山地。但華南、日本的山地開發已快達到極限，反而把仍然存有原始樟林的小島台灣突出為世界樟腦的名產地。台灣樟腦遂揚名於世界，且誘引了不少外商來台謀利。

樟腦產量不定且有限，加以其用途日廣（不僅可造高效能的防蟲藥劑和用途極廣的賽璐珞外，樟腦的用途後來擴大到製造無煙火藥及煙火不可或缺的材料），故若能控制樟腦生產於台灣，獲利當然甚大。尤其是中北部深山還蘊藏著尚未被「開發」且甚為豐富的森林資源，當然包括有樟樹的「處女林」，有何理由不叫樟腦出產國家的日本人、熟知世界樟腦行情的日本商人不垂涎萬丈？

洋務運動前台灣資本累積已甚可觀

試觀，日本在甲午戰爭前一年，也就是1893年的年間總出口金額，僅僅只有9,000萬圓。反觀我們台灣同一年的總出口金額則已有945萬海關兩，若以當年的海關兩與日圓的換算率（1兩比1.54圓）來折算，區區台灣小島則已有1,400萬日圓[37]的可觀出口金額。

上述台灣的外匯賺取潛力，就「晚到」的後發資本主義國家、資本累積尚且不充分的日本帝國的國家立場來看，已揚名於

36 同註28書，頁443。

37 輸出額根據前引《台灣經濟史研究》（同註22）頁353之表。再者，本統計不包含從台南（安平在內）之輸出。又，向中國大陸之移出是否包括在內亦不清楚。換算率的1日圓54日錢則得自《日清戰爭實記》，第36編〈北部台灣之貿易〉。

世界，賺取外匯的能力並不壞的台灣茶葉與台灣樟腦業，當然和台灣糖業一樣地，將對日本人具有莫大的魅力，是不待言的。

此外，早受英美等國家注意的雞籠煤礦等，有關礦產方面的情況如何，留待下節敘述。

以上諸節，我們不惜贅述台灣開發的略史及台灣尚未真正施行洋務運動前夕的產業和經濟概況。由上可知，晚清期台灣絕非體制與體制派文人、官員所云的「化外之地」，亦非人云亦云的「未開之地」。誠如明治24年（1891）作過實地台灣社會調查的日本駐福州領事所云：「由東洋政略上觀之，該島（指台灣）的將來乃是今後我國（指日本）人最值得注意者。我此次前往該島各地考察物產資源及其他事物，其富庶實在令人驚訝，……誠可稱天賦寶藏之地。」[38]

洋務運動前台灣經濟成長迅速的原因

台灣，的的確確是寶島。清朝政績乏善可陳，並不因而促使來台一般民眾，減低其為求生存、維持最低生活而從事開拓事業之興趣和努力。

我們不能忘記，來台開墾闖天下的大多數漢人，可以說都是在大陸出身地破了產，不得不冒險過海的流亡農民與其後裔。他們的家世和來台的歷史背景，以及他們父祖輩在對岸鄉土的社會基礎，卻變為支撐著他們「開拓者精神」強有力的精神支柱。

台灣是先居有「先住台灣人」的海島。但高山諸族的社會生

38 前引《台灣誌》（同註4），頁199～200。

產力與「民智」，相對地且大大地落後於漢族系移台住民的。因而，當他們遭遇到移民集團的入侵進迫闢棘造田時，心雖有不甘，但被迫只好節節退卻，避至山地深谷以求生存。

來台漢族移民集團，逐漸相聚為村莊，形成新移殖民村莊社會。新移殖民社會一般而言，甚少具有封建傳統束縛的。其社會秩序往往是依靠著產自於住民內部的核心勢力來維持並鞏固。

台灣，遙遠屹立於中國東南海面上的「小孤島」，儘管北京皇帝雖鞭長但亦莫及。尤當腐敗不堪、綱紀紊亂的晚清朝，政府控制台灣民間之力量更見低弱，駐台官員既要明哲保身又想伺機中飽私囊，難有多餘的心與力，來管制開拓農民為中心之台灣移殖民村莊社會。

筆者認為，台灣的例子毋寧可說是與「傳統社會」相反的。我不便苟同庸俗的常識論，人云亦云的「台灣觀」。當然亦不便接受似「化外之地」、「三年一小反，五年一大反」等等俗語為形容台灣「負面」詞的一種慣用法。

「化外之地」、「三年一小反，五年一大反」的俗語，言者無意，聽者有心，正是「話中有話」。它不正是在告訴我們，移殖民社會仍然有其「邊境」，移殖民社會的執政權力不夠嚴密有其鬆弛地帶、秩序尚未鞏固等等社會現實嗎？

上述社會現實，與其說將成為阻礙或限制來台漢族系農民的開拓活動，不如說反而對一般開拓農民提供了有利的條件，讓移殖民們有機會充分發揮其潛能，在台灣開其勞動的花、結其血汗之果，開創出寶島台灣的花果來。

再者，在新開墾的沃壤及良好氣候條件下，豐富的特產在國際市場上，占有其優越地位，促使開拓農民的精力更集中於開拓事業上，結果耕地面積大增。參與「邊境」台灣的開拓，比較在對岸大陸從事耕作，陷於佃農的惡劣情況要來得有利，亦富於挑戰。故來台人口激增到上述255萬之多。尤其人口在社會層次上的激增（非自然層次上的增加），概集中於劉銘傳推行新政前後，是很值得去留意研討的[39]。

清末台灣推行洋務運動的條件與原因

在貿易方面，亦與振興開拓有關聯的產業同樣有利。儘管英國等外國商人極盡其榨取之能事，當年仍然產生了陳福謙（著名糖商、陳中和的先人）、林維源（林本源家）、黃南球、李春生、沈鴻傑等具有代表性的大商人[40]。

其中的沈鴻傑為了改良製糖方法，從德國引進新式機器在新營（台南縣境）設廠，在當時似乎是件頗令人驚訝之快事[41]。

台灣，正由於上述有相當規模的社會經濟基礎，及有逐漸向資本主義商品生產的資本家之存在，才能從內部支撐洋務運動——劉銘傳「新政」的開展。

腐敗紊亂、病入膏肓的晚清時期，清朝為何會企圖導入洋務運動於「邊陲之地——台灣」呢？理由甚為簡單，日漸逼迫的外來軍事威脅，教清朝生起危機感。因而，清朝洋務派為了擴充並確保東南七省的防務與安全，只好斷然地在台灣推行洋務運動。

---

39 前引書（同註4），頁140。

40 參照前引《台灣通史》第6冊（同註32），列傳各項目。

41 參照前引書《台灣通史》第4冊（同註32），頁1012。

至於實施洋務運動是需要財源的。台灣如果是真正的「化外之地」，或只不過是「生蕃之荒島」的話，毫無疑問，清朝實權派是不會亦不可能在台謀其洋務運動之開展的。台灣第一任巡撫劉銘傳在台灣社會經濟層面所實施的新政——「清賦」、敷設電信網、修築鐵路以及「撫蕃」等等——其主要目的當然是在於開創財源，以補回已經投下之資金。另外亦意圖振興台灣經濟，使「乳牛」台灣更富庶，以便多謀田賦稅捐等收入，好充當防務「原資」。取於台灣，用於台灣，本來就是劉銘傳的初衷。

三、洋務運動在台灣的實況

（一）台灣的特殊性與初期在台洋務運動

所謂洋務運動者，一般係指第二次鴉片戰爭，即英法聯軍之役終了以迄第一次中日甲午戰爭（1860～1894年）的35年間，由清朝官方自上而發動的一種自救運動。

運動的主要策劃者，為當年已開始具有買辦傾向的當權派大官僚們，他們日後因而形成「洋務派」。

洋務運動的內容與目的

他們認為，並不需改變其體制結構，更無需洗心革面改造其精神「深層結構」，僅僅借披西方資本主義的外衣即可挽回頹勢，且亦可試圖維護他們的封建支配體制。

洋務運動當初的主要目的有二：1. 欲藉運動的「成果」，來壓制國內的反體制運動。特別是因社會經濟結構的逐漸解體而惹起了不斷高漲的農民運動。2. 以毒制毒，欲藉「洋為中用」來加強防務，以防備與對抗日益逼迫的外來軍事威脅。斯時，西方殖民主義先鋒隊的進軍喇叭及槍聲，已在國界各地高鳴響徹。

很顯然，洋務運動一開始就賦有濃厚的軍事色彩。因此，我們亦可把洋務運動視為以軍事目的為中心的一種「近代化」運動，或者「西化」運動。

儘管洋務運動具有濃厚的軍事性格，但因洋務運動所開創的軍需工業以及所加強的防務諸措施，必然地將會帶動「民需」部門產業的開展。

因限於篇幅，拙文將自限主題，只就非軍事側面來作探討，希有所見諒。

我們必須先確認，洋務運動本身所具有的局限性及其本質是不曾因地——大陸沿海地域與台灣島嶼——的差異而有所不同的。

洋務運動在台灣的特殊性

但只要依據「比較分析」視角來展觀，我們亦不難尋出台灣所獨具的特殊性格和條件。

第一，我們可以發現，洋務運動在台的實施時期，較大陸的運動要晚許多。它創始於大陸洋務運動的第二期，也就是「官督商辦」時期。有關在台開展日期諸問題，我們俟後還會詳述。

第二，就地緣政治學（geopolitics）的觀點而言，本為南海孤島的台灣，難免受輕視是不待言的。可悲的是，斯時的當權集團，仍然保持其「夜郎自大」的「中原正統」價值本位觀，不但未能及早發現「西方的衝擊」所帶來為何種內容與何種情勢。他們依然故我的把台灣當作邊陲「化外」之地來看待。

除了上述傳統心態的作崇以外，同時期的台灣，很顯然又不是屬於當年洋務主流派，特別是北洋派的勢力範圍。台灣因而不受重視是有其道理的。這一點，值得我們特別留意。

第三，我們有必要提出，同期間台灣社會經濟的特殊狀況：1. 台灣經濟已具有如前所述的規模，其商品經濟的成熟度亦達到相當高的地步。2. 台灣經濟就進出口來言，包括移出入和輸出入的「貿易平衡」上業已形成順差。樟腦及茶葉等的台灣新特產，在國際市場的聲價已逐漸被肯定和接受。故若單就台灣一島經濟的立場來言，台灣經濟本身已足以抗衡「洋貨」和鴉片的進口。台灣很充裕地已形成貿易的出超。「島嶼經濟」的優越性日新月異地在醞釀。3. 台灣農村的階級關係有異於對岸大陸諸省。我們雖然無法尋出有關數據來詮釋和印證。但漢族人士在台的拓墾歷史並不甚久，尤其是中北部和東部（花蓮與台東）的新開墾地域的階級關係顯然有異於大陸農村，是不必贅言的。

當時台灣的社會經濟矛盾有異於對岸大陸

當年的先住台灣人，除了平埔族已達到農耕生產初期階段而外，其他的高山諸族，一般而言還停留在打獵、捕魚，最高者亦不過是過著「火田式」極原始農耕方式的階段。

雖然，嘉南平原以南較早被漢族蠶食，開拓為美田沃野外，中部以北的台灣卻因泰雅族的人數眾多且抗侵力量可觀，漢族的入侵蠶食只得牛步漸進，其範圍一直到清朝中期尚停滯於山麓以西較為平坦的沿海平原地帶。

故而，在這一地帶的耕殖農戶的的確確流了血汗，以頭顱換來他們的「開墾地」，且確立其自耕農或「小租戶」的地盤。

晚清期，因大陸農村經濟的破產，新推出一大批破產農戶向台灣「未墾殖」的原始樟樹、檜樹林地帶進軍。一步步的迫使泰雅族人向後山深谷退守，新來漢族開拓人士則伐樟木、蒸樟腦，開水田播種水稻，園圃地栽植甘蔗以求生存。

類似的推展，晚清期的中北部台灣以及東部的一小部分平野地帶亦可發現自耕農或「小租戶」的出現，及小農經營的開展。結果促進了「國內殖民地＝台灣」的「民富」的累積。

由此可以判定，例如上例的台灣中北部、東部農村的階級關係與正在面臨鴉片、洋貨的大肆入侵、加速解體的大陸沿海一帶農村的階級關係，在本質上是有其差異的。先進南部台灣的平野地帶，因拓墾歷史早且久，因而佃農、「小租戶」、「大租戶」的關係相當地「成熟」，有關課題，當然我們需要另文別論。但這一時期，中北部、東部的新開墾農村在社會經濟上的主要矛盾卻並不呈現於階級矛盾上，仍然顯現於種族矛盾——高山諸族與漢族——上面，自不待言。台灣洋務運動有關民需部門的茶葉、樟腦，包括帶有部分軍事色彩的硫磺、煤炭主要生產於這個地帶。因而我們特別需要介紹中北部、東部的有關社會經濟概況。

4.一般而言，晚清時期台灣經濟主流已非以自然經濟、自給自足之體制為主要基礎。幾乎所有的農產物皆以輸出國外或移出島外為目標而生產者（當然高山諸族的經濟生活另當別論）。5.已有

「郊」行商人資本家或從買辦地位巧妙地跳出，並樹立自家地盤的商人、商業資本家在台灣出現，逐漸擴充其勢力及活動範圍。這些新興的商人、商業資本家，不僅大多數與中央權力機構無直接關係，他們中的一些先進人士，甚至於周旋於清廷和外國諸勢力之夾縫中，尋「孔眼」而出入歐洲、日本、東南亞、對岸大陸等市場。他們從而通達國際情勢[42]。但他們上層人士始終保持著「店」在台、「家」居於閩的雙棲生活方式。

由以上的檢討，在台洋務運動的創始，與其視為由清廷官方單方面，自上往台灣「強制」下注而實施，毋寧說在台洋務運動，的的確確具有它本身，以其本位的經濟發展階段與基礎，而加以國際情勢在台海周圍已見有風聲鶴唳之勢，日趨緊張為契機，而自大陸誘引進來者較為中肯。

台灣洋務運動的開始

在台洋務運動，肇端於同治12年（1873）[43]。當時，總理船政大臣沈葆楨在有關台灣防務奏摺中，為加強在台防務的一環，他建議清廷架設陸上及海底電纜，以便台灣府與台灣南部（與洋船糾紛頻起之地）之間，以及台灣島與對岸福建之間的訊息迅速傳達，架設電纜工程，後來成為在台洋務運動的一件大事。

1874年，因「牡丹社事件」（為明治政府第一次侵台軍事行

42 參照前引《台灣通史》第6冊，「列傳」各項目。

43 中國社會科學院近代史研究所史料編輯室編《洋務運動》第6冊，頁325，劉銘傳《劉壯肅公奏議》（《台灣文獻叢刊》第27種）第2冊，頁256。再者，劉指為同治10年，唯據《洋務運動》之文脈可判定為12年，有待考證。

動）而被委派「辦理台灣海防事務」的沈葆楨，當他處理上述事件的善後之後，進一步建議福建巡撫移駐台灣，以加強台灣的治理。除此之外，沈亦為了鞏固台灣防務起見，積極嘗試刷新台灣的行政、促進東部的拓墾、勞眾動資獎勵開山闢路，並整編駐台軍隊以及築建臨海砲台等新措施。

洋務運動要務之一的槍砲及輪船之試造，曾國藩、李鴻章及左宗棠等洋務派頭頭，大致已在大陸有過試辦。沈葆楨很可能欲繼其後，自台向大陸的洋務運動來個呼應，他對台灣煤礦的開採以及原料鐵礦的試採表示過濃厚的興趣。

由沈葆楨明言「開煤、煉鐵有第資民力者，有宜參用洋機者，就近察勘，可以擇地而興利」可窺伺其一斑。沈進而亦婉轉地指摘「南洋派」一昧偏重洋務於東南諸省，而忽視一向與東南諸省有著「唇亡齒寒」般密切關係的台灣為不當[44]。

煤礦的開採

事實上，沈在其任內，即特別致力於美軍兩國早已留意、正在伺機入侵雞籠煤礦的開採。

首先，沈葆楨於1875年1月12日所上奏的「台煤減稅摺」[45]中表明，應除去稅制上對台煤的限制，俾使台煤最低限度能與日本產煤相互競爭為要緊。蓋當時的通商稅則因受西方列強之強制，洋煤進口稅僅為每噸五分，但土煤的搬入關稅卻反高為每噸銀六

44 參照沈葆楨，《福建台灣奏摺》（《台灣文獻刊》第29種），「請移駐巡撫摺」條，頁1～5。

45 參照前引《洋務運動》第7冊，頁67。

錢七分二厘。因而洋務運動中所增設的船政局和軍需工廠所需煤炭，幾乎全部仰賴洋煤。土煤（台煤不過是其一例而已）的開採被逼居於甚為不利的地位[46]。

同年五月，沈雖被擢升為兩江總督兼辦理通商事務大臣，但由於前述的上奏被採，他一面推辭就任新官（後來乃趕赴任），一面聘請英國人士翟薩（David Tyzack）來台探查煤礦，根據其調查報告草擬並呈〈台北議購開煤機器摺〉，建議有關當局購買新式開鑿機器和聘用外籍工程師[47]，以便開展盛舉。

翌年，即光緒2年（1876），當局聘來了外籍工程師，新式機器亦陸續運到，乃正式進行開採雞籠八斗煤礦。其開採督辦則經福建巡撫丁日昌的推薦，復得李鴻章和沈葆楨的贊同，委派精通船政的廣東候補道葉文瀾到任。

再者，丁日昌巡撫亦為洋務派大官之一，故他不但督勵開採礦源，並親至台灣視察與督促下屬調查硫磺、石油等[48]。尤值我們注意者，他經過調查後，在台嘗試開採大陸未曾試掘過的石油資源[49]，可以說是中國近代經濟史上的一個創舉。

是年，八斗煤礦裝置了日產數百噸的機器，挖鑿直徑12.5呎的豎坑295呎，而在坑底270呎深處掘到厚3呎的煤炭層，算是開端有成的好徵兆。它頭一年的日產量僅止於30～40噸。但第二年（1877）不但重新裝置了供通風用的基拔式風扇（guibal fan），

46 前引《福建台灣奏摺》頁13～14。

47 同上，頁59～60。

48 參照同前《洋務運動》第7冊，頁72～74。

49 參照孫毓棠編，《中國近代工業史資料》第1輯下冊「台灣石油礦的試探」條，頁593～597。

亦復新掘直徑8.6呎的豎坑深達88呎，日產量大幅增加，遂達200噸的高產。據外籍工程師紀錄，該礦的煤質甚佳，至於同坑的儲炭量亦可達20萬噸[50]。

架設台灣的第一條通訊電纜

丁日昌，他在巡撫任內，不僅實際上開採了煤礦，他並恢復了因沈葆楨的離任而中斷一時的電纜敷設工程。

光緒3年，丁把電線自福建搬運入台，委命游擊沈國先指揮福建船政電報學堂學生蘇汝灼等，自8月18日至10月11日，不到兩個月的短期間內，架設完成了安平——台南、台南——鳳山（至鳳山旗後）間的兩條幹線，一共95華里。

值得日後國人感興趣者，不外是丁有意識地不假借外籍人士的相助，而純以國人自己的能力來完成該項工程[51]。這一點，除了應得讚賞外，似乎已顯示出，大陸洋務運動中，國人應獲得的經驗與外來科技已有不少。其部分成果乃可應用於台灣，做出一些成績來。

丁日昌亦沒有忘記台灣傳統的名礦產硫磺可作為火藥原料的重要性。他企圖統產統銷硫磺於大陸各省。光緒3年，特命葉文瀾在產地立「碑界」布告禁止民間私製外，亦復廉價收購現成的私製品。他試算，藉收購統銷可獲得1,100兩利潤，準備轉此利潤為資金並策劃建設新式工廠。

---

50 參照J. W. Davidson, op. cit., p.481。

51 參照前引《洋務運動》第6冊，頁334，同《台灣通史》第3冊，頁534，同《台灣文化志》中卷，頁800～801。

丁在福建巡撫（兼管台灣）任內（光緒2～6年），除了力圖在台開展新式產業，例如開採煤炭、石油外，他曾對台灣的茶葉和樟腦業亦作了初步的調查[52]。

岑毓英於光緒7年接了丁日昌的棒，就任福建巡撫，直至光緒9年，岑幾乎在洋務運動上未曾留下可被注目的成績來。倒是他的部下福建台灣道劉璈，有意發揮他精練的政經才幹。

煤礦開採好景不長

令人扼腕的是，唯一稱得上振興產業成功例子的煤炭開採，好景不長，在劉璈到任（光緒7年）時已陷入於經營不濟。

其原因概在於，相沿成習已久的官吏之腐敗、貪污以及無能。有關掌管官吏，不但虛報收支，還「私銷」中飽私囊。偷懶且無能的官吏們，當然無法策劃運銷體系和拓展新市場。出了坑道的煤炭只好堆成為煤山，存貨的增加必然地導致滯銷之累增。因而形成經營不濟的惡循環，問題累積重重便難於克服。

單就存貨的實況觀之，正如劉璈奏云：「煤井全年所出之煤，不下百萬石之多，除船政局搭銷少許，各輪船銷亦無多，現積四十餘萬石，尚在待銷。」[53]劉文明示給我們，當年，年產量的三分之一已堆成煤山，無法銷出。

劉又云：「刻下日本、英、美各國之炭，銷於上海、香港各

---

52 參照《洋務運動》第7冊，頁70～75，「光緒2年8月24日閩浙總督文煜等奏」、「光緒2年12月16日福建巡撫丁日昌片」、「光緒3年3月25日福建巡撫丁日昌片」等。

53 劉璈，《巡台退思錄》（《台灣文獻叢刊》第21種）第1冊，「致上海招商局唐觀察煤務由」條，頁33。

口者數十倍於台灣。查上年上海一口，銷英煤一萬八千噸，日本炭四萬四千噸，台灣煤四千噸。」[54]足見台煤在對岸大陸市場居於極為不利的地位。對於因台煤的銷售不佳和存貨累增所造成的損失，劉璈亦歎云：「台北礦……該礦只開一處，每年已見煤百數十萬石，能值銀二十餘萬元，局用不過數萬兩，徒以存煤不銷，籌銷而未得其道……是本有大利，而轉為大害。」[55]

劉將台煤滯銷之原因歸咎於「地」（認雞籠位於僻遠之地，往來商船過少）和「商」（有信譽的大商行不願經銷台煤）。他雖受歷史的限制因而認識有其局限性，但劉的認識時務頗為不足且不夠精細明確亦是事實。

本來，大陸洋務運動所創設且較近於台島的有江南製造局、馬尾船政局、上海機器局等。其實這些新廠局與有關船隻所需燃料的煤炭量，超過台煤的總產量綽綽有餘。只要煤價適宜，「地」（位置）不至於成為問題才對。

阻礙台煤銷售的主要原因，絕非在於劉璈所指的「地」與「商」。

台煤銷不出去的原因

我們認為，第一，當年的洋務運動缺乏全國通盤性的策劃與領導。北洋派和南洋派各搶其山頭。

第二，台灣既因地理位置而不屬於洋務派主流的北洋派勢力圈之內，但它又無法醞釀催生「南洋派」勢力圈的氣候。很不幸

54 同上「詳論煤務屯銷利害由」條，頁36。

55 同註54之條，頁35。

地，台煤陷入「北洋派」勢力圈和未成熟的「南洋派」勢力範圍的夾縫困局中，難於尋出「生機」以培養剛問世不久的「初生之犢＝台煤產業」，是不難想像的[56]。我們的「初生之犢」卻怕虎，這隻虎，名謂西方帝國主義。這隻虎，動用種種「魔爪」準備把中國資本主義的「幼苗」捏死在搖籃。「魔爪」的一種就是控制關稅，束縛了中國人的自主權利。

我們該知道，阻礙台煤有利地銷售大陸的最主要因素確是關稅規定。誠如「請減出口煤稅摺」中所云：「洋煤每噸稅銀五分，土煤每擔稅銀四分，合之一噸實有六錢七分二厘，若加復進口半稅，已合每噸銀一兩有奇，盈絀懸殊至二十倍之多」[57]。本是土煤需要負擔關稅已失常理，不僅如此，它還得負擔洋煤者的20倍，洋煤因而能夠保持其絕對優越的地位，理由連稚兒亦可明察的，有何值得我們去添描蛇足。

我們相信，劉璈者並非不知其實因，很可能他已體認到關稅規定者所牽涉的國際關係非淺，區區小官有何能力可言及，因而迴避免談亦說不定。

劉璈推出了「節糜費」、「禁失耗」、「足器用」、「廣銷

56 《中國近代工業史資料》第一輯下冊，頁654所收錄的「益聞錄，光緒8年10月15日」條，略謂：「津友來函，言近日開平煤窰因中國人欲速見功，開至三十丈即行停止，故日僅出煤五百噸，不敷中國各輪船機器製造局中之用，是以當事諸君擬再添開一礦，相助為理云」，可知在洋務運動展開過程中，煤雖不足，但台灣不屬於北洋主流派的勢力範圍內，故其市場受限制。再者，上引書下冊，頁655所收錄的關冊1884年分（下篇，頁16～18，天津）云：「日本煤『入口』大減，原因由於開平煤礦產量漸增……」可見逐漸給予日本煤打擊，是由於在李鴻章主持下的招商局使用開平煤為輪船用煤，因此開平煤礦能發展且景氣漸佳也。

57 參照《洋務運動》7卷，頁140，「請減出口煤稅片」。

用」等四大方針，力圖三年內和緩其經營危機，但效果卻不顯，距克服難題亦甚遠[58]。

我們可以很肯定，劉璈對改善台煤運銷及經營不振的「善意」和努力。但我們亦不得不指摘，劉的確未能明察問題的本質，他所提出的上揭四大改善方針，充其量也不過是枝葉末節的小「功夫」而已。我們又可以假定，劉為一位能力甚強的清官，但他的屬僚卻很難保證都免疫於晚清時期的官場各種陋習。他可能因而得不到合作，不易發揮他為改善而做的多種努力。我們又知道，道臺所掌的權力本來就極其有限，加上劉璈亦未能與東南各省洋務運動的首腦們建立起友善且協調的人際關係，當然這些又間接地削弱了劉璈的權限和能力，迫使他難於收到預期的改善效果。

建議創設軍火工業

迨至光緒9年，劉道臺為了圖備情勢緊急之需，他又建議創設「修配鎗砲火藥局」，以圖製造台、澎兩地所需彈藥及槍砲。新設工廠在藍圖上當然又包括有修配槍砲的項目。

但因所需資金龐大且找不出適當的人才來督辦，退而求其次，於同年臘月二日改奏創設「火藥廠」[59]。

58 參照前引《巡台退思錄》第1冊「致上海招商局唐觀察煤務由」條，頁32，和「籌銷論」，頁39。劉自光緒8年2月（舊曆）至光緒9年4月之間，為改善煤礦經營，提出多達23件之文書。

59 參照同上引書第2冊「稟請設立修配鎗砲藥局由」條，頁100～102，和「稟籌商先設火藥廠次再擴充情形由」條，頁102～104。

台灣洋務運動也倡議「民需」產業

在台初期洋務運動正接近尾聲時，自島外飛進來有關「民需」產業部門的洋務倡議，倒叫我們非留意探討不可。那就是光緒10年12月23日（1885年2月7日），洋務大員之一的左宗棠與閩浙總督楊昌濬聯名提出〈試辦台糖遺利以濬餉源摺〉，建議派遣製糖技術人員前赴美國，購買新式製糖機器及招聘外籍工程師，以求改革製糖，特別期待能藉機引進精製蔗糖方式。左宗棠等準備等待中法戰爭結束後在台實施[60]。

這個有關製糖方面的洋務倡議與前述台灣商業資本家沈鴻傑的嘗試，是有其不謀而合的「時代胎動」在。

誠如前述，沈某從德國引進製糖機器，在新營嘗試改良製糖方法（遺憾的是，我們無法確認其確切時期，但自文脈觀之，與左等倡議大約為同一個時期）。沈的嘗試與左之倡議，我們都不該忽視它給中國近代甘蔗糖業史帶來的重大意義。

台灣的洋務運動比大陸者晚15年

探討至今，我們可以得知，台灣的洋務運動比起大陸者，大約要晚十五年左右。它的原因不外是，台灣位於南海邊疆之地，清廷有關人員亦遲遲未能洞察，圍繞著台、澎兩島的軍事、政治、經濟等方面的緊急新情勢及重要性。

唯沈葆楨、劉璈等在台推行初期洋務運動的官員們，由於有

60 前引《洋務運動》第7冊，頁579～508「試辦台糖遺利以濬餉源摺」（光緒10年12月23日，閩浙總督楊昌濬、已革巡撫張兆棟會銜）。

較長的時間來觀察並作實地視察調查，故似乎對台灣經濟的潛在力量有所掌握和認識。

儘管如此，但他們一旦有需遊說清廷中樞當權派，以便推動洋務運動的實際工作時，他們通常亦只好藉「台灣為東南七省的門戶，因而地位特別重要」云云為口實[61]。或者是，站在支持南北洋務運動為重點來強調。誠如「萬一台灣為彼（指外來勢力）所襲，地大物博，取多應用，凡我欲為不得者，彼皆為所得為，南北洋務將無安枕之日，是誤台即誤國矣，由辦之不早辦也」[62]云云，只把台灣放於次要或是附屬地位來主張並說明情況。

至於專心致力並忙於確立北洋勢力圈的李鴻章，當面臨「牡丹社事件」的緊急驚慌失措狀態時，特命派遣洋務派的幹員黎兆棠為「福建署理台灣道」以協助沈葆楨。但日軍自台撤出，一俟「牡丹社事件」塵埃落定時，旋即召回黎某另就「津海關道員」（北洋洋務的要職）[63]。這一招，無疑是印證北洋派頭頭李鴻章，不但有意輕視台灣洋務，根本上對台灣洋務並不具有任何長遠計畫。李等北洋洋務派人士，乃可以輕視台灣的存亡，但絕不能讓他們北洋派的「生命線」＝北洋和京畿受到任何威脅。

台灣洋務運動的財源

再者，對如何確保洋務的財源時，駐台官方則有如下主張：

---

61 前引《福建台灣奏摺》、「請移駐巡撫摺」條，頁4有云：「況年來洋務日密，偏重在於東南，台灣海外孤懸，七省以為門戶，其關係非輕……。」

62 前引《巡台退思錄》第3冊，「稟陳台防利害由」條，頁256。

63 參照李鴻章，《李文忠公選集》（《台灣文獻叢刊》第131種所收）第1冊，「保黎兆棠補津關道摺」，頁93～94。

「且固台防必練兵，欲練兵先濬餉，籌餉款於內地，利有時竭，不如開餉源於台灣，利可無窮」[64]，或亦云「不特山前已闢地方，可期整理，即山後山中似闢未闢各區，墾務、礦務、材木、水利等項皆利源所賴。開辦得法，則農、工、蕃、漁皆足寓兵，亦皆可籌餉」[65]。說的真堂皇，邏輯亦不能說不夠分明。問題卻在當年的官場是否有人才，有組織，有能力，有魄力，把上述見識與方針付諸實施是為關鍵。事與願違，晚清的無能官僚，上書是一套，實做又是一套。他們既沒有耐心亦缺乏信心去求開「源」的治本作法。他們的實施僅止於治標卻是事實。所求者不外是姑息捷徑的方式以索取他們所要的財源。

在台清廷官吏，第一著就是向台灣鄉紳伸手籌捐，第二著便立碑禁止民間利用土法製硫磺，並廉價收購私製硫磺成品以求開源。

當局另亦藉官辦洋務為口實，多方阻礙民間自力在傳統產業求發展的各種企圖，好比自力依土法開採煤礦等等事業[66]。

值得我們留意的另一件要事是，當時似乎並沒有實施直接對農民增加課捐的政策。這一舉可能是面對外來侵略的緊急，於是不得不優先考慮防農民反抗，以先求島內治安而所作的施策所致[67]。

---

64 前引《洋務運動》第7冊，「光緒2年8月24日閩浙總督文煜等奏」條，頁72。

65 前引《巡台退思錄》第3冊，「稟陳台防利害由」條，頁256。

66 根據上引書第1冊，「籌銷論」（頁39）所指出，民煤之移出將妨害官煤之銷售一事，可以類推。

67 參照同上引書「稟復函飭調移山後勇營加招土勇並勸捐城工兼另勸林紳捐助防務由」條，頁224～228。

初期洋務運動的兩種特色

在台的初期洋務運動，如上所述，其具有兩種特色。一為由官僚主導和獨占。二則洋務的推進帶來了抑制民間土法傳統產業的進展。不過洋務實施於煤礦或石油礦的探採時，附帶引進了西方近代科技，我們不該忘記這些新科技都是先於大陸諸省洋務的第一招。這點確實具有其歷史意義，值得我們後人肯定。事實上，引進來的採煤新技術，後來成為開採大陸開平煤礦的先進楷模[68]。

復次，洋務運動在台的初期嘗試雖帶有軍事色彩，但多亦具「民需」側面。換句話說，它甚容易轉換為民生產業或同時成為「社會資本」活用的一些先行投資。這一個比起純軍事工業的創設對日後民生經濟的開展，含有不少潛藏的促進因素。

電話線的架設，先是軍事利用，日後當然可轉為產業經濟資訊的傳達網來活用，此是「社會資本」的典型例子。煤炭、石油的開採，當年的主要供給對象當然是有關軍事部門。煤炭、石油概為近代工業的重要動力源。至於所引進的有關開採的新技術，只要承接有人，當然亦可以轉移變為「民需」部門以及其他民生有關產業部門來活用。

這段時間，在台洋務運動雖未能見到「官督商辦」方式的推行，但有關近代製糖技術的引進，必然地將給民間商人、商業資

68 參照前引《中國近代工業史資料》第1輯下冊，頁627～628，「直隸總督李鴻章批」條云：「著照所請，先在磁州、台灣試辦，派員妥為經理。等因……徒以磁州煤鐵屢次委員往查，運道艱遠……因而中止。台灣開煤已照洋法辦，直境合應仿照試行……」可以推知。

本家——特別是經營茶葉、樟腦、蔗糖外銷的商人、商行——帶來正面的「刺激」（incentive）。

這種「刺激」往往亦可轉變為「觸媒」，再給台灣經濟帶來種新的風氣與「生機」。

（二）洋務運動的正式展開——劉銘傳的新政

劉銘傳係安徽合肥人，他經歷過曾國藩的團練，1962年被李鴻章擢升為淮軍的「管帶」。他在清廷「扼殺」太平天國的戰事中屢建軍功。由上列經歷，我們可窺知，劉確屬洋務派主流的骨幹人物。

劉銘傳與台灣事務發生關係則在中法戰爭期，他被遣派為「巡撫銜督辦台灣軍務」開始。即於1884年春天，當法國海軍軍艦為了配合該國對印支半島發動軍事行動之需要，開始窺伺台灣時，清廷軍機大臣透過北洋大臣李鴻章，拔擢已下野正在養病的前直隸總督劉銘傳為「巡撫銜督辦台灣軍務」。

劉接受任命時，當然會向李鴻章請示商討。他在其赴台就任前夕（1884年7月16日）曾至天津拜訪李，接受不少指示以及李鴻章所推薦的幹部和各種新式武器[69]。

直至光緒17年6月4日，辭卸台灣巡撫一職，劉銘傳在台灣任職約滿七年。

最初兩年，劉專心致力於防衛法軍侵襲台灣以及處理有關台

69 參照林熊祥主編，《文獻專刊》（台灣省文獻委員會，第4卷第1、2期劉銘傳特輯，胥端甫編〈劉銘傳年譜〉。

灣防務的善後，他推行所謂新政卻在其後的五年任內。

一般而言，新政所指者為「辦防」、「練兵」、「清賦」、「撫蕃」四大要務。本稿因限於篇幅，筆者只就「清賦」及「振興基礎事業與生產事業」等項目，擇要探討和介紹。

如前所述，晚清期台灣並非所謂「化外之地」。事實上是被腐敗昏庸的清廷有關人員所忽視，反而受東來的諸列強勢力所垂涎的「寶島」。雖然，當年尚存在著所謂的出草或「蕃害」（其具體內容，卻是因漢族移台人士不斷向高山諸族侵占土地而惹起的武力抵抗行為），以及亞熱帶、熱帶地區當年難於逃免的「瘴癘」。唯無論如何，那些以瘧疾（malaria）為中心的「瘴癘」並非台灣獨特所具有的屬性，而是當年的世界史階段，亞熱帶和熱帶所住人類必有的共同遭遇。

雖然，台灣面臨外國侵略競爭的挑戰來得較晚，此時期最為垂涎台灣者卻是日本和法國。這兩國，皆不是清朝期洋務運動所依靠的主要國家，尤其日本係正欲趕搭「資本主義巴士車」的「後進資本主義國家」之一，它還只是剛出生不久的資本主義之犢而已。

不過，侵略的鋒芒所向直逼台澎近海後，慢慢又引發新的民族危機。洋務派為確保東南諸省（斯時稱謂南洋）的安全及洋務運動的「成果」，乃被逼在台灣亦嘗試了「新政」。

新政後來雖然遭到了挫折，但它仍具有一定的歷史意義。它特別顯現在，始於1898年（頭三年日本當局奔命於對付台灣民主國的抗日軍事行動，經濟政策無從做起）的日據下經濟層面的「接木」運作上。當日本有關當局力圖把台灣經濟編入其日本經濟圈時，日本帝國主義在台灣本土社會經濟基礎上找出來的接木用的「砧木」，很「幸運」的並不是派不上用場的「竹桿」，反而確確實實是真木頭的「砧木」。

這個「砧木」終於發揮了它的功能，給日據下的台灣經濟，能開展出「殖民地型態的經濟成長」提供了前提條件。

劉銘傳當然沒有意料到，他在台灣所嘗試的新政，將給日本殖民當局，提供了「砧木」，方便它在台灣「移花接木」，開展了「台灣式殖民地型態的經濟成長」，且獲得了「成果」。

研討劉在台的新政，我們首先得從台灣建省及行政組織的重整和擴充來開始。

台灣的建省及行政組織的重整及擴充

自從牡丹社事件的善後處理過程中，沈葆楨建議福建巡撫移駐台灣以來，台灣的建省即不斷地在清朝官廷醞釀。中法戰爭等等，一而再、再而三地升高了台灣近海的緊張情勢，這個當然影響了清朝對台灣的關注。另外已有駐台經驗的洋務派人士們，例如沈葆楨、黎兆棠、劉璈等人根據在台的直接見聞反應回大陸等等，似亦促進了統治階層形成在台建省的「共識」。

中法戰爭之際，法軍侵犯台灣北部乃是台灣建省的直接契機。為應付危急有加的台灣情勢，除了促進台灣建省之建議外，有關台灣防務善後處理之積極意見也接踵而來[70]。

其中，促使清廷決定台灣建省最有力的意見，乃是洋務派的

70 同上（註69）《文獻專刊》，李騰獄著〈建省始末〉，頁18。

大將左宗棠的「遵旨籌議海防事宜」奏摺，以及與之相呼應的軍機大臣醇親王奕譞同北洋通商事務大臣李鴻章等重臣聯銜覆奏中所表示的：「臣等查，台灣為南洋樞要，延袤千餘里，民物繁富，通商以後，今昔情形迥然不同，宜有大員駐紮控制」建議。

清廷接到上述奏摺之後，於9月初5日（1885年10月12日），頒布德宗之諭旨，略謂：

> 欽奉（慈禧端佑康頤昭豫莊誠皇太后）懿旨：醇親王奕譞等遵籌海防善後事宜摺內奏稱：「台灣要區宜有大員駐紮等語」。台灣爲南洋門户，關繫緊要，自應因時變通，以資控制，著將福建巡撫改爲台灣巡撫，常川駐紮，（中略）所有一切改變事宜，該督詳細籌議，奏明辦理。[71]

台灣建省之議遂有最後的決定。

在有關建省的奏摺中，引起吾人留意者，乃是左宗棠對台灣經濟的認識，既相當地具體且有深度。左宗棠謂：

> 台灣雖係島嶼，綿亙亦一千餘里。舊制設官之地，只海濱三分之一，每年物產關稅，較之廣西、貴州等省，有盈無絀。尚撫蕃之政，果能切實推行，自然之利，不爲因循廢棄，居然海外一大都會也。（中略）至該地產米甚富，内地本屬相需，若協濟餉項，各省尚通有無，亦萬無不爲籌解之理……。[72]

71 《清德宗實錄選輯》（《台灣文獻叢刊》第193種）第2冊，頁207。

72 雖查閱《左文襄公奏稿》64卷（光緒16年庚寅仲春月開雕，日本東洋文庫藏本），卻台灣建省雖已由清廷作下最後決定，但台灣島內的行政組織一直未具其規模，雖一度由沈葆楨略加整編，但距整合尚有一段距離。考其原因：第一，為清廷長期輕視台灣，因而不曾真下過工夫整編行政組織。第二，則由大陸過海移民日眾，移殖民社會經濟的進展過速，昏庸的官僚們無法跟進。第三，有些地區因漢族移殖民群與先住台灣人群（高山有關諸族）的抗爭狀態時時在流動不定中，不易定界亦是其因也。因而，劉銘傳的到任第一舉，則對行政組織作如下表所列的整編。

表1　劉銘傳行政組織整編一覽

台灣府（知府）	台北府（知府）	台南府（知府）	台東直隸州（知州）
埔里社廳（通判） 苗栗縣（知縣） 雲林縣（知縣） 彰化縣（知縣） 台灣縣（知縣）	南雅廳（通判） 基隆廳（同知） 宜蘭縣（知縣） 新竹縣（知縣） 淡水縣（知縣）	澎湖廳（通判） 恆春縣（知縣） 嘉義縣（知縣） 鳳山縣（知縣） 安平縣（知縣）	卑南廳 花蓮港廳

資料來源：周憲文著《清代台灣經濟史》（台灣銀行經濟研究室編印，台灣研究叢刊第45種），頁5～6。但台東直隸州則根據伊能嘉矩編《台灣巡撫．劉銘傳》（日文版本）頁17作成。不過花蓮港、卑南兩廳在企畫中，因遭「割台」沒有來得及實施。

日本殖民當局治台初期的行政工作亦是憑藉上述行政區劃而有所推行的。

不見「遵旨籌議海防事宜」條，故暫借前引《文獻專刊》，〈建省始末〉一文，頁18的記載。

清賦事業

劉銘傳的新政畢竟是就洋務運動的一環而實施的。因而，當然是定防務為最重要。他一方面推行「辦防」、「練兵」，同時亦進行行政組織的整頓。「辦防」、「練兵」必須確保並籌措財源，乃實施清賦事業，進而又振興生產事業及創設與之相關的社會基礎事業。其中與財政具有最直接關係者，乃是確保賦稅的最中心項目「田賦」，也就是「土地稅」。

誠如劉銘傳在〈量田清賦申明賞罰摺〉中申明：

> 期於三、五年後，以台地自有之財，供台地經常之用，庶可自成一省，永保巖疆（中略）今田賦稅，率士輸將，乃司農歲入之常經，列代保邦之大法，舍而不計，徒乞鄰疆，雖舌敝唇焦，緩急終不可恃[73]。

清賦之目的顯然是在求財政在台的獨立，以能就台地取財源以養台灣防務為最終目標。

實施清賦之前，劉所預估的台灣財政的收支卻可藉下列記述來掌握其概況：

> 查台灣田產，甲於東南，一年兩熟。淡水一縣，每年額徵錢銀僅七百八十餘兩，官莊穀纔九千餘石。宜蘭一縣，錢穀無徵。

73　《劉壯肅公奏議》（《台灣文獻叢刊》第27種）第3冊，「量田賦申明賞罰摺」，頁303～304。

> 其餘各縣，糧稅亦寡。通計全台鹽、茶、百貨稅釐，歲入銀一百零數萬兩。將來整頓各項稅釐，剔除中飽，歲可百二十萬。核以台澎三十五營之餉，歲需百二十萬，乃適相資。惟輪船經費，一切雜支，並須添設製造局，歲需銀約百五十萬，所虧實多，若能將各縣賦稅一律清查，以台灣之入供台灣之需，尚可有盈無絀。[74]

由上可知，歲入約為一百零數萬兩，整頓稅收和剔除中飽之後，歲入可望增為120萬兩，正相當於台灣、澎湖的駐軍35營之費用。然而因船艦及製造局等增設費用約另需150萬兩，故僅靠上述收入顯然是不足的。劉銘傳認為若能將各縣賦稅一律「清查」，則不但能充分供應，而且還有盈餘。

事實上，當時的台灣被處於「化外之地」，所以清廷對台灣的統治常感「鞭長莫及」，必然地徵稅管道經常阻塞或不能發揮其功能。更有甚者，行政體系的僵化及貪污官吏的「中飽」與無能，益使稅收惡化。本來，像台灣般的新開拓地，開墾的情況常因時地而異，何況在長達200年的清朝的統治下，有關土地所有權的各種情況當然變化迅速，然而在此期間迄未實施全面清查過。其結果田賦負擔輕重不一，難免發生無土地農民（佃戶）之田賦負擔的不平等及大小租戶跋扈等情形。正如劉氏歎云：「臣渡台以來，細訪問賦稅，較之內地，未見減輕，不勝驚愕久之。察所由來。皆係紳民包攬。」[75]但另一方面，據劉氏所云：「究

74 同上，第1冊，「條陳台澎善後事宜摺」條，頁148～149。

75 同註73。

之正供糧課，毫無續報升科。如台北、淡水，田園三百餘里，僅徵糧一萬三千餘石，私升隱匿，不可勝窮。」[76]亦可印證清朝綱紀的紊亂，反而提供了有力小租戶之抬頭及民富形成的政治經濟條件。光緒12年（1886）秋正式開始的清賦事業，至光緒15年末大致完成。結果田賦總額多達67萬4468兩，較過去的18萬3366兩增加49萬1502兩，增加將近三倍[77]。

我們所以說是大致完成，是據於其間頗多曲折，並且為推動清賦事業而設置的清賦局，實際上直至劉氏離職後的光緒18年5月才被解散[78]。

民眾（尤其是南部的）對「清賦」為中心的劉銘傳新政的反應，曾留下頗有趣的資料，茲略述如下：

日本駐福州領事的〈台灣視察記〉中曾云：

> 目前（指光緒17年，西元1891年）台南人心頗抱不平，……不滿清廷官吏之措施，動輒抱著一舉謀反之心，的確爲不能掩飾之事實。近來民情之所以如此，全由政府之苛稅所致。劉銘傳駐台以來，一昧致力於輸入西洋文明事物，不察台胞心情之向背，斷然施行土地改良（制），因此需額甚般，其結果乃不得不由地租（田賦）雜稅分擔，……原來台灣的地租（田賦）一向依照户部之規定徵收，從前歸福建省管轄時，稅額甚少，幾乎有名無實。但自從獨立爲一省，即徵課意外之重稅，且各地

76 同上。

77 參照同上頁323所載之「台灣清賦全功告成彙請獎敘員紳摺」。

78 參照臨時台灣土地調查局，《清賦一斑》，頁281。

普設厘金局，因此其稅法亦甚爲苛酷。[79]

該領事所透露的台南附近政情不安，蓋1. 由於漢人對台南附近開拓甚早，新政當局對大租戶在開墾上扮演的角色異於北部（概言之，北部的大租戶只是不勞而獲地收取因轉讓開墾權而得的「大租」，而南部的大租戶〔其先人〕多為實際從事開墾者）之情況認識不足，而企圖一律清查所致。2. 清賦所帶來的財政收入之投資主要集中於北部（如修築鐵路等），南部對劉氏的新政並不熟悉。3. 台南附近為舊墾地，故傳統社會勢力頗強，而且是與劉銘傳不和而下野的前台灣道劉璈之地盤[80]。4. 以往之稅課有名無實，清賦事業對過去透過勾結地方官吏而逃稅的地主們無情打擊，使他們無法或少能施展故技等等皆累積成為反對新政的原因。除上述曲折之外，清賦事業又有以下之缺點：

至於其施設之目的固然在於整頓地制之紊亂，要言之，由於急於增收田賦，故與租稅無關之地則置之不理；根本不加丈量，丈量方法亦不無疏漏杜撰之嫌。[81]

當局不得其人，弊害叢生，尤其時丈量方法不完備，加以急功近利，調查流於粗陋，對業主之查定欠缺精密，誤給丈單，發生糾紛時，受害者亦無法伸其冤。丈量標準，因地區而不同，

79 前引《台灣誌》，頁177～178。

80 參照王國璠〈劉銘傳〉（《台北文獻》第10～12期合刊，台北市文獻委員會印行），「劉璈之獄」條，頁271～281。

81 前引《清賦一斑》，頁9。

田園等級失其相等，魚鱗冊與實際亦往往不符。[82]

甚至到後來與日據台灣總督府所進行的土地調查工作一比，更顯示清賦事業的不徹底與杜撰。儘管如此，誠如矢內原忠雄博士適中的評價所云：「劉銘傳的清賦事業大致具有資本主義開發之先驅的意義。」[83]卻值得我們留意。為清賦事業的一環的保甲編制和人口調查[84]所具有的意義，意外地常被忽視，當日本資本主義占據台灣後，即充分利用了這包括人口調查和保甲編制的新政清賦事業。出乎當事人之意料之外，新政的這些事業和下述的基礎事業之振興，後來均轉變成日本帝國主義治台的方便，給扮演「砧木」的角色奠定了基礎。

基礎事業與生產事業之振興

如前所述，當時的台灣經濟已頗具規模。劉銘傳所計畫透過資本主義方式的開發以促成富國強兵，藉以對抗列強覬覦台、澎的事業，概如矢內原博士所指出的，有「修築基隆、新竹間的鐵路，購買輪船並航行於沿岸、中國大陸、香港、新加坡、柴棍（西貢）、菲律賓等地，郵政制度、樟腦專賣、理蕃事業」等[85]。新政的內容實際上不只這些，更廣泛地進行築港、修建道路、擴充電信設施、改革貨幣制度、改良教育設施（如創設西學

82 伊能嘉矩編，《台灣巡撫劉銘傳》（日文本），頁77。

83 矢內原忠雄，《帝國主義下の台灣》（日文本）（1938年1月15日第四刷），頁20。

84 參照，前引《清賦一斑》，頁44～58。

85 前引《帝國主義下の台灣》，頁20。

堂等將歐洲文明引進台灣）、設立官醫局（即聘請西醫韓先，A. G. Henrik, 1841～1912，挪威醫生，1879年發現癩菌〔痲風桿菌〕，著有《癩菌之病理學》、《癩病研究》等書）將西洋醫學引進台灣、架設電燈、獎勵植茶及養蠶、引進棉花及呂宋種煙草，並為了在大嵙崁溪上游（則今日石門水庫水源地）開鑿灌溉溝渠（為後來的桃園大圳的原型）而招聘外籍工程師測量等措施[86]。

限於篇幅，以上各項措施不能詳細介紹。茲另加略述此一期間民間資本之大略動向。

原來台灣的「殷戶」大多是來自福建，其「家在彼而店在此」[87]。這些商人大多鑽政治官場之間隙，利用同鄉關係往來於東南亞地區。劉銘傳即利用上述關係，希望振興貿易，派員到南洋各地考察商務[88]，進而對南洋的「閩商」（福建出身的商人）積極展開民間商務合作的勸誘工作[89]。

另一方面，設立商務局，向民間籌募股金，購買了一艘值18萬兩的快速輪船（時速15～16浬）駕時號和斯美號[90]。「最初航行於上海、香港等地，其後遠至新加坡、柴棍、呂宋等地。」[91]上述民股的來源雖然不詳，但南洋閩商的反應卻來的相當積極。

86 詳閱前引《台灣巡撫劉銘傳》、《劉壯肅公奏議》第1～3冊及《台灣誌》等。

87 徐宗幹，《斯未信齋文編》（《台灣文獻叢刊》第87種）、「論郊行商賈」條，頁86。徐為道光末年的「分巡台灣兵備道」。

88 參照前引《台灣文化誌・下卷》，頁50。

89 參照前引《劉壯肅公奏議》第3冊，「擬修鐵路創辦商務摺」條，頁268。

90 參照同上書，「變售舊輪船以資新購摺」條，頁255。

91 前引《台灣巡撫劉銘傳》，頁34～35。

尤其是為修築鐵路而發行100萬兩的鐵路股票，民間積極地應募認股（後來因工程進展不順及當局處理不當，引起民間的反感，不再響應追加部分的投資，故自福建導入104萬兩來填補，而收回官辦[92]）。對於製糖業亦採相當積極之措施，例如1890年在淡水利用西式機器精製白糖[93]，在台南地區則引進鐵製甘蔗壓榨機等[94]先進嘗試。對於經營不振的基隆煤礦，民間資本亦投資六萬兩試行官商合辦[95]。尤值得注意的是，1888年民營煤礦產量超過官營，年產達2萬3,000噸以上（官營為1,700噸）[96]。同時，民間資本亦嘗試開設採用西式機器的「煤磚」製造廠[97]。

以上可見劉銘傳的新政所波及和牽動當時民間資本動向之概況。以施政積極名聞歐洲的劉銘傳[98]，亦不免因其最有力的支持者醇親王奕譞之去世，又因不同派系關係而與布政使邵友濂（劉氏的繼任者）不和，以及部下不得其人等施政上的僵局，而藉口離職養病，終於1891年6月離台下野。繼任的邵友濂和劉氏的政見相異，亦曾有過對立和抗爭，邵氏根本無意擴大劉氏事業自不

92 同上，頁31～32。

93 參照孫毓棠編，《中國近代工業史資料》第一輯下冊，頁1015所收「關冊，1890年分，（中文版，頁83），淡水條」。

94 參照同上，「關冊，1891年分（中文版，頁86），台南條」。

95 參照前引《劉壯肅公奏議》第3冊，「官辦基隆煤礦片」條，頁351。

96 參照前引《中國近代工業史資料》第一輯下冊，頁599所收「關冊，1888年分下篇，（中文版，頁282），淡水條」。

97 參照同上頁，1016所收「關冊，1889年分（中文版，頁78），淡水條」和「關冊，1890年分（中文版，頁83），淡水條」。

98 參照前引《台灣巡撫劉銘傳》，頁128。

必論，毋寧是著意於中止或廢棄劉氏之事業以洩私怨為急[99]。

四、結論

台灣前、後兩期的洋務運動中，軍備投資費用甚鉅（僅在後期，其總額即達210萬7,500餘兩[100]，其中即使扣除修築鐵路的100萬兩，仍約110萬兩）。此一情況與中國大陸頗相似，充其量只不過是成為歐美舊式武器的良好市場罷了，在清末腐敗體制下，就連智將劉銘傳的作為亦無法奏功係理所當然的。

與日本明治政府的歷史性格相去甚遠的洋務派，在台灣政治上至少留有下列的長處。除了討伐少數民族——所謂理蕃事業的軍事面之外，頗有異於中國大陸的情況。洋務本身較少被利用在台灣壓制漢族系移殖民內部反體制勢力。再者，具有助長社會資本的投資及間接地不摧毀民族資本幼芽之一面，將資本主義式發展的新風氣引進台灣，此乃其貢獻。正因為當台灣經濟內部傾向於資本主義生產及其生產力亦相應發展時引進上述新風氣，才能在清、日兩政府簽訂「割讓」條約後，對建立亞洲最早的共和國——「台灣民主國」——以抵抗日本的入侵，乃有台灣本土性的社會基礎在。當土豪士紳、「家在彼而店在此」的殷戶及腐敗政權清朝官吏等臨陣逃走或避難，以及腐敗的正規軍潰退後，漢族移殖民集團自組義勇軍，所以能對日軍展開激烈的游擊性抵抗，全賴具有小農經營發展的小租戶及現耕佃戶的勢力，值得我

99 參照前引《台灣巡撫劉銘傳》，頁118。

100 參照同上，頁24。

們的留意。雖尚未成熟，但在台灣的水田地區已可見到「寄生性地主制」的發展，此一現象與同時代的朝鮮不同——「在朝鮮，具有近代意義的土地所有權並不明顯，土地為國家或共同體所有，介其間，存在著豪族及官僚等的私有。」[101]因有如此般的社會基礎及「寄生性地主制」的發展，才能在日後阻擋了日本人地主在台灣水田地帶生根落實。

台灣不曾有類似朝鮮的「東洋拓殖株式會社」般的日系地主公司的成立。台灣的既成社會勢力亦沒有讓日本人地主藉總督府權力，採取露骨的沒收及吞併方式來發展其在台灣的水田地主制度，好似在朝鮮農村地帶所開展一類的日本人地主制度。其具體的阻力乃是來自於持續20年的台民民間武力抵抗，固不待言（當時抗日運動，以沒收土地所有權較為不明確的林野，及為了擴大糖廠的甘蔗栽培地而強制收買土地所引起的農民及小地主之抵抗為主體）。土豪士紳可說經土地調查而確保其所有權，並被編入日本資本主義的農業生產結構中。還有，那些大、中地主所擁有的資金亦被巧妙地導入製糖資本體系中。最著名的例子乃是由後藤新平之說服林維源（後來創立林本源製糖株式會社的林本源家的中心人物，台灣最大的資本家，亦為地主）回台[102]和將林家資金攜回台灣（為了避「割讓」之難，而儲存上海香上銀行的林家存款據說多達200～300萬圓之鉅[103]。然而當時台灣製糖株式會社

101 山邊健太郎，〈日本帝國主義與殖民地〉，《日本歷史》現代2（岩波書店版日文本），頁243。

102 參照竹越與三郎，《讀画楼随筆》，頁95～99所收之〈和林維源的商談〉（日文本）。

103 參閱前引《帝國主義下の台灣》，頁63，註7。

的資本卻不過是100萬圓）以及陳中和家的創設新興製糖株式會社[104]。正因為如此，故大、中地主階層對武裝抗日運動始終站在旁觀者的立場[105]，1910年代以降，在徹底的武力彈壓之下，方便於沒收的土地均已被沒收，隨著日本資本主義之發展與俱同來的絕對性要求，台灣的甘蔗栽培逐漸發展，與之有連鎖關係的稻作亦逐漸提升發展。大、中地主階層更在台灣總督府權力的庇護下，對佃戶剝削高額地租而確保了「殖民經濟」體制下的「殘渣」外快。

當台灣的日本資本主義體制形成時（大約在1910年以降），上述台灣本地資產階級的發展亦遭受拘束。明治45年（1912）至大正12年（1923）的「台灣府令」禁止台灣人單獨設立公司即為典型之例[106]。不僅在經濟方面，在政治、社會（包括教育）方面差別待遇亦日趨顯著。大、中地主階層的子弟（尤其是受過高等教育者）對之敏感地反應，遂展開台灣本地資產階級的民族運動（成立台灣文化協會）。雖然如此，林獻堂一派所領導的台灣本地資產階級的抗日運動，不過是在溫和的議會設置運動的範圍內求其進展。中日戰爭爆發後，總督府的壓制變本加厲，林獻堂等所領導的溫和抗日議會設置文化運動遂後退為「台灣地方自治聯盟」的單純地方自治運動，最後甚至有一部分人還加入了或被捲入了皇民化運動。

---

104 參照同上頁292。

105 參照台灣新生報社編，《台灣年鑑》，民國36年（1947）版，第28章「抗日運動」，頁4。

106 參照同上，頁128～129，頁134的註8和註9。

即使在1920年代國際性無產階級運動昂揚時期，上述的台灣本地資產階級的民族運動，亦未像朝鮮人一般激進地轉向共產主義運動。這並非如山邊健太郎所謂由於林獻堂一派不像朝鮮民族主義者終於出了紕漏[107]，而是因台灣本地資產階級的物質社會基礎大且廣於朝鮮，以致不易出現「亂子」，促使階級、階層分離，析出廣泛的無產階級才是史實。此即矢內原所指出：

> 台灣異於朝鮮，台灣人並未全部成爲生產者，由於不論土地集中狀況或企業方面，台灣人的大、中地主和資本家之勢力亦較強，故其民族運動不備有完全無產階級運動化的社會經濟條件。[108]

上述狀況若不對清末台灣社會經濟——劉銘傳的清賦事業以下的土地所有權的確定及寄生性地主制的展開，以及商品經濟在台灣農村具有相當程度之滲透——發展階段作下科學的評估及正確的認識，則是無法理解且解釋的。

即使在世界史的發展，正由於當時台灣的社會經濟已存在殖民主義者所不能完全扼殺的深厚的地主階層，和向資本主義發展的萌芽生機，因此其後日本資本主義在經濟面的接木運作遂得實現。雖在重新分配國民所得等上面有了明顯的民族及階級的差別

107 參照前引山邊論文，頁246。

108 參照前引《帝國主義下の台灣》，頁250～251。

補註：《台灣文獻叢刊》係台灣銀行經濟研究室所編。又，年月日若無特別標明，則皆依據榮孟源編《中近代史曆表》而換算為陽曆。

待遇，唯「殖民地的經濟發展」的具體化亦已藉而出現於台灣。

若無上述之認識，則無法全面了解「日本之台灣統治史」，同時，若僅站在統治者史觀，則科學的台灣史之圖像亦即無法建立。

以上，非常粗略地觀察了晚清期台灣經濟之概況。近年在日本有關台灣之研究——尤其是現狀分析研究——並未充分整理分析殖民統治留下的「遺產」問題，而有過於輕率地強調日本過去對台灣的殖民地體制確是支持台灣日後經濟發展的台柱，甚至認其為支撐台灣經濟發展的原動力來看待。

所有受過殖民統治的地域或國家，在某些意義上，均具備正負兩面的殖民地遺產，姑且不論負面遺產，即使被認為是經濟發展的正面遺產，其存在或形成過程並非與殖民統治前之歷史無關。何況從殖民統治解放後，守著那些遺產，並將其活用轉為本身發展經濟的手段者，畢竟是被統治者才是現實。保持「遺產」者若是凡庸的一群人，又從何談起解放後的「本位性」經濟成長呢。

吾人的確應在歷史脈絡的分析上，把握殖民統治前歷史的發展階段並加於科學暨客觀的定位，在其現況分析上，把握住守著「遺產」並將其手段化的主體（即曾經被統治的人民群體）的性格，進而擴大視野至負面「遺產」的整理與定位。如此對殖民地遺產的全面評估才將有效。

就此意義而言，今後對晚清期台灣的研究，必須包括土地制度及地主制等個別問題在內的細密研究才夠涵蓋為綜合研究。

我們若意圖分析晚清以來台灣本位性的發展（不僅是經濟方

面，包含文化等全層面的發展），我們應該對下列各項留意並加分析才能全面奏效。好似如何因日本的統治，台灣社會的本位性發展終於被扭曲、變貌，而不得不曲折地發展。台灣民眾又如何地因應興起抵抗日本統治，包括「台灣民主國」之成立與其防衛戰爭，以及最初20年的武裝抗日運動。而由於台胞之因應各種方式的抵抗，日本帝國又如何地制定、修正、變更或推行其政策。對於這些問題，唯有不把抗日游擊義士單純地視為「土匪」作亂，力克偏見及成見，運作科學方法全面地加以探討，始能獲得成果，將自不待言。

在本稿，筆者多少提出了未成熟的一些看法，若能拋磚引玉且能被讀者諸賢接受，認為稍具「突破」，則不勝欣喜。

追記：1967年夏，本文脫稿之後，筆者為補充本文之論旨而發表之論文有下列三篇，若能同時有所參閱，則感激不盡：

1.〈日本人的台灣研究——關於台灣的舊慣調查〉（日文，收錄於《季刊東亞》第4集，1968年8月號）〔參見《全集》7〕

2. 對談〈台灣經濟與日本投資〉（日文，載於《經濟評論》，1969年8月號）〔參見《全集》18〕

3.〈日本的台灣研究〉（日文，刊載於《亞洲經濟》第100號記念特刊，1969年6、7月合併號。此特刊號，後以「日本になける開発途に国の研究——《亞洲經濟》100號紀念特刊」——之書名，由亞洲經濟研究所重新以單行本出版〔1969年9月16日〕。因作過更正重新排版故，敬請參閱後者為宜）〔參見《全集》7〕。

譯者按：台灣黨外雜誌界，近幾個月來，有過「中國結」和「台灣結」的論爭。論爭本身，多為吞吞吐吐，而且建設性不甚大。我想起戴國煇博士在1970年代初期發表的日文論文〈清末台灣的一個考察〉（刊於《仁井田陞博士追悼論文集》第三卷，東京，勁草書房，1970年），它曾經給日本學術界以及留日學生界帶來過不小的衝擊。我認為論文雖然是成文於1967年，但它具有的創見，在當前台灣仍有深遠的意義。戴先生論文雖然已有陳慈玉博士的譯文（譯成於《台灣風物》第30卷第4期），但對照原文，譯得不盡理想。而且《台灣風物》知音不多，戴先生這些研究成果在中國人社會裡尚未得到應有的重視。譯者曾向戴博士（他正在美國加州大學柏克萊分校研究）寫信談及。戴先生亦有意重譯，並添加若干新材料。筆者乃不揣冒昧，請命重譯，並得戴先生的校閱增補，敬請諸賢者指教。

林眞理誌

1983年10月吉日

晚清期台灣農業的概貌

——藉日本密探及外交官等報告之剖析

一、前言

眾所周知，通過甲午戰爭之後締結的《馬關條約》，台灣受到日本帝國主義長達半個世紀的殖民統治。

在這期間，日本帝國自然企圖將整個台灣納入其資本主義發展的總體系之中，來推行其國策。

然而，在農業方面，這種納入和政策展開的狀況究竟是如何的呢？其中，在其統治的最初20年，即相當於其準備和政策確立之時期，它是通過怎樣的過程和機制，來實行其基礎性的各種政策，以便將台灣農業納入自己的體系之中？

我認為，以上課題的探討，是釐清日本統治期台灣史實態所不可欠缺的一環。

然而，迄今為止，就我們能夠看到的有關著作和論文而言，幾乎找不到在有機的、結構性的關係上，綜合究明晚清期殖民地統治初期——換言之為轉換期——農業諸狀況的論述。

其中，我深深感到，台灣被殖民前，日本人所認知的台灣農業面貌（的資料）尚未被整理而束之高閣，而先整理這些資料，正是究明上述課題的必要前提。

筆者試圖以本稿來投石問路，並把當前的課題限定在整理介紹——迄今尚存留於複雜紛紜、埋沒不被聞問的手錄、報告等資料。

殖民地化之前實地勘察台灣的日本人團體，依據其目的，大致可分類為如下三種：第一，是軍事間諜；第二，是視察台灣糖業，以便制定改良糖業的方針；第三，是由駐在中國的領事館有關人員所進行的經濟貿易情況調查。

因為無法得到宮里正靜調查官的手稿本（參照後述），本稿只能割愛第二部分的台灣糖業視察，以第一和第三部分為基礎，嘗試整理並提示日本人把台灣殖民地化前夕所描繪的台灣農業面貌。

二、樺山、水野的軍事、政治偵察

這裡所說的樺山就是後來成為首任台灣總督的樺山資紀，而水野則是首任民政局長水野遵。

兩人的偵察當然是接受日本有關當局之命令而實施的。其時，日本正企圖以台灣事件為口實出兵台灣。

偵察的中心雖然說是所謂台灣「生蕃」的情況和清朝官憲的動向，但實際上其範圍涉及「他日所期待（準備侵台）的方面」和台灣的地理形勢、物資的生產狀況、交通情況，甚至民俗等多方面。

順便說明，所謂「台灣事件」，就是在明治天皇即位後三年，即發布「廢藩置縣」的1871年10月18日，從琉球那霸港出航，踏上歸途的一艘宮古島的船，途中遇上颱風，於11月16日漂流到台灣南部、原高雄州恆春郡滿州庄字九棚的沿海八瑤灣。隨後經過許多曲折後登岸。66人中，54人被「生蕃」殺害，只有12人生還。明治政府中之一派人藉而出兵台灣，其主要意圖即謀併吞琉球王國而改制為日本正式版圖的沖繩縣。

進入近代以後，作為日本人首次勘察台灣的樺山和水野（在同時候，作為單獨行動者或伴隨樺山一起行動的偵探還有數人，他們的紀錄還未被發掘，在此暫不便言及），除了入台時期、來往次數、勘察地等有些許出入外，他們的調查大概進行了一年，即以1873年4月到1874年5月中旬，與西鄉從道都督率領的侵台軍在台合流為止。

因為兩人的偵察活動是奉官命而進行的，當然有他們向當局提出的報告書類等。

但是，其書類之所在，目前未曾被發掘討論過。現在我們能夠閱覽的是他們兩人留下的日記（也並非原件）和「私記」，即樺山的〈台灣紀事〉[1]和水野的〈台灣征蕃記〉[2]（1879年，水野將自己的實際經歷，他人的談話、樺山的故事等綜合起來，並歸納成的「台灣出兵」前後的各種經過記述）。

下面，我們嘗試從樺山的「紀事」中，摘出與台灣農業有關比較重要的見聞記事，來加以介紹。

當年的台灣與現在一樣，其農業生產的中心在西部沿海地

1 〈樺山資紀台灣紀事〉，西鄉都督樺山總督記念事業出版委員會編《西鄉都督與樺山總督》（1936年12月28日，台北發行）所載。

2 〈台灣征蕃記〉，大路會編《大路水野遵先生》（1930年5月15日，台北發行）所載。

帶。按照樺山日記勘察的順序，摘要記述如下：

他於1873年8月23日入台，在淡水登陸。同月26日的日記記載有關淡水近郊的農業：

> 所飼養之豬肥大，在家屋內人豬雜居。郊外水田好像爲四、五月間移植，稻矮小，爲一年二季。故現爲後季。另外，北部平原之外的高原，亦有水田，其水源來自何地不得而知。以水牛爲役畜，亦可見通常之牛馬。[3]

樺山為薩摩（鹿兒島）出身的陸軍少佐（校），想來不知台灣農家養豬的意義和農家的家屋結構、豬的飼育方法。

但有價值的是，他記錄了一年二季的水稻栽培，以及在高地都有水田開拓的當時實況。正如其所說，水田的發展已到「其水源來自何地不得而知，以水牛為役畜」的程度。

同年9月1日，他從艋舺（萬華）來到台灣北部一大商業中心地的大稻埕（當今的迪化街一帶），在日記中留下如下記載：

> 此地方爲製茶之第一產地，赴製造所一覽，均似本邦（日本）製造紅茶。職工幾乎爲女子。此外，亦產樟腦、藍（染料）。江內水島上，牧有家鴨，以百隻或二百隻爲群，牧者乘小舟看守飼養（略）。大稻埕的市街比滬尾（今淡水）乾淨幾分，有西洋館四、五户，稍呈外人僑居地狀態。[4]

3 同註1，頁214。

4 同註1，頁216。

雖還沒說成「已」是僑居地，但已言及同中國大陸所見聞（來台之前他曾在大陸周邊偵探）的外國人僑居地之比較，所謂西洋館，就是辦理北部特產樟腦和茶葉出口的外國人商館，言外之意是：家鴨在淡水河的大量放養，作為商品的大量家鴨飼養業已存在。

到了10月，樺山利用中國式帆船巡航了雞籠（今基隆），勘察台灣東北部。在10月13日的日記中，有如下記載：

> 此地方雨天不少，故俗稱竹風蘭雨。二季稻稍稍成熟。蕃薯之收穫及移植則無四季之差別，或收穫或移植全台一致，不可不謂是豐饒之地。[5]

這段日記直率地記錄了亞熱帶農業所能見到的豐富的自然恩賜。入台不足四個月已知「竹風蘭雨」的俗諺，可見密探樺山的能力和好學是相當出眾的。所謂竹風是指竹塹（今新竹）的強風，蘭雨則指噶瑪蘭（宜蘭）的多雨。但是，宜蘭地方絕非台灣最沃饒之地，樺山的感慨或判斷似乎過早。

台灣北部的偵察結束後，樺山由海路赴台灣南部。同年11月7日的紀錄描繪了打狗（高雄）港的情景：

> 此地方的海運並非定期的航海而是依據貨物（集散）的便利而有所行。淡水的輸出品有藍、煤碳、樟腦、茶葉3,000箱。茶

5 同註1，頁237。

> 葉、樟腦在廈門、煤碳則在打狗卸貨。鴉片則由廈門輸入，砂糖則從本港輸出，藍、樟腦向日本（略）輸出。除英領事館外，尚有三、四幢洋館，建在海關西面。[6]

值得注意的紀錄是：在砂糖、樟腦和茶葉中，前二者有一部分又是向日本輸出的。

當時南部台灣的甘蔗生產地是從台南到高雄一帶。同月17日的日記記載了這一帶的情況：

> 該地方竹林材料豐富，（略）沃野茫茫，均爲膏腴之土地，產殖糖米，長勢豐潤、繁茂。收穫季節，男女奔走勞動，用水牛車運送米、稻草，其軋軋之聲可形容爲如泣如訴。與北京地方的農業相比較，北京爲大車輪，其製作法亦相異，直徑四尺有餘，材料爲硬質木板，與車軸共轉，約可載三、四石（1石＝日本斗之10斗），以藉水牛之力，把牛二隻平排牽引。[7]

關於該地方的水稻栽培，12月5日的日記記載如下：

> 南方水稻播植，於十二月播種，第二年三月收穫。又於四月播種，七月收穫。接著十一月同樣收穫，一年三季。而一年二季的水稻栽培則與（大陸）內地江南、福建省等地相同。十二月

6 同註1，頁246。

7 同註1，頁251～252。

> 播種的地方屈指可數。[8]

關於甘蔗栽培，第二年七月的日記記載如下見聞：「現在正值甘蔗移植期間，穿井灌水，或用牛車搬運該田地用水。」[9]值得我們充分注目的是，當時已有包括井水灌溉的多樣性灌溉方式。

更讓我們吃驚的是樺山關於漁業的見聞。其中證明了至今仍以高級美味聞名世界的烏魚子當時已盛產：

> 將日本稱作魚卵，烏魚子的同種乾魚貯積，成為其愛吃之物。盛產時期，可有大豐收，乃將魚之胎卵，則烏魚子加以烤食。[10]

以下我們將分析水野的「私記」。如前所述，水野的〈征蕃記〉乃是由其自己的實際經歷、他人的談話，和樺山的同行記等綜合而成。因此，有不少與樺山日記重複。但就農業而言，卻有樺山日記中沒有的、有關樟腦的珍貴記載。

比樺山早四個月，水野於1873年4月底在淡水港登陸。他於5月22日跟在淡水逗留的印度鴉片商人卡瑪・錫梯遜和中國某商人同行，勘察了淡水河中上游地區。因是漢族系開拓民的新開拓地，所以漢人同原住系少數民族圍繞著土地的紛爭還未停止。他寫的一段日記可佐證其一端：

---

8 同註1，頁257。

9 同註1，頁305。

10 同註1，頁307。

> 溯淡水河而上，從艋舺（萬華）登陸，向大姑陷、大嵙崁（大溪）進發，途中經過村落阡陌，到達枋橋頭（板橋）「枋橋頭位艋舺之南，此地頗爲繁榮」[11]。（略）到5月23日早晨（略）到小丘岡。越過後走數百步，樵路險惡（此一帶樟樹極多，支那人〔日本指漢人的稱謂〕將大木鋸成木板，向淡水搬運，其木屑燒製〔正確爲蒸製〕成樟腦。聽說其利頗豐。又，山間栽有煙草、豆類），路愈走愈險，前面有數重山嶺，其中老樟巨木蓊鬱。（略）黄昏到達稱作三角躅、三角湧（三峽）的山谷。此地與蕃界僅隔一小溪水，溪外的半面山，剛爲支那人新蠶食之處，伐倒了老大的樟樹數棵，在三、四處建起製造樟腦的小屋或樵夫小屋。[12]

順便指出，該地帶的三角湧，早於1864年，在英國商人陶德獎勵栽培茶樹，製造樟腦的情況下，商業迅速興盛起來[13]。

以上，我們嘗試從軍事密探樺山資紀和水野遵的紀錄中，摘出有關台灣農業的紀錄加以整理。一看即可明白，他們除了認為應該忌避人豬雜居的家庭生活之不衛生外，幾乎都是很直率地記述了他們對台灣農業豐饒的印象。

此外，從總體上看他們的記述，可知他們具有某一種程度的慧眼。發現了台灣因吸食鴉片、纏足的陋習、轎夫的效率低、糾纏於風水等的陋習而導致開發落後等退化和衰頽的原因。

---

11 原文為「艋舺，枋橋頭之南地」，應該補正為：「枋橋頭為艋舺南邊之地」。

12 前引書〈台灣征蕃記〉（之後引用時，概簡稱為〈征蕃記〉），頁188～189。

13 吉田東伍編著，《大日本地名辭書續編》（1910年3版）所載「台灣」一項，頁46。

值得注意的是，在他們的紀錄中，沒有後來殖民地統治者以及日本國內所編造並廣泛宣傳的「瘴癘之地台灣」印象之類的任何記述。不僅如此，樺山在關於巡覽台灣府（台南）市街古董店以及當地富豪吳家時記載到：

> 我等三人巡覽市街古董店等，感到意外的是有多處輸入我國（日本）產漆器、陶器、磨牙粉等的販售。此外，到板橋頭（非北部之板橋）吳氏宅邸。該家是豪門，世代爲儒家，其邸內有高低地、沼澤岩窟、樓榭等許多構造極盡閒雅風景。在支那地方，如此名士風流家的邸園，我人似乎不曾見過。[14]

水野還偶然碰見了台灣穀倉地帶彰化的富農廖有富，率村民向清朝官憲展開抗租運動的現場，並留下了目擊記[15]，從中我們可以窺視到台灣地主階級的存在與生活的一斑，這些不但沒有令人感覺到台灣是「瘴癘之地」，甚至反而得到台灣是富庶之地的印象。

三、上野專一的經濟、貿易情況調查

比樺山、水野的描繪更具體顯示出台灣農業面貌的資料中，有日本外務省駐上海、福州領事上野專一（補註）的報告。下面略作介紹。

---

14 同註1，頁250。

15 前引〈征蕃記〉，頁210～215。另《註1》之頁310～312亦有同事件之記述，但把廖有富寫作廖有「霧」。

正如上野在自著〈台灣島實踐錄〉[16]（以後簡稱〈實踐錄〉）中所述：他在上海供職時代的1881年作第一次，駐在福州時代的1891年作第二次，以貿易情況為中心視察了台灣。

實際上，〈實踐錄〉是筆者第二次視察結束後的翌年即1892年3月22日，在東京地學協會的例會上所作報告的論旨為中心而成書者。

他在開場白中說：

> 從通商貿易或者東洋政略角度而論，台灣未來均將成爲我國具有重大關係的地方，因此，我將對該島的見聞向諸位介紹，煩請諸位聆聽，主要乃在於促進我通商貿易家的注意，並使日後我國同台灣之交往關係愈加頻繁。

就此發言是在1892年看，也是值得我人留意的。

接著他又向日本社會各界呼籲重視台灣經濟的發展，他說：

> 台灣的進步實在有長足之勢，該島成爲獨立之一省已有六、七年。而在此期間，諸般事業顯著發達。尤其是著名的前台灣巡

補註　繼本稿在日本發表後，有林正子〈上野專一——日清戰爭前對台認識之先驅者〉（《台灣近現代史研究》2號【1979年】所載之公刊。有關上野之為人與事，該論文可資參考處甚多。

16 上野專一〈台灣島實踐錄〉（《明治24年〔1891〕東京地學協會報告》13卷11號所載，實質上係明治25年〔1892〕3月22日，上野在同協會常會所作報告之再錄。後引時，概簡稱〈實踐錄〉），另有〈在台灣島之日本貿易品的實況〉（同協會報告，同卷第12號所載一文）。

> 撫劉銘傳在清法交戰之際來到該島，以銳意盡心盡力開展拓地殖民事業，敷設鐵路，架設電線，創辦商務局，推進工商事業，從外國購入汽船，以發達與支那本部的交通，建立英語學館，培養英才之士，勸人民以蠶桑之利來求得軍務貿易的巨大進步。從而思之，我營（企）業家應從今日起，悉心關注台灣的前途，爲準備將其變成我國物產販售的一個市場，非及早策劃大計不可。[17]

現在，我們來看一下，從1874年的「台灣出兵」到上野專一第二次視察台灣，即1891年為止，圍繞著台灣的主要動向：

・1874年（同治13年，明治7年）

清日達成和議，台灣出兵的西鄉軍撤走。

根據船政大臣兼辦理台灣海防的沈葆楨建議，清朝從台灣南中北三路進兵，試圖開通蕃地。

設置團練（對民間壯丁施加軍事訓練）總局。

沈葆楨奏疏應將福建巡撫移駐台灣。

・1875年（光緒元年，明治8年）

新建制台灣地方官制、創設台灣（台南）、台北二府、卑南（台東）廳、恆春縣、淡水縣，將淡水廳和噶瑪蘭廳分別改成新竹縣、宜蘭縣。

福建巡撫於春冬二季分駐台灣。

解除進入蕃地之禁。

---

17 前引〈實踐錄〉，頁21～22。

- 1876年（光緒2年，明治9年）

  分別建制鳳山考試院、宜蘭縣儒學等。

- 1877年（光緒3年，明治10年）

  恆春知縣（縣長）周有基一行至紅頭嶼探險。

  在阿里港建立雪峰書院。

- 1878年（光緒4年，明治11年）

  獎勵蕃人的撫育和蕃地的開墾。

- 1879年（光緒5年，明治12年）

  編成《全台輿圖》、《化蕃俚諺》。

  創立淡水縣儒學。

- 1880（光緒6年，明治13年）

  開始建立台北府城。

  建立台北府儒學。

  建立登瀛書院及其考棚（與考試院相同）。

- 1881年（光緒7年，明治14年）

  將團練總局改成培元總局。

- 1882年（光緒8年，明治15年）

  台北府城竣工。

- 1884（光緒10年，明治17年）

  劉銘傳就任福建巡撫（舊曆5月8日）。

  清法戰爭波及台灣，法軍封鎖台灣的企圖沒有成功。

  法軍占領基隆（舊曆9月15日），占領淡水（舊曆10月8日）。

  將培元總局再度改為團練總局。

民眾破壞艋舺的基督教會堂。

- 1885年（光緒11年，明治18年）

  劉銘傳就任台灣巡撫。

  清法締結天津條約，法軍從台灣撤走。

- 1886年（光緒12年，明治19年）

  進一步擴張兵備、修築砲台。在台北新設善後局與機器局。在台北建電報總局，在全島及對岸的福州架設電線，同時創設電報學堂。

  設立清賦局，著手測量全島田地。

  設撫墾局，建蕃學堂，頒布隘勇制。

  在台南城內設立蓬壺書院。

  巡撫劉銘傳親自進行為期四個月的蕃社討伐。

- 1887年（光緒13年，明治20年）

  台灣改成省制；在台北、台灣、台南設府；台灣縣改為安平縣，舊台灣府改成台南府。將台灣府和省城新設於彰化；新設雲林、苗栗兩縣和台東直隸州。

  開始敷設台灣鐵路（台北——基隆）。

  購入汽船，計畫與對岸及南洋通航。

  創設西學堂。

  在苗栗建立英才書院。

  據清賦丈量（土地丈量）的結果，改定田賦稅率。

- 1888年（光緒14年，明治21年）

  新設基隆、埔里社兩廳。

  邵友濂、劉璈分別就任布政司和按司道。

林維源（林本源家當家）就任台灣幫辦撫墾欽差大臣。

在台北開設電汽燈（瓦斯燈），在巡撫衙門、布政衙門、機器局及艋舺市街地點亮。

大稻埕鐵橋竣工。

・1889年（光緒15年，明治22年）

在台灣府（彰化）築城，工程開始。

在彰化城內創建台灣府儒學，又設考棚和宏文書院。

・1890年（光緒16年，明治23年）

開放鑄造銀幣。

基隆鐵路敷設中，工人在八堵發現砂金。

劉銘傳巡撫辭職，由沈應奎代理。

・1891年（光緒17年，明治24年）

台灣鐵路從基隆經台北延伸到埤角（新莊、桃園間），全長計有185清里（106.7公里）。

台灣省城工事中止，將省都從彰化移到台北。

邵友濂出任台灣巡撫，計畫縮小建設事業。

設立台灣通志總局，大大地收集史料[18]。

以上是從「台灣出兵事件」到上野第二次視察為止，約十八年期間中，圍繞台灣的大事記。

從大事記中一眼就可明白，清朝受日本出兵的刺激，先是企圖強化以台灣海防為中心的軍備，同時企圖開通「蕃地」擴大統

18 以上「大事記」係根據：1. 原房助編《台灣大年表》（1932年3月1日，台北發行）；2. 陳世慶纂修《台灣省通志稿卷首下，大事記》（1950年12月，台北發行）及3. 伊能嘉矩著《台灣文化志》（上、中、下，1965年9月20日複刻版，東京發行）而作成。

治權。其中，當然包含消除列強侵略台灣經常當為藉口的「蕃人」的所作所為[19]之隱患。

接著是清法戰爭的波及，台灣受到法軍的海上封鎖，其對象就不止是「蕃人」，連漢族系住民居住區基隆、淡水都被占領，清朝為尋求因應對策而奔命。

因此，劉銘傳被起用，並在台灣引進洋務運動，出現在上野專一眼裡的「巨大進步」的台灣社會經濟之展開，正是劉銘傳的新政[20]和大陸流入之開拓農民所支撐的經濟開發進展之顯現。

台灣的洋務運動和大陸不同，其特色是運動滲透至農業生產部門和貿易部門，並出現了互動現象。詳細的描述可以從上野的〈實踐錄〉看出。

上野記載台灣主要農業生產地帶的內容如下：

> 島的西部土地低而均一，平原從海邊起到達數十里之內地。數條小河源於中央諸山脈，縱橫貫通此原野，恰如魚網之張開。故此，成爲栽植甘蔗、稻米之最適當地區。北部同西南各地相比，山岳多而缺乏平原之地。生產該島重要產物之茶的茶園，即多在此北地諸山陵地。簡而言之，北部盛產茶葉，而南部爲砂糖之中心產區。[21]

19 事實上，發生琉球人遇難事件以前，南部少數民族已與英、美船艦有關人員發生過不少次糾紛事件。例如1866年（同治5年），在鵝鑾鼻附近，少數民族有過襲擊英艦的事件。翌年即1867年，美艦（Rover號）船員漂流遇難事件。同年英艦（Comorant號）在鵝鑾鼻亦遭遇襲擊等。

20 請參照拙稿〈晚清期台灣的社會經濟〉。

21 前引〈實踐錄〉，頁24。

關於林野地，〈實踐錄〉繼續描寫到：

除當今充作耕地之一部分外，全島是林深叢鬱，頗富良材美果。北部尤多樟木，杉木林立中央部，山岳半腹，生松柏之類。野生的無花果樹、榕樹、烏木等森林爲數不少。露兜樹（在台灣稱作林投）在台島各地生長。海岸則多番石榴。李、桃、橘等其他甜味的各種水果實爲不少。台灣實爲植物家足以涵發新機能的地方。在此廣大地方進行熱帶地方之物產調查是頗有益的。

關於氣候，則作如下報告：

冬季，高山屢有積雪。夏時雖然炎熱，但卻涼風不斷，從諸山上吹下，減殺暑氣。因此，身在暖地卻大覺涼快。屋內或樹蔭處，白天偶爾達華氏九十度以上，而夜間大概都在八十五、六度而已。冬天則在五十度以下。總而言之，氣候實爲良好。[22]

上野還在其〈在台灣島之日本貿易物品的實況〉一文，描寫了砂糖製造的情況：

22 同前，頁26。

台灣島砂糖生產的地方，以台南府為中央，南至恆春縣的琅璚、北至嘉義縣北港沿岸一帶為重要處。（略）而台糖為我國自台進口品中的最大宗者。既往輸送到日本的台糖一年為三、四十萬擔（一擔為100斤）之數量。其價巨額，達海關銀六、七十萬兩……根據以往某個調查，將此砂糖產地和一年的收穫量列表如下。[23]

表1　台灣糖業之生產概況（1881年）

栽培面積與生產量／生產地	栽培面積 英畝（4046.85m²）	生產量 （1年，粗糖，萬擔）
二贊行、大湖、半路竹	890	5
麻豆、蕭瓏、大武瓏	1,600	9
樸仔腳、鹽水港	1,770	10
北港、下湖、新港	3,000	17
阿公店、楠仔坑	3,560	20
打狗、舊城、埤頭	1,770	10
阿猴、萬丹	2,840	16
東港、枋寮、琅璚	3,000	7
小計	18,430	94

23 前引〈在台灣島之日本貿易物品的實況〉（之後引用時，概簡稱〈實況〉），頁17～19。至於「以往某個調查」所指的應該是Meyers根據通關統計表而推算出的1881年度之數字（請參照原熙著〈台灣之糖業〉（《農學會會報》第33號，明治30年〔1897〕4月號，頁39）。

上表所表示的94萬擔生產量中，實際上743,000千擔，即80%左右是出口的。想來，在外匯情況惡化、因砂糖進口而導致外匯流失而苦惱不堪的明治20年代的日本，台灣的產糖量大約占日本總進口量（上野氏說約三、四十萬擔）的二倍以上，這當然使日本有關人士羨慕不已、垂涎萬分。如此看待可以說絕不過分。

然而，當年的台灣糖是透過怎樣的途徑，出口到日本的呢？

上野描述：

在貿易上，可將台灣砂糖分別為台灣（台南）府砂糖和打狗（高雄）砂糖二種。而歷來輸進我國的台灣砂糖實際上僅是打狗砂糖。從台灣府即安平裝船輸出的砂糖主要輸送到上海、寧波以及北支那各地，而非輸往日本。而打狗港的富商順和號，則和橫濱186番的順和棧糖行專門進行砂糖交易的。依同號人士的說法，台灣（府）砂糖質細，而打狗砂糖則粗大，即向日本輸出的那種。[24]

從上野的上述記載中，我們可以得知，在明治20年代前半期，打狗港的富商順和號已經在橫濱透過順和棧糖行分店，經營打狗糖的輸入及販賣業務。

所謂順和號，是陳中和家經營的店舖。他是「台灣製糖株式會社」（1900年創立）初創期的大股東之一，和唯一的台灣人取締役（董事）。

24 同前〈實況〉，頁19～20。

陳家在台灣製糖株式會社成立後第二年即1903年，創辦「新興製糖株式會社」，僅次於台灣製糖株式會社的橋仔頭工廠，陳家將新式製糖工廠設備引進台灣。

以後他又因創辦和經營「陳中和物產株式會社」、「烏樹林製鹽株式會社」而馳名於殖民地台灣的產業界，為台灣屈指可數的貿易商暨企業家。

而陳中和親自搭船將打狗糖搬入橫濱港，最早是1873年6月下旬，和水野遵祕密探訪台灣幾乎是同時，也是西鄉從道（西鄉隆盛之胞弟）率領所謂的征台軍從長崎港出發的前一年。

陳中和成功地將打狗糖輸進橫濱港之後，穩健地將其業務加以擴大，進而壟斷了橫濱、台灣間之紅糖買賣。不僅如此，其販路還擴張到阪神、九州等地。並於1889年創立了和興公司，除了進行砂糖貿易，還著手將台灣米輸出橫濱並進行對岸貿易[25]。

回到上野的報告。他呼籲日本人積極介入台灣糖的進口業務，並作如下的分析和建議：

> 在該島，甘蔗的栽培原本都是來自福建省漳州、泉州等地移民的事業。他們在不能求得其生計上方便時，開始栽培甘蔗。至甘蔗成熟時，以某種價格賣給外國人的買辦或者不得已而典當，幾乎都不留下自家製糖。又聞，該地方糖業之實際情況，同茶葉一樣，外國商人和內地農家因語言及各種民情相異，故無法直接交易，均將買辦拉入其間，簽訂相互間的契約，從內

25 宮崎健三編，《陳中和翁傳》，1931年8月8日，台北發行，頁8～10。

部買進到出口，都由其經營，故其利潤爲買辦所占有。加上台島砂糖如前所述，每年以少則25萬擔、多則40萬擔的數額輸出到橫濱及其他地方，其貨主除了順和號或順記號等一兩個糖商外，大抵爲小資本的清（指清國人）商。他們各自累積到一、二百包乃至四、五百包，然後交托給香港上海銀行貨物兌換外匯手續的西洋商家代辦。西商等到糖貨聚齊後，載於汽船，輸送到日本。然後貨主交托橫濱或神户的五、六家支那人批發商銷售。

近年，西商直接經手日本的紅糖買賣者頗多。假如我國商人能直接與（台灣島）内地人民簽約從内地購進到輸出均由我方一手操辦，用我方汽船直接向日本輸送，此計畫的久遠利益實爲不少。今後我國商人務必想出方法，親自進行此種事業，但應事前調查清楚該地方之情況，一方面則與橫濱及神户的我方砂糖商人締結詳盡的合約書，逐漸著手此類事業，方能成功。

彼支那商行順和號及其他二、三糖商，具有頗富裕的資本，十數年來在日本設有打狗糖行的支店，貨物交付迅速，此外在外匯兌換等手續方面也占有便利之處多多。我方商人欲企圖短期内確立與此等支那商人的競爭地位，確非易事。應先在地方派駐相當人數，學習糖業上的有關事項及其他各種業務，決心在該地長期扎根，設立我國產貨物販賣店，積二、三年之經驗，然後逐漸著手。非有此決心者，實不能成功。只圖一時冒進必招致損失，盼望相關人士能避免短見之舉。[26]

26 前引〈實況〉，頁22～24。

從上野的見聞和分析可以得知，當年台灣的糖業，不僅作為中國經濟之一環而存在，而且其生產和貿易的方法均與中國大陸相同，即由外國資本和其幫辦——買辦執其牛耳。

然而，在大環境的制約下，順和號等台灣本地商業資本家，紮實地築起橋頭堡，並逐漸地達到相當大的資本積累，這是值得注意的。

那麼，當年台灣糖業的生產型態究竟是如何？

在上野的報告中，可以看到打狗紅糖生產流程的一斑：

> 大約到十一月中旬，是甘蔗全部近於成熟、糖汁充實的季節。因而割取此甘蔗，用水牛四隻從蔗園搬運到製糖廠。在這裡切去葉子，用『石車』加以壓榨，糖汁從石車下面板底懸出的竹管流到煮鍋屋的桶內；接著將其移入第一煮鍋，用溫火加熱後，移到第二鍋，火力稍加強，用杓子掏去浮上的汁泡，然後移入第三鍋，將表面所見之污物全部汰去，然後移作第四鍋，進一步加強火力，使其達到沸點，然後將花生油和蠣灰加以調和後投入數滴，稍過時許，其汁便濃厚地凝結。此時移入第五個降溫鍋，加以攪拌，使砂糖成分均一，待其完全凝固，移入長六尺、寬四尺、深六寸左右的木箱，將其粉碎後立即裝入用竹筍皮或用竹葉填底的布袋，放入竹篾做的簍內，而後用牛車裝到港口過磅，再在簍上口用叫做「茄萣包」（即彰化地方產出的台灣席子）的蓋加繩捆住，然後全部裝入麻袋，用雙重繩捆緊，從而完成輸出手續。

關於被稱作糖廍的傳統製糖廠，上野如此描述：

> 製糖廠的結構和職工人數本來就按其場所大小而定，不能一概而論。但就其稍大的工廠而言，用三隻水牛來牽挽機車，另有糖師二人、火工二人（煮蔗汁）、車工二人（操作石車壓榨甘蔗）、牛子（看牛人）二人（指揮轉動器械的水牛並兼剝甘蔗葉鞘）。此外，在蔗園有六、七人割取甘蔗，除轉動機器之外，另需用於搬運的牛，每一個製造廠大約有十隻。[27]

僅從上述記敘來看，當時的台灣糖業生產工序尚未引進機械壓榨，仍處於以傳統石車壓榨為中心的階段。

然而，讓當時日本有關人士吃驚的是，在作業中已有了分工和協業，以及僱用勞動的生產作業流程。

明治初年以來，以擔任糖業指導官吏而活躍，並在鹿兒島縣大島郡廳下擔任糖業改良指導任務的該縣人士宮里正靜，於明治20年代初（1880年代後半期）實地勘察了糖業先進地的台灣後，作了如下敘述：

> 觀察栽培者一般營業的組織與日本大異其趣，概屬分工。佃農僅僅從事栽培，地主控制了他們。總而言之……蓋，甘蔗之耕地廣闊平坦，都由水牛耕耘，其役夫素來就是土民（指漢人）

27 宮里正靜的《清國巡迴記事》，原來為手稿本未能查閱。在此的引用則借用清夫清三郎著《近代日本產業史序說》（1942年9月18日第二版，東京發行）所載，筆者所引者，頁334～335。

種植方法老練者居多，因此足可見其培育周到、規模之大頗可觀。

檢討本地製糖工序，有耕地者常在其土地上設製糖所，其職工勞役頗爲勤勉，規模亦巨大，……遙遙領先阿讚地方（日本在來糖〔以黑糖爲主〕之名產地，讚岐平野〔四國之香川縣境〕），分工經營，孜孜不倦地從事工作，分爲日夜二班，每天上午九時就業，下午四時終了，然後又於午夜八時就業，到第二天早上四點終了。其餘暇均以睡眠爲習慣。

他還在另一篇文章中直率地說：「我沖繩大島等的製糖，與（台灣）的製糖場相比，我輩只是豬圈小屋而已。」[28]

四、結語

以上我們整理了樺山資紀和水野遵的手記，以及水野遵的調查報告，給我們提示了日本人親眼看到並所認知的台灣農業面貌的大致輪廓。

就其所見，我們可以認為，被殖民地化以前的台灣農業，包括台灣地質、氣候、農事方法、農產加工業，特別是製糖和製茶業給日本人的印象並非是負面的，反而是正面的。

因此，當馬關條約一決定台灣「割讓」，早就著眼台灣物產

28 宮里正靜，〈清國糖業實況〉（《大日本農會報》第86號，明治21年〔1888〕9月號所載），頁32。

的日本有關人士爭相雀躍，他們等不及鎮壓抗日游擊隊展開的激烈抵抗運動，便爭先恐後地踏上了台灣的土地。

在他們存留下來的視察報告等史料中，有許多證言表明：台灣不是「瘴癘之地」，而確實是一個「寶島」。

早些時候，在佐賀縣派遣的台灣農業視察員山邊濱雄等人整理的《台灣產業視察報告》中關於農事部分，有如下的讚美之辭：

> 該島農業之進步令人感到意外，耕地區畫廣大，一塊約有一、二町步（一或二甲多些），故不像內地（日本）一樣的以手鍬頭耕地之事，均以馴用水牛耕鋤，可謂是一種大農法也。甘蔗園及茶園等的中耕均用水牛。[29]

獲得「糖聖」尊稱的日本近代糖業開山祖，台灣製糖株式會社首任社長鈴木藤三郎，也對台灣農業發達的面貌感到吃驚。

他為了選定台灣製糖株式會社最早的工廠地點，於1900年10月1日從新橋站（靠近東京銀座）出發到台灣去視察，並於同年12月2日回到東京。在一星期後的同月10日，鈴木在日本橋東京銀行集會所召開的台灣製糖株式會社成立總會上，談到其視察台灣感想：

> 要說到將來的希望，本社原來要達到每天20噸的砂糖製造量，

29 佐賀縣內務部第五課，《台灣產業視察報告》（明治29年〔1896〕12月15日發行），頁27。

> 一開始很擔心能否在台南縣設立幾處製糖工廠，但實地查看，比預想的還有希望。從東接蠻界的山脈到西海岸，寬6至7公里、長30餘里之間，大致爲平坦之地。地質良好，適於任何作物，縣下一般無多大差別。（略）在台南，地質和氣候也是如此般良好。故而，説到本島人耕作方法如何，實在是出人意料的進步。原來認爲，本島人的耕作方法一定不完全（不夠完善），如不帶内地人（日本人）去，恐不能完美地進行。但是，實際的耕作地，大致都是作成幾町步（甲）的廣大區畫，並多飼育水牛，使用水牛之力。先用牛鋤翻地，然後用器械耕，到播種子前爲止，都用水牛之力，其效果，當有（日本）内地之數倍。此外令人吃驚的是，12、13歲的幼童也能自由驅役水牛。再觀察其生活狀態，據鳳山一帶的調查，每人一天的生活費，在三錢五厘到五錢便足夠，其常食是米飯、甘藷、其他豬肉。衣服是只纏繞腰部的布片，裸體在炎日之下從事工作也若無其事。而工作量則是（日本）内地人的一倍，農事的手藝也相當巧妙。[30]

由此可見，殖民地化以前的台灣，對台灣人而言是寶島，是由台灣民眾親手正在琢磨中的寶石。但是，就其被供給近代方式的琢磨的各種條件不夠充分，而且作為其前提的政治社會經濟結構，也還未成熟。日本資本主義在「割讓」的名義下從中國人手中奪走了台灣民眾親手開始琢磨的寶島，由日本帝國進行的殖民

30 原來的據典為《台灣製糖株式會社創立總會報告書》，因未能查閱，故本稿借用鈴木五郎《鈴木藤三郎傳》（昭和31年〔1956〕11月15日，東京發行）之引用（頁163）。

統治就是將台灣納入日本以資本主義為發展導向的整個體系中。而且，通過殖民地統治的結構，再配合自己的需要，來琢磨這塊寶石，吸取其利潤，這就是殖民統治下台灣的真實面貌。

以此來看，今日還在街坊巷間流傳不已的所謂日本人將「無」而且是「瘴癘之地」台灣創造出富裕之島的「有」的通俗說法，是不正確的。

加以否定的有力證據不是別的，正是日本人自己所描述的殖民地化以前的台灣農業面貌。其一部分如前述。

附記：本文譯自〈日本人が把えた植民地化前の台湾農業像〉，原收錄於加藤讓編《現代日本農業の新展開》，1976年3月15日，東京：御茶の水書房發行。為了保持引用資料之本來面貌與氛圍，照用原著所用的「蕃人」、「支那人」等語彙。特此聲明。

【附錄】

評論戴國煇〈晚清期台灣農業的概貌〉

◎ 尹章義*

我來評論這篇文章，心裡很惶恐，其中最大的關鍵是我對戴教授有些敬畏。我常在想有一個人身在曹營心在漢，老想起關公，我常把戴教授想成現代關公。他在日本30年，對日本的批判相當強烈；其次是他老關切台灣的事情，所以對於有些人說台灣的現代化是日本人的功勞這一類的事，一直是耿耿於懷，我從讀他的《中國甘蔗糖業之發展》（即中國糖業史），到後來讀〈晚清期台灣的社會經濟〉，和這篇文章〈晚清期台灣農業的概貌〉；從我看來實際上他只想解決一個問題，亦即「縱使沒有日本人，台灣人也可以靠自己的力量在台灣完成一個非常漂亮的現代化的工作」，這一仗可以打得非常漂亮，因為我們有很足夠的條件；像他提出來台灣洋務運動以前資本累積的問題，像工業技術的問題，稻作、茶葉、樟腦的發展問題，一直到洋務運動在台灣的特殊化，他一直給我一個印象，現代化早已在台灣民間和官方雙軌在進行的，只不過日本人看到我們有這麼美好的鑽石而想奪取，所以鑽石是我們自己而非他們琢磨的。就這一點而言，我一直感到戴教授是身在曹營心在漢，所以言論起來有些羞怯。我一向在做學術評論時是非常猛悍；但在這裡我感到非常辛苦，因為戴先生熟悉學術討論會的技術：他自認這篇文章還有一些資料未用，將來可以再寫。

第二，在方法論上，他這篇文章主要是藉著日本人的祕探與外交

＊ 時任輔仁大學歷史系教授。

官的報告來剖析這個問題。這在方法論上的力量是相當強的，如果是用中國人的文章來證明台灣是一個豐饒之地便沒有這麼大的意義。但他用的是負有日本任務的祕探，這樣的資料的效度和信度，尤其是用在這樣的題目上它的效度是相當高的。因此，在資料方面我縱使知道還有其他資料，但我認為這樣已經能夠充分說明他的論點了，因為他運用了祕探、外交官的資料，在方法論上是相當不錯的。

第三點，我想談到關於如何把台灣納入日本的體系圈，讓台灣成為日本資本主義體系的附庸，也就是探討文化圈、政治圈、經濟圈關係的問題；意即如果台灣不納入日本的政治圈，是否台灣可能納入日本的經濟圈，若以今天台灣的狀況來看，台灣的經濟圈是美、日、台經濟圈，供給面從日本算起，台灣是美國的供給面，日本是台灣的供給面，我們大量地從日本引進工業技術以及高科技的產品，所以，嚴格說在經濟圈的解釋上，戴教授把我們的經濟圈設立在一個缺乏自主性的狀況之下，由日本人來設定台灣做為農業發展區，壓抑了我們在清朝末年以來已經發展的工業，這一點我們進一步可以了解台灣已經萌芽的工業受到了壓抑。

其次，戴教授提到台灣的富裕的領先地位，從日本人的祕探和外交官的報告中，台灣具有許多先進的性格：1. 糖業的規模非常大，分工很細，日本人趕不上的。2. 茶葉。3. 牛耕，這點非常重要，因為日本人當時還在用鍬，而台灣人已經用很馴服的牛來耕田，當然我們不曉得作者是不是在日本的農業經濟比較落後的地區成長，或是用日本的一般農業水準來和台灣比較。其次又提到台灣生活費很低、工作生產量很高，即使低薪可以有高產能。因此，台灣是寶島，事實上這應是從鄭成功時代以來從未改變的事實，這是戴教授給我們提出來一些對於台灣當時概括的描述。 接下來我有三點批判：

1. 經濟圈、文化圈和政治圈的重疊性和衝突性的問題，是否在我剛才提到一項台灣人民和政治經濟之外，尚且有其他的因素影響到我們經濟的自主性。而在近數十年政治有自主性的情況下，還必須納入日本的經濟圈，多半的貨物還得從日本進口，如裕隆公司保護了幾十年，到現在主要機器還在用日本的東西，我們希望戴教授在這方面能有更深刻的詮釋。

2. 這是一個比較有爭議性的問題，或許在戴教授看來並不重要，但在我們經歷過林少猫風波的人看來是非常嚴重的。即到底陳中和與陳福謙，就是順和號他們之間的關係是什麼？是不是最早到日本去銷糖的人是陳中和？抑是在陳福謙去之後？我想這問題在戴教授的作品裡，大致是一致的；但有一作品不太相同，這論點在戴教授的作品裡也不能完全肯定。所以我也希望戴教授在這方面，因為我們非常想知道到底是誰最先把糖運到日本去賣。是不是陳中和？而陳中和與陳謙之間到底是親子關係？抑是養父子關係？還是主人和奴僕間的關係呢？這之間的關係如果能夠清楚，以後的許多問題便容易解決了！

第三點，這是我的期待，這篇文章是首度在台灣發表，卻是在世界上第二次發表，我非常的盼望戴教授將來能夠把第一次發表的研究論文在台灣史研究會上發表。

本文原刊於台灣史研究會主編，《台灣史學術研究會論文集》第一集，1988年6月，頁23～25

霧社抗日蜂起與高砂義勇隊

一、我與霧社蜂起抗日事件及高砂義勇隊的研究

1955年深秋，我赴日留學。自翌年四月考入東京大學研究所為開端，在日本學界打拚了整整40年，1996年5月返台，正式落葉歸根迄今。

筆者在日本學界的既坎坷又喜悅的歷程中，除了專業的農業、農民問題外，我始終關注的主要課題有三：第一，為「二二八事件」真相的探討。第二，為探索「自我認同的困擾」（生為客家系台灣人，如何釐清既是客家人、台灣人又是「中國人」——並非完全等同於中華民國人抑或中華人民共和國人之「認同困擾」），不斷地反思並尋找該屬於自我的「生之哲學」之「心中奧妙」。第三，即是立於漢族系台灣人立場如何看待先住台灣人之有關問題。

第一和第二課題的部分業績，已用中日兩文上梓仰請方家之高評，在此不再贅述。

第三的關注課題，我訂有二個子題。一為「霧社蜂起抗日事件」，二則為「高砂義勇隊」。雖以「子題」來揭櫫，但兩者之

如何に天險に據ると云へ
一日中には撃滅せん
敵前架橋工事の必要起り
第二次攻撃計畫變更か

マヘボ社の西南方で
兇蕃と軍隊が交戰中
敵蕃頑強に抵抗して
四時間を經るも退却せず

永野小隊激戰で
士卒七名が死傷す

食糧缺乏の爲めや
連絡不能で苦戰
高井部隊は山中に夜營して
一日早朝マヘボ攻撃

兇蕃討伐第二日
決死的の攻撃開始

反逆兇蕃の頭目
花岡一郎自殺す
マヘボ社部落を前に

マヘボ社占領

第一線に苦戰する警官隊
要害堅固な大掩堡で
敵蕃強硬に防禦を續く
川西部隊疲勞して後援を待つ

軍隊を第一線に
偵察隊第二線に立つ
第二次總攻撃の配備

マヘボの後方を
絶たんとの策戰

兇蕃のために
殺戮された內地人
實に二百名と判明

一日午前中の
警察隊動靜

埔里の飛行場
一日に完成の豫定
乙式なら離着陸充分

今や時めく
牧野伯に辭職勸告

臺灣軍公報

翕然として集まる
全島からの同情

兩巡查の遺族へ

市民から續々義捐金

感心な妙齡の婦人

台灣の蕃人

蕃人の齎した
彈藥の大爆發

爆撃に爆彈投下に
討伐隊進撃強行
兇蕃頑強に抵抗す
四時間に渡る交戰中

戴國煇蒐集的霧社事件相關報導資料（原件典藏於中央研究院人文社會科學聯合圖書館）

相關史實並非可當為小事而輕視的。

1930年秋天所爆發的霧社事件，不僅震撼了當年的日本朝野，對台灣及中國大陸的抗日熱潮也帶來了「刺激」及鼓舞。尤其，日軍鎮壓蜂起原住民時，試用毒瓦斯之舉，遭受到世界輿論的譴責。繼而，日帝又在東北及上海發動了一連串的侵華戰事（「九一八」及「一二八」事件）。它給予以美國為中心的民主有識人士心中孕育了「惡霸日本人」的負面形象。惡劣日本人的烙印終於成型，並紮下了根。1941年12月8日，日帝再加添了偷襲珍珠港事件之劣跡，日本的負面烙印更難於拔除迄今。

筆者自70年代初，在東京組織了台灣近現代史研究會。著手了霧社事件的共同研究。花了整整十年，我編撰了《台灣霧社蜂起事件：研究暨資料》（東京：社會思想社出版，1981年）。中文版承蒙國史館潘振球館長的關懷，明秋將由魏廷朝兄翻譯出版。

在我研究霧社事件的過程，附帶地亦蒐集了高砂義勇隊相關的日文資料。正在此時，阿美族人史尼育唔（日文名：中村輝夫，中文名：李光輝）自印尼摩洛泰島叢林逃生30年後歸來（1975年1月8日）。筆者不僅寫了有關論文，另外尚在東京電視的第四頻道（讀賣新聞系列台）與日方都築氏製作人共同編製60分鐘的有關節目。

日方對霧社蜂起抗日原住民之殘酷鎮壓，一俟太平洋戰爭之爆發，日軍急著「翻臉」，假藉高砂義勇隊的美名動員了劫後餘生（霧社事件時日本軍警幾乎殺盡霧社蜂起原住民的成年男子）的泰雅族後代從軍。據傳他們在「志願」時，還有用血書寫自認「天皇赤子」將「誓死盡忠報國」一類文字之事例。當年的日方媒體，敲鑼打鼓地大造其「美譚」，廣為宣傳，並藉此鼓動全台高砂族青年之從軍熱。李香蘭所演的《莎韻之鐘》（1943年）亦可劃歸同一類之宣傳電影。

霧社浩劫→血書志願→史尼育唔之劫後餘生→日本當局之置之不理，這一系列詭譎的「有機性關聯」縈繞於我腦際，至今不散。

1995年某日，我突然接到林榮代（日本人，報導文學作家）先生的電話。知悉他正在追蹤高砂義勇隊之事蹟。繼後，筆者不但在他的大著《台灣殖民地統治史——山地原住民和霧社事件及高砂義勇隊》寫了〈代序〉。今年初春，我又幫他小忙並推薦他在東京草風館出版了《證言——台灣高砂義勇隊》的近作。

林先生的「追蹤」及發掘給學界帶來了頗多的祕密史料、資料。至今，高砂義勇隊鮮見有與其相關、真正的學術研究。我認為我們不該再走上台灣史學界的陋習——先有結論，忙於評估，急於作下歷史「審判」了。這一次我們邀請了以林先生為首的懷有良心又敬業的日本朋友們來台，勞駕他們各自表述對高砂義勇隊的看法。我們期望本次的國際研討會能給台灣史學界帶來新刺激和典範，並對整體社會有所裨益。尤其對原住民在日據時期的悲情，能夠藉機加深認知，是我的盼望。

本文原刊於《中國時報．時論廣場》1998年12月21日

二、試論高砂義勇隊在日據時期台灣史的定位

說在前面

試論以前，筆者必須先向富於道德勇氣及專業精神的日本朋友們表示衷心的謝意。

就「量」的層次來言，原住民族的人口數，當今尚未達到40萬人。僅占台灣地區全人口（約為2,200百萬）的1.7%而已。

誠然，在日本學界的「市場」中，若只以「台灣史」為專攻試圖尋覓上乘的「職位」，是相當不容易的。相關書籍問市之困難度，在出版界又類似後述林榮代先生之三本有關高砂義勇隊的編著，除了筆者推薦出版的近作以外，兩本都是自費出版，可窺見其一斑。不必待言，僅是「邊陲」存在的台灣原住民族，在日本要獲得夠理想的人文關懷更是困難。

在資本主義已相當爛熟的日本社會，尚能出現關懷並追蹤高砂義勇隊相關史實和問題的日本有識之士，他們的辛勤、能耐和精神素質值得我們崇敬。在此我得特別提醒台灣諸先進，在日本社會是不能只靠一張「博士」文憑，永續地吃好飯的。因此追蹤、研究、關懷高砂義勇隊有關課題的日本友人，其目的既不在求其博士學位，又難於獲得相應物質性的補償。他們自內心所發的行為「原動力」（motive power）及精神層面的動機（motivation），皆值我們學界人士去探索及細心學習的。

當今已獲得的初步性收穫

眾人皆知，當年被日本帝國動員前赴南洋戰場的高砂義勇隊員現今都已超過古稀之年，且有日漸凋零之勢。他們的語文表達能力因歷史的局限，不甚靈光。高砂義勇隊員來自原住民族各族，他們之間的共通語言在日據時期是日語（能說，但欠缺寫作能力）；光復後，台灣的共通語言則變為北京官話＝國語，但他們所據習熟新共通語言的條件，既是年齡過大，學習機會又不多，老人家們的悲情、怨氣、委屈等難找到發抒的管道，遇到日

林榮代編著《證言——台灣高砂義勇隊》

本人來訪，他們當然既高興又感傷，當激情升高到極點時，他們往往會突然地高唱日本軍歌藉而發洩，教日本訪人（尤其是年輕人）大感驚慌。

不管其內容如何，日本朋友們能把原隊員之心聲，包括其訴求和突如其來的「激情」，如實地經過採訪而記錄下來是很寶貴的。在高砂義勇隊有關採訪上，業績最豐富的是林榮代先生，他已編著了三大冊上梓，分別是1. 《台灣第五回高砂義勇隊——名簿、軍事儲金、日本人證言》（日本北九州：中國書店，1994年）；2. 《台灣殖民地統治史——山地原住民和霧社事件及高砂義勇隊》（日本梓書院，1995年）；3. 《證言——台灣高砂義勇隊》（日本東京：草風館，1998年）。此外，林先生還發掘了不少相關資料，其中最寶貴的是中野學校（日本軍的祕密間諜學校）校友們所編撰的資料及回憶錄。在這裡面，更有難得的證言，佐證了原高砂義勇隊員並非人人都是「乖乖牌」，他們也是具備靈魂及血肉和情感、深感人生悲歡離合、普普通通的純樸老百姓。義勇隊的指揮官、中下級隊長及幹部概為當年派駐各部落的日本人警察，他們握有生殺予奪的絕對性大權（舊「蕃地」，所謂的特別行政區沒有法律，實施了警察的直接統治）。其中有位指揮官為了迴避隊員的報復，匆匆地移至台北，悚懼地匿居，繼後復員返日，代其被斬首的卻是他的隨從。跨過半個世紀，還有不敢貿然訪台的原指揮官。

性情純樸且溫順的原隊員們，經過五十多年的光陰沖滌，已具有把恩仇置之度外、推心置腹暢談往事之大胸襟，但不敢相信其為發自真情的舊隊長仍然存在。

另一位，我推崇的是駐台日本人紀錄片工作者柳本通彥先生，他的特別奉獻是值得我們留意的。他除了發現高砂族係原慰安婦之存在外，更運用了影片和錄影帶為我們留下紀錄，並透過日本的**NHK**（日本公共電視台）等影音媒體，把原住民族的心聲廣泛地向日本大眾播送。

第三位便是年輕學者小林岳二君。他在林榮代先生的近著《證言——台灣高砂義勇隊》撰寫了〈解讀〉佳作。我們期望他能在台灣高砂義勇隊相關題目下，發揮他的學術研究功力。

筆者又盼望台灣學界人士在國際研討會上，不僅止於交流，我們之間更迫切需要的該是學術研究上的「交鋒」。不然的話，研討會只能流於浪費時間和稅金的一種交誼性「拜拜」。

小林君在其上述〈解讀〉中，提出該自原住民族的觀點，重新拓展視野並嘗試建構日本近代史的整體圖像。另一個寶貴的視角是，日本人不該自台灣原住民族的被害史實恣意地斷取自己的所需片斷來塞責。更不該僅止於掌握較易獲取的被害方傷亡數字等表象而自滿。務必把視野拓展到被害方至今仍然難於解套，包括心理創傷等後遺症。但他卻遺漏了涉及日本軍動員了原住民族的菁英們前赴戰場，南洋戰場給他們帶來慘重的傷亡及折騰。在重建原住民社會時，這個浩劫引起了原住民社會菁英領導階級的斷層。它的嚴重性係難以彌補的。

有關「血書」志願背景之詮述，教筆者頗有「隔靴搔癢」之感。能否藉用精神分析並運用社會心理學之手法，加以分析霧社事件後流傳於原住民社會的普遍性恐懼心理及「在劫」（日警之生殺予奪威權壓境下）難逃逼迫之時，他們獨一無二「求生口」屬性之抉擇。既是唯一的「抉擇」，為何不「阿沙力」（日語原意：乾脆）地去逢迎及討好將率領他們前赴戰場的駐在所日警。人之相知，貴在相知心，要企盼真正認知原隊員愛恨交雜的心理創傷和深情，豈是易事？

高砂義勇隊的整體圖像已可浮雕了

前日本警察長官暨內閣副總理——後藤田正晴先生，今夏出版了《情與理——後藤田正晴回顧錄》上、下二冊（東京：講談社，1998年6月24日）。

在上冊之第二章，他回顧太平洋戰爭期間在台灣時的一些軼事。他說：

> 戰後已過50年了，不至於被判爲戰犯吧。我（在台灣軍司令部）所做的重要工作便是組編高砂義勇隊。他們生來不曾用過電氣（燈），在深夜，他們的眼睛能看得見。我們把他們的特殊功力應用於夜間突擊的呀！但大概經過一個月，他們那種功

力便將失效。義勇隊是「軍屬」（軍用雇員），並不是軍人。採用了，身分仍然放在民間，勤務單位卻派在軍中的一種方式（上冊，頁56～57）。

後藤田正晴《情與理——後藤田正晴回顧錄》

難怪日本當局始終把補償訴求依據法理，把它置之不理。我們得正視，日本社會已習慣於「法、理、情」的社會法律生活思維，我們仍在「情、理、法」的政治文化中掙扎打滾。

「法律」本來就是冷酷的。日本官方聽不進或不願正面地聽取被害方依據「情義」而發的心聲及訴求，係有其理由存在。

所謂第一回高砂義勇隊，也是一種因權宜而非依據法定制度所取的正式名字。

繼珍珠港偷襲事件後，太平洋戰爭正式爆發。本為日本派駐台灣的台灣軍司令官——本間雅晴陸軍中將（1887～1946年，屬於英美派的開明軍人，戰後因虐待美軍俘虜罪被判為戰犯，刑死於馬尼拉），轉任第十四軍司令官。指揮了始於1941年11月的菲律賓攻略戰。本間雖然在台時已設立「南方（洋）研究部」，試作進攻作戰之調查研究。但攻略作戰不順，延遲了攻克菲律賓戰區的時機，而受到軍方處分被編入預備役。但戰後盟軍在菲軍事法庭並沒有饒恕他。可見人在江湖身不由己，個人的美意與惡霸體制的所作所為係不該混淆而論的。

當本間中將在菲律賓戰區作困獸鬥時，他所想起的卻是「赤足奔跑險山叢林，又具深夜能肉眼視」的台灣高砂族青年「勇姿」。1942年3月，台灣軍司令部揭用「高砂挺身報國隊」之名，招募原住民青年菁英們。匆匆地在當月15日即自高雄港開赴菲戰場。在呂宋島只經一個禮拜的軍事訓練則被配遣至各部隊去當「軍屬」。因其戰功顯著，本間中將便正其名為「高砂義勇隊」。

由上可見，日本軍「走鋼索式」的南方作戰所呈現者夠稱為「草率」。

給予相應定位及劃入史冊的時期即將來臨

21世紀就要光臨。烏雲壓台的莫名氛圍亦已開始消褪。各族群已有所醒悟了。日本有識之士有意藉高砂義勇隊的史實為鏡，重建其近代史的夙願。我們又該如何看待這一段史實呢？

沒有錯，高砂義勇隊的「活動期」只占日據全程期間（50年）之短短三年半而已（1942年3月15日至1945年8月15日）。編隊回數一共僅有八回，其中最後一回卻非常幸運地留在台灣復員。相關總人數為四千多名。

在「開發即進步」、「人均國民所得的提升等同於人類價值本身」等的神話與迷信已逐漸褪色。當今民主的最高境界，是以達成對弱勢人群有所關懷及尊重少數人群的權益為當然目標了。

我們還需猶豫於給高砂義勇隊相應的歷史定位及劃入相關史冊的嗎？往後，需要我們有志者不斷地繼續打拚。門路已找到了，條件亦成熟了。我們一起來努力，藉高砂義勇隊為鑑，可以正視並釐清與日本的歷史關係，更可以透過高砂義勇隊原隊員的人性暨人文關懷，重建我們各自快被爛熟資本主義大量消費生活方式所麻痺的真正「人性」！

本文係於原住民文化發展協會、山海文化雜誌社主辦的「回歸正義起點——台灣高砂義勇隊歷史回顧研討會」中之論文發表，1998年12月21日

對待東鄰日本的態度

一、爲「教科書問題」給東鄰日本的諍言

面對台灣殖民統治與沖繩問題

如果鄰居有令你不愉快的人，你可搬家了事，但是，國家與國家之間就不能夠如此方便完事。那麼，怎樣在更高層次與境界上，相互切磋，共謀生存、共同生活在今天乃至明天，恐怕就值得我們來認真思考一番。

教科書問題的確存在著所謂日本內政問題的一面。戰爭結束以來，文部省、執政的自民黨與日教組（日本教職員組合，為日本的革新派工會組織之一）互相之間存在著對立，結果才會導致現在所謂「教科書」問題。我這個觀點——儘管我這是有些過分善意的觀點——不是不能成立的。但是問題的這個側面，第一，我不太清楚；第二，這類屬於內政問題的側面，作為一個僑居外國人，或許是不應該公開發表評論的。

然而我相信，對於這種不能以搬家了事的鄰居的立場而言，他們的鄰居日本，今後將要以何種形式來策定它立國之道？或者

用什麼方式來教育他們的年輕一代？以後要與日本年輕一代互為鄰居而生活下去的我們，是有關心上述問題的權利的。

現在的問題是，曾經遭受過日本帝國主義侵略的中國、朝鮮以及亞洲的鄰居們，極為關注日本人如何描繪他們的形象，怎樣評估日本「近代」的歷史。同時，也開始擔心起來，他們的鄰居日本人，好像因經濟發展的成就，帶來了得意忘形的、不願作反省、自我檢討、吸取因戰爭惹起的歷史教訓的社會氣氛正在蔓延於扶桑列島。因此，問題不僅僅是在於教科書的記載方式或以重寫、政治解決（不管任何方式）等等方法，這問題就可以解決，敷衍了事一類的單純事情。「教科書」問題的背後所隱藏的「本質」問題，確確實實是嚴重而值得我們鄰居們時時刻刻留意探討的重大問題。

再進一步說，亞洲鄰居們的擔心，並不在於日本一部分保守派的觀點。而是，日本大多數的人們，他們對於戰前殖民地統治和在亞洲發動戰爭的反省、對自己本身也就是日本「近代」的評估，以及在世界史上的定位，還沒想清楚。據我粗淺的看法，我認為日本朋友們對自己的「近代」史的負面尚未成功地作好交代。

實際上，個人的經歷，做為一個研究者的經歷，和這個問題也有很深的關係。所以，我想敘述一下我自己的事。

我在「九一八事變」發生這一年，1931年出生在日本的殖民地台灣。初中二年級的時候，戰爭結束了。1955年在家兄的協助下，留學日本，在日本住了27年。來到原來的殖民地統治者的母國日本，我的心情當然是難以形容的。（也可以說是有一種憎惡和怨恨感）。

本來準備在日本待一兩年，我就想到美國去的。卻在家兄的堅持說服下，才繼續留在日本，在東京大學讀書。但那時候使我吃驚的是，在大學裡碰到的教授和同學們，與我幼、少年時代在台灣碰到的日本人（主要是一批中下層的殖民地官僚）簡直是兩種不同的人類。東大的這些人把我當人看待，理智、具有自由的思維。在學問上，在東大也得到了不少東西。

但是，更使我吃驚的是，這些人卻全然不認為台灣的殖民統治是一件大壞事。甚至那些認為自己的同胞在朝鮮是幹過大壞事的人們，他們的「常識」也認為在台灣，他們日本人並沒有幹壞事。正因為這些人的理性層次的認識水平甚高，人也善良，才更使我驚異。

古今中外，殖民地體制絕對沒有給被殖民者的家園帶來好處的可能。即使殖民地統治者中，存在著個人的善意，這善意也常常不是被抹煞得無影無蹤，就是其發揮也或多或少地受到阻礙或壓迫，而被編進殖民體制，充當加害者的角色或被架構於一種點綴的小配角。這難道不就是千篇一律的殖民體制史嗎？

對我個人來說，我小時候也曾經歷過幾次不愉快的事。此外，兩個哥哥——長兄被徵用到南洋當農業技術指導員，二兄在日本當了學生兵（日本人叫學徒出陣，就是日本的預訓班），在各種形式之下，都被動員到侵略戰爭中去，被逼著當「配角」或砲灰預備人員（幸運的是，他們後來都復員了）。甚至，我一個當醫生的叔叔因為拒絕「國防獻金」（國防指的是防衛日本，一種國防強迫捐款），而被日本當局懷恨在心，日本特務不管他年事已高，把他徵去當軍醫，結果戰死了。所謂殖民地台灣，僅僅在我個人的經歷上也曾經留下了這麼一類不小的傷痕。

修完了東京大學的博士學位以後（已在日本待上十年左右），我開始在亞洲經濟研究所工作，那是在1960年代中期的事情，斯時正碰上戰後日本資本主義重新進入亞洲各國的市場。在這個企圖的背後，我發現日本有關當局及人員有一種設想，就是認為台灣經濟發展的模式可以應用到亞洲去。我又愕然了。

這也就是說，那些有關人員正在籌劃，在設定日本曾經在台灣的殖民地經營是不錯的前提下，進一步把它作為一個開發「未開發國家」的新開發理論的模型，而把「台灣模型」應用到亞洲各國去。

我的研究和依據研究所作的發言就是源出於這種驚懼與畏懼。我察覺到「這可不行」。作為不能搬家敷衍了事的鄰居之一的留日中國人歷史科學研究工作者，又做為曾經在台灣體驗過日本殖民地統治的實際情況，揭發它的真實面貌藉而擺正它在日本近代史、亞洲近代史的位置。

我想，假如我不如此做的話，實在對不起自己、對不起我的父祖輩、對不起同胞、對不起亞洲各國的百姓，更會對不起愛護以及支持我們一家五口人平安地能在日本生活的一些友善的日本朋友們。我意識到我個人在日本社會的「特殊」地位，我認為我得作出些成績來好對歷史有所交代。

台灣在近代中日關係史中占有不尋常的地位。為什麼呢？因為台灣對日本的「近代」可以說被逼著扮演了「基點」的一個角色。近代日本的黎明期，除了琉球列島以外，日本帝國主義對外擴張的第一個對象就是台灣。它最先行使武力的對象也是台灣，最先體驗近代日本的殖民地經營的也是台灣。從殖民地統治台灣發了跡的日本向外侵略的這一條線上，繼之而來的是朝鮮、中國大陸，有「九一八」、「七七」、南京大屠殺等等。若是把日本帝國主義奪取台灣、剝削台灣、迫害台灣島民等等的方法和方式搞得模糊不清、是非不分，甚至於認為在台灣時，日本當局以及有關殖民統治的官員們一概沒有幹過壞事的意識瀰漫下去，將可能惹起更可怕的後果。不但後果堪憂，日本近代史也不可能寫得很好的。歷史的真面貌一定具有正面與負面的史實的。連殖民統治過台灣的負面史實都不敢面對，從而談起歷史科學的研究，從何博取亞洲鄰居們的信賴感。我相信有良知的日本朋友們能贊成我這個提議。

有關「沖繩問題」，我認為認識的病根是同源的。目前沖繩問題牽涉到「教科書問題」的部分主要被指摘出來的只是有關日本軍在第二次世界大戰中，如何屠殺沖繩諸島民，為何教科書不讓或不把它的真相描繪出來，而只是模糊云云的議論在裡頭打轉？其實，若要追究日本軍屠殺沖繩諸島民的悲劇根源，恐怕非得溯及明治維新的「琉球處分」（明治政府吞併琉球王國，將沖繩縣編為日本帝國的一部分。）不可。明治政府不但吞併了琉球，名義上雖列琉球為其國家的一個縣分，但日本的官民一直到最近，仍然歧視沖繩以及其縣民，日本本土與沖繩的差別顯然是人人皆知的事實。日本若不具有上述差別以及歧視琉球住民的歷史和社會背景，何能在面臨大敵美國軍隊的困境裡頭做出傷天害理、殘殺「自己同胞」的歹事。

我認為，自從日本列島形成「近代日本」以來，日本國內一貫地包攝有「日本內部的亞洲問題」在內。也就是說以大和民族作主流的一般日本人始終懷有蔑視亞洲、看輕亞洲人的心態與實際行動。日本國內的「亞洲、亞洲人的問題」包括有北海道的「愛奴」、「琉球人」、「被歧視部落民」、朝鮮人，以及留日中國人和華裔人民被差別對待的問題。

我們假若不能真正掌握住包括「沖繩問題」在內的所謂「日本內部的亞洲問題」的話，據我看，有心人是無法做好對日本「近代」的評估以及有關其歷史定位的作業。

我認為「教科書問題」並不是一個孤立而存在的問題。

日本的「近代」的歷史脈絡與目前所發生的「教科書問題」是脈脈相承、有密切關係的一個重大環節問題。擺在我們與有心且有良知的日本朋友們面前的緊急探討課題，該是如何掌握日本的「近代」，如何給日本「近代」決定其正確的定位，以方便日本在亞洲的鄰居們能藉它來作為共同的歷史教訓，再而使其變成我們求生存、求光明的精神糧食，才是真正的問題所在。

日本與中國的歧異

其次，再看一下這次所惹起的問題，不得不使我認為，對於歷史的看法，日本人和中國人因各具有悠久歷史、文化的背景，而呈現出相當不同的地方。日本人通常以流動（flow）形式來思考問題，似乎具有強烈的未來取向，並不是說這麼就不好。從經濟的組織發展、住宅的方式或者每年從官僚機構發表的各種白皮書來看，這種未來取向的表現都歷歷在目。相反，中國人是看過去，依歷史取向，並習慣於以經驗的積累（stock）來考慮事物。

對流動的思想表達來說，所謂歷史，與其說教訓，還不如說是故事、說書。正因為是未來取向，才想盡量擺脫歷史的包袱。即使對手是抵抗的，一旦「置於死地」以後，就一切「付諸東流」，還是想要建立新的關係。窘迫的事情過去以後，還要拘泥以前的對抗或是紛爭，或者對其重新提出異議，對於一般日本人來說，那是一種「沒有男子氣慨」、「懦弱短小者的行動方式，他們是不屑於這一種行動方式的。

對中國人而言，歷史是一種經驗的積累，是絕對不該且不能忘記的。需要貯藏、加以保存，記錄整理下來作為「歷史教訓」的。但是在中國人的思考方式裡頭，「不忘記，不該忘記」與寬恕是兩個層次不同的問題和概念。它們兩者之間是不存在有矛盾的。雖然「不忘記」、「不該忘記」，但是為了相互求生存於明天，也就是為了光明的未來，相互寬恕過去的紛爭和對抗，藉著這個跳板來建立新的關係，才是有展望的作法。不過寬恕不等於忘記過去的一切，更不等於把所有的史實都付諸東流，一筆勾銷。

日本朋友似乎把寬恕和「忘卻」當成是同一層次的問題，日本人認為既然你能寬恕的話，你應該把所有的「過去」也來個付諸東流，讓它流失到大海裡去才夠意思，才夠格成為大男子漢。這一種「善意」的期待與誤解，容易引發國際間的誤解和隔閡。

當前的教科書問題，好像就有這一種因「審美意識」上的文化隔閡和歷史觀的差距而帶來的困擾。日本朋友們很難察覺到自己正在對「寬恕」和「忘卻」作出些「美麗的誤解」，我們中國人對近代中日關係史上因日本所惹起的悲劇史實，我們是採取「可恕不可忘」的態度來對待的，希望日本朋友能夠懂得這一點。

此外，對「對外援助」或「經濟援助」等行為的看法，日本和亞洲諸國間也存在差距。在日本，「援助」一詞本來就具有施惠的含意，不管它的具體內容為何，援助常帶給日本人有某一種的「滿足感」，它還懷著慈悲為懷的心，由上向下施予恩惠的一種意識在。但是站在中國人，亞洲人的立場來看，卻不認為「經濟援助」是施捨，只當作是互惠的交易。他們強力主張：「經濟援助」若不是互惠的交易，單單只是日本方面的施捨的話，「經濟援助」根本不可能保持其持續性的。在此我特別得提一提中國的俗語「朋友只能救急，絕不能救貧」這一句話，作為我們鄰居間互勉互勵的格言。有關「經濟援助」的含意，在日本和亞洲諸國間的的確確存在有甚大的差距，這一點我也希望日本朋友們能多留意。

日本朋友可能認為，中國以及亞洲的鄰居們，正在向日本求取「援助」，或者舉著「日本第一」（Japan as Number One）的旗子來向日本學習，既然是如此的話，鄰居們應該以「拜師」的「門生」、「求助」的「弱者」來伺候日本人才對。何來的立場敢作出抗議教科書描寫不當的舉動來。

日本朋友或許不易或不能理解，為何亞洲的鄰居們會「翻臉」，膽敢以對等的、充滿著民族尊嚴的態度向日本當局提出篡改教科書的抗議行動這一招。

有些短見的日本政論家不明就裡地提出「中國和韓國存心不良，他們為了爭取更多的『援助』而藉機抗議，有『敲竹槓』的嫌疑」一類的論調，甚至於主張大可不理騷動鬧事的貧窮鄰居的意氣話。掌握政權者有何企圖我不敢揣摩，但一般老百姓向日本和日本人提出抗議的心態，我相信是誠懇的，是值得日本朋友聆聽作為參考的。

盼日本培養自身的族格

我在日本已住了27年之久，為了進一步了解日本，不斷在下苦功。我想，雖不能說自己是屬於親日派，但至少可以自負是一個「知日」的人。作為「知日派」的一分子，在觀察當前的教科書問題時，特別是日本對中國和韓國的批評所表現出來的反應、對待的態度和闡明的作法，心中不由得苦悶難言。

日本由於戰爭受到毀滅性的打擊以後，又重新站立起來，促進了經濟發展，成為一個「經濟大國」，我從內心深處感到欽佩。但是，另一方面，假如我們這位富有的鄰居只是一個極端的「拜物」、「拜金」主義者，專喜歡發財，且喜作「暴發戶」一類的行徑的話，那就不能禁止周圍的人引為痛苦了。如果是「經濟大國」，就應該具有與此相對稱的「精神境界」，就應該考慮到與鄰居們共同擔負求生存於未來的重擔。如有這種想法，不是更好一些嗎？

就像個人有「人格」一樣，民族該有「族格」，國家也該有「國格」，雖然這只是我自己隨便創作的字詞。如果日本在對待其鄰居時，不重視亦不準備培養與經濟的強大相稱的「族格」、「國格」的話，那麼，我真的擔心，不久的將來，日本難免成為世界的孤兒，將受所有鄰居們的排斥了。

在日本社會裡，一般老百姓普遍服膺著一種處世格言，那就是：「好好了解鄰居的心情，以善意量度別人的之心，然後才決定自己的行動。」然而，像這次教科書記述的篡改，踐踏了亞洲鄰居們的心靈，而毫不知反省、自責。這究竟是怎麼一回事呢？

亞洲諸國向日本學習的具體心態和當前的情況，絕不同於日本在明治、大正年間向歐美學習時的心態和情況。這明明是曾經飽受侵略的一方，向曾經發動侵略的一方，腆顏、委屈、不得已向日本、日本人去學習的。鄰居們的抗議，日本人難道不應該注意到這種抗議背後所存在的昔日的傷痕，而設法細心去彌補嗎？

如果說，現在日本人在教科書問題上所表現出來的姿態和哈佛大學傅高義教授所著《日本第一》（*Japan as Number One*）在日本成為暢銷書的現象，有蛛絲馬跡的相互關係，甚至說，購買此書的40萬人（大多數是屬於中智以上階級）的心態與支持篡改教科書的一般社會氣氛有一脈相通的關係，會太離譜嗎？這樣說，不會是過於牽強附會吧！（譯註：可惜，在日本轟動一時的這本暢銷書，在美國卻並未引起太多注意，甚至有人以為這是沽名釣譽的投機之作，傅教授趁此也狠狠在日本撈了一筆。）

做為一個祈願亞洲和平、世界和平的一個區區學人，我期待著日本在廣闊的世界中，發揮其應有的作用，扮演它光彩的角色。在這個意義之上，我不想只就事論事完了打住，而衷心地希望日本培育自己的「族格」，從而形成能被全世界人民所接受並受尊敬的獨特的「精神境界」。如此地朝著積極、正確且具有光明前途的方向去發展。

最後，做為一個社會科學研究工作人員，做為一個在大學講授歷史的平凡學人，就有關如何作好史實的敘述，我想藉這個機會附上幾句。雖然這些話和剛才所談的問題有些層次的差異，但上述的課題一定得由史學家當作人類共同的、普遍的問題來探討才能更加深入。

時至今日，歷史的描述總是由當代掌有政權的集團以及它的代理人們來承擔敘述的作業。因而掌權集團與它的代理人們往往為了維護自己集團的既得權益，而把某些史實抹殺或作些歪曲。此一事實，古今中外，無論資本主義體制或是社會主義體制可以說是相去不遠。例如，史達林體制下和以後的蘇聯，中國大陸在文革前、文革中、文革後、四人幫掌權下和垮台後的歷史敘述，有何不同，他們的有關史書將會成為怎樣的一種面貌呢？史學家應該怎樣對待這些情況和問題呢？我個人也滿懷興趣和關心的。

我認為整理歷史、敘述歷史最大的目的該放在為人類全體留下共同的知識遺產，為建築人類共有的燦爛未來而貢獻出歷史教訓等等層次上面。

如果，這種看法可以被接受的話，我們亞洲的鄰居們包括日本的有心人士，應該好好地、誠懇地來接受由於「教科書問題」所引發出的、如何作好近代日本與亞洲諸國關係史的敘述課題，並一起朝著更深遠且更根本的問題下手，這樣才能完成歷史本身交付給我們的共同使命。

譯者按：當日本篡改教科書、掩飾其侵略戰爭的罪惡時，引起全世界，尤其是第二次世界大戰期間被日本蹂躪過的亞洲人的震怒。中國、朝鮮、菲律賓等國家，紛紛向日本政府提出嚴正的抗議，引起了包括日本人在內，所有愛好和平人士的關切。議論眾多，正反左右，紛然雜陳。本文係戴國煇博士發表於日本岩波書店的《世界》雜誌，1982年10月號。被認為教科書問題論爭中，最有分量、最有代表性的言論。已被芝加哥大學譯成英文。今特譯成中文，以饗讀者。

1983年6月16日
陳中原於東京

二、令我臉紅的四十年前的往事

七七事變以後，台灣平靜的田園生活，很快就受到了騷擾。日軍侵入華南，台灣的青壯年，很多被拉去入伍。「南支派遣軍」司令安藤利吉（最末一任台灣總督，戰後畏罪自殺），認為台灣人既講閩南話、客家話，又通漢文，就將他們派到閩粵地區去。那些搬運軍用物資的苦力，叫作「軍伕」；那些做翻譯、調查、慰勞、聯絡工作的，叫作「軍屬」。

大約民國31年之際，我們村子也被拉去一人當軍伕。記得他大概幹了一年多吧！這位在公學校（專給台灣人上的小學）畢業以後，一直就在我們鄉下種田的老實人，有一天穿了一套日本卡其軍裝，沒有配帶任何階級徽章，拿了一個八等瑞寶勳章，退伍下來（這是日本勳章之中，最低的一等，在侵略戰爭末期，日本政府大量發給幫助他們打這不義之戰的人）。

我的父親為了給這位歸來的軍伕洗塵，特地請他到我家來吃晚飯。當天安排的客人，不是至親，就是好友，沒有外人，鄭重其事，目的是想聽聽這個故國劫後歸來的客人，報告他在廣東的所見所聞。我父親頻頻催促我說：「明天早上要上學呢，早點睡吧！」可是，我這個小學五年級的小鬼，充滿著好奇心，實在不願意，拖延了好久，才勉勉強強爬上牀，在那裡躺著，假裝睡著了。

大人們並不知我這小鬼有詐，等我上了牀，頃刻之間，就迫不及待地，爭先恐後向這軍伕提出一大堆問題，諸如：我們的故鄉廣東現在的情形怎麼樣？廣東鄉下，像我們說的這種客家話，還可以通用嗎？日本兵在那裡有沒有幹出壞事等等。當時台灣與大陸的往來被極度限制著，海天遠隔，音信難通，我父親那一輩人對自己故土廣東的關懷，和那思鄉的飢渴，好像一下子就要得到滿足一樣。良久，軍伕壓低了聲音，慢慢地開始細訴日本兵在我們家鄉幹的種種暴行，如何慘絕人寰，如何動人心魄，其中包括獸兵強姦了我們中國婦女之後，還用刺刀從陰部把她捅死！

現在每每回想起來，猶令我臉紅的是，當時，在蚊帳裡偷聽大人講話的我，突然爬起來，大聲說道：「日本軍是皇軍，不會幹出那種壞事！」

這事發生得太突然，以致大人們全給嚇得面無人色，手足無措。紛紛到我跟前，誠惶誠恐地訓誡我，今天這番話一旦洩漏出去，他們全都會坐牢，那軍伕可能給警察大人逮去，也可能被宰掉。我現在還清清楚楚的記得，當我爬起來大聲說出上面那兩句之前，還聽到父親說道：「這場戰爭的勝敗已定，日本兵敢於幹出這樣傷天害理的暴行，斷無戰勝中國之理。我們回歸唐山懷抱的日子，也就不遠了啊！」

本文原刊於《教育の森》，東京：每日新聞社，1979年2月。原題「軍夫の帰郷談」

三、隱痛的傷痕

「你這個混蛋東西，是從哪裡滾進來的臭清國奴，哼！明年再也不讓這一類東西進校門！」

這野蠻、惡毒的吼聲，曾經深深地傷害了我幼小的心田，震撼了我的生命。如今，隨著歲月的流逝，整整有30年了。這一片往日的傷痕，依然清晰地遺留在我心靈深處，它常常在不知不覺之間，隱隱作痛，啃咀著我的記憶，歷久彌新。這傷痕宛如無形的文字，寫出殖民統治下的辛酸和亡國的血淚。

那時，我小學（公學校）剛剛畢業，歷經重重的困難，才踏進了那一所著名的州立中學。入學後第二個禮拜，在國語（日本語）課堂上，日本老師高野要我朗讀課文。當我站起來讀時，那惡毒的吼罵就震碎了我的心靈。

「清國奴」三字是日本人當年對我們台灣人最起碼的罵法，充滿了藐視和惡毒的侮辱。當時，我們漢族系台灣人念的叫公學校，而日本人念的叫小學校。一直到了日本投降前夕，才改公學校為乙種國民學校，原來的小學校改成甲種國民學校。但是，教科書卻故意教我們念低於日本人小學一年的書。入學考試當然依照日本人小學課本考，刻意安排這個，不就等於當局在作弊嗎？根本是無理和野蠻的不公平。然而，這日本老師居然還有臉罵我清國奴，還加上一句明年不再讓我畢業那所公學校的學生進校門，以示他的無上威權。

我所畢業的公學校，位於偏僻的農村，全校才只有六個班級。我是自創校以來，破天荒第一個考進當時州裡唯一官立中學的人。自然被認為是很大的光榮。記得當那喜訊傳到我們村子時，全村給我這個小傢伙來了一個大宴會，其轟動可想而知。但是，如今入學才兩個禮拜，這個日本老師的一聲辱罵，卻永遠留下了心中的傷痕。

我們漢族系台灣人念日本語，一般都搞不清濁音和ラ行和ダ行的分別。我呢！濁音沒什麼問題，但是ラ行和ダ行，即使今天當了大學教授，還是念不好，寫錯也是常有的事。

追根究柢，這和我的家教很有一點淵源關係。我出生在一個小康家庭，不能說窮得連日本語也念不起。但是，我的祖父，乃至我的父親，向來視日本語為「賊」的玩藝兒。本著「漢賊不兩立」的春秋大義，終其一生，既不學，也不用，以「嚴夷夏之防」。因此之故，我上小學時，連個最起碼的發音也一竅不通。我就是那樣一個華夏的小傢伙。

我們中學的那一位高野老師，聽說是沒有學歷而經過檢定考試取得教員資格的，只因如此，他就耿耿於懷，自慚形穢，居然患有嚴重的自卑感。他除了鞭子、鐵拳和不絕於耳的吼罵聲之外，對於教育的內容和愛，這一切，都了無所知，後來日本人戰敗投降了，這下子我們同學對他的怨恨爆發了。有一天，把高野的房子包圍起來，要找他算舊帳。這個過去以辱罵、鞭子和拳頭對待我們這批本島人（台籍）中學生的傢伙，終於坐在地上，一把眼淚、一把鼻涕地哭嚎起來。我實在不想再見到這個「東洋鬼」的臉，我並沒有應邀去參加這次行動，我倒對這個日本人充滿了憐憫之情。

和這樣卑鄙人士成強烈對比的老師也有，那就是我們的漢文老師谷口先生和物理老師惠美先生；這兩位老師不但沒有以「清國奴」三字來罵過我們，相反地，谷口先生曾用柔道把欺負我們的日本學生摔倒在地，打抱不平。可憐天下好人就是那麼短命，當我來日留學時，曾想探訪這兩位老師，閑話離情，不料他們都已作古，令我無限感慨。可嘆的是，今天用經濟大國做靠山，在我們的家鄉台灣又出現當年與高野相類似的暴戾之徒，在那裡得意忘形，表演日本武士式的醜態。

歲月悠悠，戰後已三十多年了，任憑時光逝去，並未帶給日本人太多反省。馬齒徒增，我居然對於當年無法容忍的殖民地官僚與教員們的作風慢慢能夠了解了；他們不也是殖民主義的被害者嗎？對於這些人，除憐憫之情，我還有什麼可說的呢？

由於那些惡毒的辱罵所造成的傷痕，常常警惕著我，避免傷害學生的「心」，並且，鞭策著我，堅持一貫主張，去反殖民主義與反種族歧視。這樣說來，我個人的傷痕卻也不想積極地把它醫好，寧可讓傷痕留在，好做警鐘時時用它。

本節原收錄於《子どもと教育》，東京：あゆみ出版，1978年11月。

原題「いまも疼くいまわしい蛮声」

【附錄】

日據價值體系之批判

——訪戴國煇教授談林少猫事件

◎ 王曉波

戴國煇的書庫

此次，我受柏克萊加州大學和哈佛大學的邀請赴美訪問研究，路過東京，下機專程拜訪久仰的戴國煇教授和「台灣近現代史研究會」的日本學者們。

6月19日，我來到了東京。20日，見到了戴教授。五十開外的戴教授，熱情、健談、博學，現任立教大學教授，他的著作《華僑》、《台灣與台灣人》等享譽日本學界，由於他的著作改變了不少戰後日本人對台灣人的印象，他那優美的日文，充滿民族自尊自信的雄辯語言，也糾正了由邱永漢、王育德、史明、廖文毅、辜寬敏等人帶給日本人對台的偏見。22日，也見到了「台灣近現代史研究會」的日本朋友們。我們由台灣史的研究和「中國結」、「台灣結」的爭論談起，也談到了最近在台灣發生的林少猫事件。

戴教授身為漢族系台灣人，旅日28年堅持不改國籍，拿的還是中華民國護照，又是研究台灣史的學者，因此，我也很自然地要求戴教授站在台灣人和治台灣史的立場對林少猫事件發表一點看法。

於是，23日，戴教授帶我到他千葉縣的房子，那也就是他的藏書所在寫作的地方。在他鋼筋水泥建造的書庫中，看到了我在許多圖書館所沒有看到過的那麼豐富且齊全的台灣史料的收藏，那也是他留日28年來心血之碩果。在書架上，他取下了《台灣憲兵隊史》、《警察沿革誌》、《台灣治績志》、《台灣匪誌》、《台灣匪亂小史》、《陳中和傳》、《台灣法令輯覽》等書，於是戴教授探本溯源地說話了。

匪徒或義民

首先，他提起了《匪徒刑罰令》，該令是根據1896年第63號法律（即「六三法」），由總督府在1899年11月5日所發布的惡法（律令）之一，「不問其目的為何，凡藉暴行或脅迫以達目的而作結合眾人者即為匪徒罪」。其目的並不在於針對一般的搶劫或強盜，而是針對抗日義勇隊。不僅僅抗日義勇軍遭這項刑罰令處死，同盟會會員羅福星也是遭該項刑罰令處死的，難道羅福星也是「匪徒」嗎？後來，在由台灣士紳發起的「六三法撤廢運動」中，《匪徒刑罰令》也是主要的對象之一。台灣士紳大地主的財產是需要「法律」保護的，如果《匪徒刑罰令》是真正懲罰土匪的，他們為什麼要求撤廢？

抗日領袖林少猫

關於林少猫抗日的事蹟，現在台灣已經有很多人談了，戴教授只強調二點：

一、從當時日本方面的資料可以知道，日本人是把林少猫視為第一號敵人的。林少猫之所以能游擊那麼久，沒有人民的掩護行嗎？他是在「人民的大海」裡受到掩護的，所以，才能神出鬼沒的從事對日本軍警的游擊。人民為什麼要掩護他？並且甘冒身家性命的危險，當然是他得到了人民一定的支持擁護才有可能的。

二、林少猫襲擊日本軍警的部隊不僅有漢族台胞，而且還有高山族台胞。可見當時山胞和漢族抗日的立場一致，並且，也表示了林少猫不但受到漢族台胞的擁護，也是受到山胞的支援，這更證明了林少猫是抗日義勇軍中的一個不可多得的傑出領袖。

站在日本統治者的立場，林少猫誠然是反異族統治體制的「土匪」，但站在中華民族和被統治民族的立場，林少猫當是不折不扣的義民才是。我們今天怎可根據當年日本統治體制立場和他們的官方宣傳，把林少猫也視為「土匪」呢？這是價值觀念的混淆和民族立場的倒錯。

陳中和違背民族立場

至於陳中和，戴教授說，劉永福還鎮守在台南的時候，陳中和就在高雄迎接日軍，協助日軍的後勤補給，為侵台日軍建立地方秩序，後來又擔任聯合保甲局長，協助日軍殲滅林少猫等人義軍，對日本殖民統治歌功頌德，這些都是事實，無法抹煞的。當時的高雄市尹（長），也是陳中和去世時的葬儀委員長（治喪委員會主任）的今井昌治，和高雄州知事（縣長）太田吾一，在他們為陳中和作的悼詞中也都提到了。

澎湖廳民會代表陳光燦和高雄鼓善社代表陳江力也在悼詞中說：

> 帝國領台，皇軍剿匪，民心恐慄，逃竄一空。公明大義，爲國家盡忠良，爲地方保安寧，曉示皇軍紀律，秋毫無犯，使民眾安居樂業。其造福於地方，又足爲吾人感念而追悼者四也。
>
> 林（少猫）匪跋扈，人民苦痛，公以恩德兼施，協助官憲功誘歸誠，上得以報國家之私，下得以盡地方之責，迄寵受皇恩賜敘功勳五等，榮耀門閭，齒德俱尊。

陳中和，時年61歲（翻拍自《陳中和翁傳》，1931年）

戴教授說，陳中和協助日軍，得到許多特權發了財後，曾經為沽名釣譽，把得來的不義之財捐出一些來從事慈善事業，這也是事實，同樣是不容抹煞的。但是，他協助日軍侵台是違反民族大義的，是任何稍有民族立場的台灣人所不能苟同的，也不便接受的。所以，楊金虎先生雖然也寫了悼詞，但絕口不提陳中和協助日軍之事，而只提他的生意成功和沽名釣譽的慈善事業。戴教授翻出楊金虎以漢文作的悼詞如下：

嗚呼！先生久檀令名，陶朱並駕，管子之聲。持籌握算，頗善經營。急公好義，恤孤救貧。公平義取，古道待人。果斷靈敏，料事如神。歷任公職，惠澤斯民。蘭桂逞秀，頭角崢嶸。擁資巨富，一世功成。君志雖展，貧缺滋榮。蔗境方甘，忽爾騎鯨，泉路有知，賑恤當行。

嗚呼痛哉！天何蒼蒼無情，返魂無術，愧我活生。白楊啼鳥，永弔孤塋；生芻一束，聊表微忱。嗚呼哀哉！伏維尚饗！

戴教授表示，陳中和為了他個人及和他背景相仿的糖商、地主及地方豪紳的利益，去協助日軍，我們是可以理解的，但是，我們卻不能接受以此種違背民族大義，並捨棄大多數老百姓的社會公道，而只為己爭取私利的行為為是的價值觀念。

繼承與負債

接著戴教授談到歷史是非和歷史人物評價的問題。

首先，他認為，歷史的是非是千秋萬世的公道，是不能以政權體制的短暫利益來評斷是非的。否則，歷史就失去教育的意義和參考的價值。古今中外史家是非常看重這一點的，為了保衛歷史的公正和真實情願犧牲生命，董狐之筆是中國史家最高的典範，也有「一字之褒，貴如華袞；一字之貶，嚴如斧鉞」的垂訓。由於歷史的公正和真實，經長期的累積才能提煉出一個民族基本的道德規範。陳中和為一己一時的現實利益，而沒有為人民和為自己的千秋萬世的名聲而奮鬥，甚至以傷害民族大義和人民道德的手段來達到一己一時的利益，他可以是一時的日本殖民政權體制的功勞者，但不能成為台灣歷史上的正面人物。

其次，如何對待漢奸後人的問題，這又是層次不同的一個問題，戴教授說，人無權選擇父母，當然也沒有承擔其先人行為的直接責任。不過，他又提到民法上的繼承權的問題，遺產繼承必須全面繼承其正負兩面的，也就是說，繼承了先人的物質遺產，也就必須承擔先人的負債，民法上規定不能只繼承遺產而不繼承負債的。否則，我們如何對待日本竄改歷史教科書的問題，那些日本戰犯和侵略罪行都是上一代的事，與這代日本人無關。但他們既然繼承了上一代人的日本，除非他們放棄日本國籍，當然也就必須有承擔上一代日本人「負債」的道義。以我們而言，上代日本人的侵華罪行，對現在的日本，是「可恕而不可忘」。我們絕不是復仇主義者，但也不能成為歷史的健忘症者。

戴教授還指出，他立教大學一位同事粟屋憲太郎教授，其父親是職業軍人，在侵略戰爭中戰死，他是孤兒出身。去年（1983）到華盛頓，在美國政府的公文檔案中找出日軍當年以毒氣殺害中國人的日本軍方所編的資料，經過整理，今年六月中旬在日本發表，日本《朝日新聞》還在頭版以特別醒目的版面報導出來。戴教授認為，任何人種和民族對於揭發自己先人罪行的事，總是難免感覺痛苦的，但是，這種勇於揭發先人過錯的史學家的良心，才是重整戰後日本道德倫理之途。掩飾日本先人過去的罪惡，只會使得日本人的道德更加墮落而已。

重建歷史的價值體系

戴教授呼籲台灣的同胞，不能因為某人是漢奸的後人就予以制裁，那是野蠻的血統論，我們必須反對。但是，漢奸的後人，如果他們在物質上繼承了其先人的財產，在道義上，也不能不繼承其「負債」。這些漢奸後人應該把這些問題分得清楚，也要對歷史負責，回饋社會，為其先人向烈士遺族贖罪，像粟屋教授一樣勇於揭發其先人的罪行，才能得到社會的寬恕和尊敬。我們的原則還是「可恕而不可忘」，否則，歷史又如何能激勵後人、教育子孫呢？

要在台灣建立台灣史，戴教授說，台灣社會應主持公道，以確立歷史的是非，漢奸後人也應向前看，不要一昧掩蓋自己的家世，那不但不會得到同情和寬恕，反而會激起公憤的。他們應當懷抱著道德感和民族倫理來面對史實，協助大家建立正確的台灣歷史的是非。

戴教授最後說到，光復後，台灣社會的秩序應有移轉，價值體系應當重編，也就是，從異族統治的社會秩序和價值體系轉變成自主的秩序和價值體系。

但是，這種移轉重編的工作，在光復後不久，被「二二八事件」干擾了一次。1949年，國府中央政府遷台，為了鞏固政權，匆忙的建立反攻要塞的秩序，因此，連批判和糾正原來日據下被異族統治所扭曲的秩序和價值體系的工作，都沒有來得及做，便遷就並做了妥協。為了穩固政權就拉攏了高層台籍豪紳、大地主們，連他們所信奉的三民主義哲學的價值體系都沒有想法建立起來。後來，又都忙去搞經濟，忙著賺錢，這項工作也就被金錢第一主義給沖走流逝，直到現在。

國府在光復後沒有重新建立自主的、以民族正氣、社會公道為支柱的秩序和價值體系，史學界也沒人去做這項批判和糾正日據下台灣社會秩序和價值體系的工作，以致林少猫這麼清楚的問題，大家竟爭論不休。所以，戴教授最後呼籲，台灣史學界必須將台灣史整理出一套屬於中華民族自主性的價值體系出來，這是台灣史學界，包括他本人不可逃避的責任。

本文原收錄於《前進出版社・每週一書》（前進系列總號67號），1983年7月5日

四、台籍慰安婦求償恐不易

「慰安婦」的問題，在韓國已經抗爭得很激烈。台灣雖然已經證實也有婦女被日軍徵召充當「慰安婦」，但台灣未來在有關「慰安婦」問題的對日交涉上，與韓國的基本情況不同。

台灣目前尚未掌握正確資料，但即使名單清楚，也不會有太大的抗爭行動。這與民族性有關，韓國婦女較具戰鬥力，老婦也願意上街抗議；但台灣有過這種不幸遭遇的婦女願意主動現身者恐怕不多，但可能有部分會在其本人亡故後，由遺族主動求償。

朝鮮人在日本的勢力較大，目前南、北韓加起來約有八十萬人；而台灣人在日本僅約六萬多人，並且許多人已歸化日本籍。韓國與日本有外交關係，容易交涉；而我國與日本並無外交關

係，政府官員也常常持著遷就和姑息的姿態與日本交往。未來的交涉恐怕也是如此。

此外，在當時的社會背景上，由於朝鮮半島的中產階級不多，社會結構呈兩極分化，王朝與勞動階級在生活條件上有很大差距，因此朝鮮在社會貧窮的背景下，較易出現婦女賣身為娼或被動員充當「慰安婦」的情形。但在台灣的中產階級為數較多，若干婦女最初被騙去當護士，是基於「白色天使」的熱誠而奉獻的，但最後卻被迫充當「慰安婦」的。現在，這些遭遇不幸的婦女恐怕也不會願意現身了。

日本天皇已經預定今年（1992）9月訪問大陸，不久的將來又有可能訪問韓國。日本內閣勢須妥為處理，很可能會在天皇出訪前先行與中共或南韓，就相關問題達成處理的共識，並作出道歉與賠償的宣示。現在政府應結合民間力量，首先清查出正確的名單，以便屆時把握機會採行恰當的措施。台灣的新女性主義者似乎也應有所表現。當然，中共可能會利用這類機會向日本提出何種經濟援助的要求，則是值得我們注意的另一問題。

本文原刊於《聯合報》1992年2月10日，3版。係戴國煇口述，由記者林琳文記錄整理

五、抗日先進與其書

（一）重回歷史現場

今天，全世界正面臨價值體系的總解構。如蘇聯解體之後，美國似乎可以一國獨大，但事實上，美國經濟已呈現空洞化。再看日本的阪神大地震後，許多人開始檢討：日本接受西歐的生活模式（life style），在「人力可以克服大自然」的概念下，建造都市、發展經濟，現在卻已受到大自然的報復。這些事件已慢慢體現出一種新概念，我們不能單單以「現代主義」（Modernism）的觀點來思考並設計我們的生活模式，以及展望未來。

台灣在經過蔣經國總統之後，社會的價值體系也開始解構並重整，言論自由又逐漸地受到保障。但在此同時，國家認同產生分歧，如何整合台灣地區的國民共識（national consensus）是一個大挑戰，因為我們目前所面臨的不僅是兩岸對峙的問題，還有建構島內四大族群和諧的課題。也因為這樣，很多事物都被泛政治化了，包括學術研究在內，在許多研究中，意識形態往往走在最前頭，常常先有結論，再來填充事物發展的過程及內容。

事實上，目前在台灣的歷史研究，尚未有世界史規模的歷史觀，關係到一般民眾的歷史意識共有化境界也沒有建立起來。天下文化出版公司能秉持著公正、客觀的態度，出版有關馬關條約及台灣民主國的圖紀，提供給讀者便於更新思考的素材，我覺得非常寶貴與難得。

治史避免意識先行

研究任何歷史事件，都需要用綜合的、客觀的態度及多元的視野，在有機且相互關聯的結構中，去洞察歷史事件，才是正道。最忌諱的是將自己未經過沉澱的情感放入研究中，或者用當前的尺碼與流行的想法，去衡量一百年前的歷史事件。就我個人而言，我希望能結合微觀與宏觀，建立一種具備立體性的史觀來研究歷史之方法。

就如前面提到的，雖然台灣自戒嚴、威權體制的解體過程中，獲得了言論與學術研究的自由，但我們的學術及歷史研究，是否真正已有能力來運作這個難得的歷史條件，來完成我們時代性的課題，頗讓人質疑。許許多多結論、觀念、意識形態先行的歷史敘述，瀰漫在社會中，導致不少的弊病。

有時，我們還可以看到一些學者，引用日本帝國主義者的史觀來解釋甲午戰爭及割台的史實，認為割台是一種宿命，之後日本為台灣做了許多經營與貢獻。這些看法令人不敢苟同。史學界應盡快撇清政治的干擾，尤其不能受到目前台灣三個政黨的意識形態影響，來解釋任何有關割台及台灣民主國的歷史意義，而應公正客觀的建立真正屬於台灣一般老百姓的史觀，回復歷史真貌。

許多主張台獨的人士，常以甲午戰爭割台的事件，作為他們理念的原點性依據。割台固然是當年的台灣住民之悲哀，是一種失落，但如果從世界史的眼光來重新定義，我們可以發現，西元1492年是全球所謂新舊世界正式開始融合的年代（註：這種說法，許多中南美洲的原有住民並不同意），從那時開始經過300年後才有西歐的現代文明，以及大英帝國霸權所維繫的秩序（Pax Britannica）。他們利用最新的科學技術，壓倒當時的大中華帝國霸權所維繫的秩序（Pax Sinica），鴉片戰爭就是最好的例子。正當西歐勢力挑戰亞洲國家時，實行明治維新的日本，由而崛起，取代了東北亞的既老舊、又落後的中華大帝國地位。就宏觀的角度來看，割台只能說是當時的衍生事件，而非孤立事件。

深入「生活者意識」

我是客家人，我的祖父在台灣民主國建立時，也曾經參與過抗日。前些時候，丘念台先生（台灣民主國創建人之一丘逢甲的長子）與我談起當時的情況，我們發現當時特別激烈武裝抗日人士中有許多是客家人，反而不是閩南人。為什麼？原來當時的客家莊屬於山地與平原之間的新開發地區，他們經過艱辛的開墾過程，好不容易躋入小地主或自耕農階級，卻又碰上日軍侵台占據，當然要激烈地反抗。另外，當時清廷留下來的士兵，大多是河南兵，為了自救「逃難」，也和客家人融合在一起。因為他們的語言與客家話較相近，客家住區亦較邊鄙，方便他們藏身和自保。

有許多主張台獨的學者，將台灣民主國當作是獨立建國的原點範例。其實，從台灣民主國的年號「永清」就可以了解，他們並非真正想脫離清朝中國，他們仍然在怕清朝皇帝的威權。而成立台灣民主國的構想，是從陳季同而來的，也不是來自台灣本地人士的想法。陳季同是當時跟隨劉銘傳從大陸來台的官員，他並非想讓台灣獨立，而是希望能引進法國的力量干涉日本。這個史實，我是從羅曼・羅蘭（Romain Rolland）的《約翰・克里斯朵夫》（*Jean-Christophe*）一書開始精讀他的日記，得到的線索和啟示。

也有許多後來的學者，嚴厲批判當時引日軍進台北城的辜顯榮。在這裡，也許我們不需要先以道德史觀來下是非論斷，反而是從深入當年的「生活者意識」來考察，就可以明白。當時在台北的士紳為了保障自己的身家財產，必定有這樣的作法，就如同客家莊為了生存而起來抗日一般。

總而言之，如果我們能站在歷史的現場，考慮當時的社會環境，自然能明瞭事件的來龍去脈。切忌以高高在上的知識分子立場，來玩弄文字及概念遊戲。

站在台灣居民的角度，甲午戰爭割台的百年紀念及歷史審判，也應交由廣大的一般民眾來下判斷，而非由少數學者來越俎代庖，自以為是地替大眾發言。

本文原收錄於《1895日軍侵台圖紀——台灣民主國抗敵實錄・代序》，台北：天下文化出版公司，1995年5月。係戴國煇口述，由杜晴惠整理

（二）抗日人道主義名律師蔡式穀先生

約莫十七、八年前，某個晚上，昔日宋屋公學校（後改為國民學校）的同窗好友宋欽章兄來了電話。我們倆光復以來鮮少見面。所學不同，各奔前程，又因我1955年秋季便出國留學，一直

在日做事，自然而然地被迫中斷了聯繫。

久別暢敘中，他突然問我，認不認得「蔡式穀」這個名字。我說當然認得。除了專業外，我一直在蒐集台灣史有關資料，還邊整理邊寫雜文。蔡先生是新竹州（日據時期的行政區，光復時的大新竹縣之前身）出生的抗日人道主義名律師，怎麼會不認得，宋兄繼而說他內子便是蔡的么女。我「嘿」了一聲後，便追問，蔡家該留下有不少的書籍、資料、相片等吧。欽章說不甚清楚，只知書籍之類，已分贈他人。宋夫人蔡富美女士唯有四位姊姊並無兄弟，加上宋伉儷都專攻理工，忙於專業並無暇兼顧人文，或許是我老友回答我話的背景理由。

蔡式穀（翻攝自《蔡式穀行迹錄》，1998）

事隔多年，我可以返台開會，更在去年（1996）5月退休歸鄉後，才有較多的機會請益於富美夫人。

今年1月25日，應富美嫂與她的堂兄蔡翼謀博士之邀，南下新竹市文化中心參觀正在舉行的「民運先驅——蔡式穀」展覽會。會上所展覽的相片及文物，一直對我（參觀人）在敘說「歷史」，並呈現著日帝下台灣時期蔡氏所彰顯的「個性」。

參觀過程中，不知不覺地讓我這個老新竹人，自體內再一次噴出解讀「同時代」及「早我一世代」歷史人物心路歷程的些許能量（energy）。

蔡式穀先生（1884～1951）的一生，橫跨晚清、日帝、兩蔣威權初期的三個時代。他不卑不亢、不假外援的溫健式反體制和批判體制的「半異端」生活方式教我神往，更增強了我對抗日台籍先行者們的信心。

我重新瀏覽了日本特務所編的《台灣社會運動史》（《台灣總督府警察沿革誌Ⅲ》），發現了同書中的姓名出現頻率（頁數單純統計數）的有趣動態。再一次確認蔡氏在台灣社會運動史（只限於上引書所取材的1935年以前為止期間）的重要性。

據河原功編《台灣社會運動史・人名索引》（《成蹊論叢》，河原功所服務的日本成蹊大學的學術雜誌，第27號，1988年12月）所揭示，高頻率之前十名為下列人士：1.蔣渭水（149）、2.蔡培火（88）、3.林獻堂（87）、4.連嘴（溫卿）（84）、5.王萬得（73）、6.翁澤生（71）、7.王敏川（71）、8.謝氏阿女（雪紅）（63）、9.蔡式穀（62）、10.簡吉（57）。

緣於坐監或犧牲被逼停止活動的因素，在此暫時把它擱下來考察。上述的統計是頗耐人尋味的。上榜十名中，除去左派或共產黨人士外的所謂中道乃至靠右的民族主義派人士中，蔡氏位於第四。從此窺知，蔡氏的聲望活動面該是不同凡響的。

蔡夫人金井千代女士雖為日籍，但光復後我不曾聽過有人嘲諷蔡氏為漢奸之類的惡言。每個人都有他自己的生活方式及生活道路。蔡氏的心路歷程和生活方式（娶日婦為妻而批判甚至反對日帝對台灣之殖民地統治係難能可貴的）。蔡氏的行跡不可能是單純無曲折的。不管如何，他的一生和走完了的生活道路是值得我們去探討的。

「誰不敢正視並不解過去，誰就會迷失於當今，更將失去光明的未來。」這是筆者歷年瀏覽歷史有關書籍所獲得的「感受和教訓」。

做為蔡氏後代的親友之一員，我非常感謝新竹市文化中心的有關人士出版了《蔡式穀行迹錄》這一本書。作為一名讀者及關懷台灣往何處去的台籍歷史研究者，我謹此向蔡家後代提供寶貴的相片及文物之美意，表達無上的謝意。

本文原刊於蔡翼謀、陳月嬌編，《蔡式穀行迹錄》，新竹市：新竹市文化中心，1998年7月，頁10～11

（三）最後的見證——與楊逵先生最後的會晤

在12年睽別之後重返故園，心情起伏之大，感喟之深，是可以想見的。短短一週的盤桓，與楊逵老先生重逢歡聚，本來約定12日中午共赴文工會宴，楊老先生因急事返台中，竟爾仙逝。承「人間」（《中國時報》）告知噩耗，不禁憮然良久。迢迢千里回到了故園，竟趕上楊老先生大去，一時之間，當真不知與這位足堪代表近代台灣文學者典範的楊老先生，究竟是有緣？還是無緣？

認識楊老先生，固然因為他是台灣文學界的代表人物之一，而我旅居東瀛，研究的正是台灣近現代史。但真正與楊老先生結緣，卻是因為楊先生愛花蒔花，而我當年有幸曾經餽贈過他一段時期的花種。因花結緣，這是一段頗令我驕傲的因緣。

後來我在日本為吳濁流先生出了《無花果》*等三本書，楊老先生雖然也曾表示願在日本刊行著作。我卻始終無以應命。楊先生大去，此一歉意恐怕就更難償報了。

當新一代青年逐漸淡忘戰爭，也淡忘掉殖民統治時，老成凋零，除了教人感傷之外，尤其令人悚懼於：他終身所秉持的信念，以及為此信念身體力行所吃的苦、受的罪，是不是也就此一筆勾消了呢？

楊老先生從日據時代起，就始終堅持民族主義、人道主義，以及孫文民生主義，終一生無所移。他的政治和文學思想大體也是由這三部分構成。為了這個信念，他坐過日本人的牢，也坐過中國人的牢；而無論牢裡牢外，也無論在運動的熱潮當中，或在花園除草施肥的工作裡，他從來沒有動搖過。這樣的人物故去，我們固然痛惜，但想到他一生的坎坷顛沛，能夠平平靜靜以高齡而去，竟也感到一絲欣慰。

我們能夠給予經歷過苦難的老一輩長者的太少了。我慶幸在他晚年，政府允諾讓他遠走美、日，參加了愛荷華寫作班，以及日本《文藝雜誌》及《中央公論》為他主辦的座談，說了些他想說的話。但比之於他一生關切貧苦農民、關切台灣的熱情，他所能宣之於口的，畢竟只是他澎湃的胸膛裡極小的一部分。

猶記3月10日，楊老先生光臨YMCA餐會時，還殷殷盼望我多開導年輕人，不要讓他們感到受壓抑。他還是主張中華民族主

---

* 應係《亞細亞孤兒》、《黎明前的台灣》、《泥濘》三本書的日文版。

義，不希望台籍知識分子因得總體挫折感轉誤為疑似種族挫折感而情緒化。楊老先生的囑咐，我當時不知如何應答，我所能做的，只有見證：這個勇敢了一生的老人，依然勇敢！

本文原刊於《中國時報》，1985年3月13日，8版

（四）安息吧！人民之子，楊逵先生

我首先要向楊家遺族，表示我衷心的歉意。1985年3月7日我帶著學校（立教大學）的球隊回來，3月10日楊老先生從台中來參加歡迎我的餐會。3月12日楊老先生就去世了。當晚《中國時報》金恆煒先生來訪，我留下了一個短短的悼文，因有公務在身，所以13日就回日本去了。但是我回日本後，一直睡不好，覺得非常非常的內疚。我已經出國30年，這當中我曾經有五次奔喪的機會，都沒有回來過，說白些是不能回來，但是這次不管怎樣，覺得自己過意不去，所以我重新辦手續，向大學請假，而於3月26日再回台灣來。

現在回想起來，我在1955年出國，然後從1960年代初期開始，和一些日本朋友慢慢地把過去我們在台灣的抗日歷史和文學作品收集並整理出來。第一項成果呈現在尾崎秀樹的《近代文學的傷痕》裡頭，該書談到了楊逵等幾位先生，後來這本書變成《殖民地文學的研究》，很大一本。今天的楊逵先生年譜裡頭，並沒有提到這個鋪墊的過程和所下的工夫。然後是我們聽到一些消息，說楊逵先生由外島（火燒島，現改名綠島）回來了。後

來，1971年5月，一位楊老先生的舊識女作家坂口䙥子，有一天突然來電話說，台灣的政府要招待日本的女作家們訪台，她也受邀請，問我的意見，我說這個機會妳絕對不能錯過，妳應該去東海花園看看楊老先生。她後來寫了一篇文章，刊在《亞洲》（日本雜誌），介紹楊逵、葉陶夫婦的事蹟。接著，我們把楊逵的〈送報伕〉在一本叫《中國》（日本：東京發行）的雜誌上重新刊出來。我們還請尾崎秀樹寫了一篇介紹文章。

之後，我們有個年輕的日本朋友，就是河原功，現在許多有關楊逵先生的年譜，差不多都是根據他所編的〈略年譜〉作為依據。他是我的學生，我的學生裡頭，他比較富裕，同時，他沒有參加過學生運動。如果找了學生運動中較偏激的學生來台灣，反而幫了倒忙。而河原功，一方面他可以多買幾次來回飛機票，一方面他又沒有政治色彩，只是對文學有興趣；我們就鼓勵他。我記得他跑了四趟，或是五趟，然後才把這個年譜完成。我希望各位來賓對這個過程有些了解。我們台灣學界應該感謝他。

在編楊老年譜的過程中，我們發現其間有綠島時期12年的空白。這個空白也是值得、更應該留下紀錄的，於是透過日本朋友，還找了一位女學生去看他、訪問他。有的時候送一點花籽，表示一點意思。希望能把年譜上的這12年空白補上去，但最後並沒有成功。在這個期間，我和楊先生彼此沒有通信，也未曾見過面。我知道楊逵先生的大名，他可能不知道我姓戴，名字叫國煇，我們始終只保持這樣的關係。

我記得1969年，在我出國後第14年，第一次回來時，那時台灣的空氣還是相當凝重，葉榮鐘先生在台中歡迎我，他一直在考慮是不是請楊逵先生參加。回到台北，吳濁流先生和王詩琅先生、葉榮鐘先生，也重新討論是否方便請楊逵先生到台北來大家聚一聚。但由於種種顧慮，終於沒有實現，我還是沒有機會看到他。在我第二次返台就是參加1972年的第一屆國建會時，情況仍舊，還是沒有能夠會到楊老。此期間，我託人帶一本《台灣警察沿革誌》的第Ⅲ冊《台灣社會運動史》給他，順便交代一下，《台灣社會運動史》是我交給東京龍溪書舍之北村社長復刻新印的，他係我東大農經系低一班的學弟。

我能看到楊逵先生，還得等到1982年秋天，他應愛荷華大學邀請訪美，回程路過東京的時候，我們招待他。第一次見到他，他擁抱著我，兩人都沒有辦法用言語表達各自的心。我當時的心情是認為，楊逵先生是我們的「良心」，是我們最良質的台籍老前輩，他替我們坐了日本人的牢，還坐過中國人的牢。而我們年輕人，尤其是我在日本生活優裕，可以說是非常有可能陷入在道德上的日常性墮落漩渦中，所以我不能說是我支持過楊逵先生，只能說是楊逵先生反而在精神上一直地支持我；從精神上，讓我不要被日本人吞噬掉，被日本文化同化掉，被日本資本主義溶化掉。

我是不搞政治的，而是只在學術界打滾的人，今天有幸參加這麼大的盛會，我非常贊成剛才楊建先生（楊逵之子）的呼籲，讓他爸爸好好安息吧。我也想提出一項懇求，希望我們能夠好好的研究楊逵先生，將他當作一個文學作家和歷史人物來研究，讓他回歸文學和歷史，而不要在非常非常低層次的政治上，來利用老人。楊逵先生坎坷的奮鬥了一生，自有他的歷史地位，請不要以太低層次的政治來看待這位歷史人物的老人。

我希望他能在我們不能和他重新交談的那個世界裡頭，好好休息，然後精神上還繼續支持我們。謝謝各位！

附記：本文係於1985年3月31日，在「楊逵先生逝世紀念演講會」的講話。那時尚未解嚴甚多話不方便說出來，本次便把它補正過來。

本文係根據原刊於《前進時代週刊》第106期（1985年4月13日，頁54～55）之文章補正而成。原題「猶記當年擁抱時——戴國煇談楊逵」

【附錄1】

我和戴國煇的交誼

◎ **楊逵**

1982年，我有機會到日本，這一切都是戴國煇先生給我安排的，使我在日本有半個月的時間做一些事情，我為此非常感謝。不過，這是私人的事情。

戴先生最令我們感動的是，在那（日本）困難的環境中，能糾正我們台灣的歷史。戴先生在東京成立一個「台灣近現代史研究會」，這一個會，和戴先生合作的這些日本人，我都有機會有作夥（相聚）。我覺得這些朋友，對台灣的看法，對日本人侵略中國的種種，都受到戴先生的感召。

對這一點，雖然，做為一個學術界的人，寫寫文章，出一個研究刊物，也不是什麼了不起的事。但是，一個人孤獨的到外地奮鬥，而且可以影響外地的日本人，我認為那就不是一件簡單的事情。

每一個人都有他的特長，也可能有他的缺點。像我現在是「老牛破車」，要我跟大家年輕的一樣來衝，那是不可能的。我認為，我受到戴先生的「感召」，我也要決心留在大家裡面，只要不擋到路，加減（多多少少）也要盡到做一個中國人、台灣人的責任。我就講到這裡。

本文原刊於《自立晚報》，1985年4月11日。原題「楊逵先生的最後演說與我」。係楊逵口述，由王曉波整理

【附錄2】

記楊逵先生的最後演說

◎ 王曉波

1985年3月初，戴國煇教授陪立教大學棒球隊返台作友誼比賽。戴教授因故12年沒有回台，此行時間短促，他想要見的朋友太多，想見他的朋友更多。所以，3月10日，在台北YMCA舉行了一個歡迎會，把戴教授想見的朋友，和想見戴教授的朋友，會聚一堂。因為，在台灣刊出過戴教授文章的雜誌主要有《中華雜誌》、《夏潮論壇》、《文季》，所以，邀請了這三個雜誌社的朋友，還有在日本留學認識戴教授的朋友，和一些慕名而來的朋友。

楊逵先生是戴教授在日本長期關懷的人，也是戴教授返台亟於想見的人。當我把這個歡迎會在電話中通知楊老，楊老欣然答應。並於3

月10日，由台中上來，準時赴會，還在會中發表了簡短的致詞。

楊老以河洛話的致詞，由我現場翻譯，不意僅隔2天，3月12日，楊老就溘然長逝。這個簡短的致詞，也竟成了楊老最後的公開演說。茲就現場錄音，整理出來，作為楊逵思想最後的見證，也作為我們永恆的懷念。

本文原收錄於王曉波《被顛倒的台灣歷史・前記》，台北：帕米爾書店，1986年11月

六、企盼與日本良知連帶

（一）訴諸日本良知共同推展芳鄰關係

胡（秋原）老、各位來賓、各位鄉親：

我非常感動，非常高興，同時覺得非常的榮幸，能夠為諸位在此做報告。

我在東京的時候，決定這次報告的題目為：「連帶日本的有良心人士共同推展芳鄰關係」時，有一位好朋友在國際電話提醒我說：「芳鄰」是不是可以改成「善鄰」？我說：「不行。」這個「芳鄰」是我在日本創造出來的新名詞；同時，我有一本小書，已銷售到一萬多本，書名就是《新亞洲的構圖》（日本：社會思想社，現代教養文庫叢書939）。或許各位對這個名詞不怎麼習慣，但昨天《聯合報》在報導我的時候也是用我創造出的這個辭彙，因此在這裡先給各位作個交代。

我為什麼說「芳鄰關係」呢？意思是說，過去，我認為我們

與日本人的關係，包括台灣和中國大陸，我們不提別的國家，僅指日本的時候它是我們的「臭鄰」。一般來說，我們的鄰家如果住的是令人討厭的人，我們可以搬家，以避免干擾。但是，世界上沒有一個國家可以隨便搬來搬去的。我們在抗戰後收復失土，日本人從台灣、從中國大陸撤回到日本本土。過去的中日關係可以說是破裂的、非常惡劣的關係。今後我們應該將這類「臭鄰」關係改過來，變成「芳鄰」關係才對。我們對日本人，日本人對我們，彼此敦睦相親，這才是中日兩國今後應有的相處之道。

正因為我有這樣的想法，又在各位父老的委託下，我邀請今天到場的幾位年輕日本朋友。我和他們雖在枝節意見上稍有不同，但具有基本的共識。我們都能勇敢地正視並面對過去那段中日兩國關係的不幸歷史事實。歷史教訓並不是只屬於某一個民族、某一個人，我們應該共同在歷史中吸取教訓。為了吸取歷史教訓，我們就應採用「可恕不可忘」的態度。在日本出現修改歷史教科書時，我便在日本一本很著名的雜誌《世界》（岩波書店）上發表了我的看法。文中我所強調的就是我們中國人可以原諒，但絕不能忘記那一段日本侵略我們的歷史。現在已不是「冤冤相報」的時代，讓仇恨永遠地循環下去是解決不了問題的。我們應該提高我們的思想層次，提升自己的精神境界，不要讓過去的悲劇重演。

今天，我們邀請了這幾位日本的有良心且有識的朋友們，說出他們的心中話，說出他們如何對待自己以及他們自己的民族、國家，以及如何看待他們國家目前的所作所為。正如剛才胡（秋原）老所說，像他們這種人，在日本還不多。我在日本住了30

年，對這種狀況是很了解的。正因為有這個了解，所以，我一直都沒有入日本國籍，仍然堅持我的民族立場，拿的是台灣護照。我研究歷史，目的不在挖日本人的瘡疤。我始終靠資料、靠史料、靠科學的方法，堅持民族的尊嚴和立場，以客觀持平、科學的態度對待歷史問題，尋求答案。儘管如此，我偶然還會受到日本保守派、國粹派和日本右翼的威脅。當然，那些威脅是無法改變我的民族暨學術立場的。今天這幾位日本友人的遭遇和我一樣。森正孝先生拍這兩部電影，他雖不曾對我講，我知道他為此受了很大的壓力和威脅。他當然已做好了被學校解聘的心理準備，為的是忠於歷史的良心。我們不應該讓這些正義的朋友們陷於孤立，我們應該給他們道義上的支持，積極支持他們才對。

此外，我們中國人還應該檢討一下，我們為什麼會被別人侵略。侵略不像小偷一樣。小偷到我們家裡來行竊，小偷的罪行是絕對的惡，單在偷與被偷這件事上，對被偷方一般而言來說，他本身鮮有什麼「過」可檢討，但若是我們家沒有上鎖或防備的話，我們還是得負些內疚的。清朝時期中國那麼大的疆土，竟然腐敗到招來那麼多的西方、東方列強帝國主義的侵略。我並非大漢族沙文主義者，但是明末的二億多的漢族人士，竟然會被五百多萬人的滿族統治了二百多年，真是可歎之事。這不只是我們中國人的問題、漢族的問題，想想看，英國彈丸島國曾經統治過世界上七個大洋及幾十個國家，這個道理究竟在哪裡？還不值得我們去反省、去探討的嗎？我們應該檢討一下我們被侵略的根本原因，我們需要自我揭發自己社會的醜陋面、民族本身的劣根性，努力克服自己的弱點才對。然後，再跟其他民族的有良心人士及有識者聯合，連帶起來，才能夠創造出更好的明天、更光明的「芳鄰關係」。

謝謝各位！

本文原刊於《中華雜誌》，1985年8月號，頁32～33。係於「勝利40週年：七七抗戰紀念講演會」（1985年7月7日，台北：國軍英雄館）的報告

（二）《民俗台灣》為日本良知軟性反叛的標誌——完整本之復刻與台灣文化主體性的建構

第二次世界大戰結束已有半個世紀多了。台灣光復抑或台灣脫離日本殖民地統治又已滿有52年。曾經被統治過的第三世界之知識分子，具有良知更備有原創性思考的人們，為了奪回自己和自我民族的尊嚴以及獨立、自主性，人人竭力地在營造精神（當然包括價值觀）的「脫離殖民地」而有所努力。人們在研討後殖民主義自處思想的大前提，便有必要釐清，究竟各自殖民主義給他們所刻印且留存的「後遺症」為何等等的普遍性課題。

任何列強的殖民地主義都會羞辱被統治人民和民族的傳統、風俗習慣、信仰以及語言等。因為不存在「差別」待遇的機制和不歧視被統治者，以確保統治者方自己的優越感時，殖民主義體制將是不可能維持的。當然其實效統治亦不足以推行與貫徹的。當然「差別」的普遍性機制中，當局又不至於拋棄另立些許「花瓶」來裝點其門面之意圖的。

殖民主義對被統治方甚至於對統治方本身招致的最大災難，

往往是人文上暨人性上的破壞。物質上的掠奪，較易覺察，自我恢復亦不甚困難。但殖民主義統治給人們的惰性（抑或慣性）卻不易被體會、被洞察以及被發覺的。因此在未被統治前的第三世界各地域及各國社會既有的人文精神在殖民統治橫行下，必然地會面臨淪喪，自我價值的旁落，自我文化活力的鈍化，原本靈性的逐漸消磨。人們在生活萬般上的「自我」疏離與緊張，人性的懦弱化、單面化、物化教人們竟然有失去安心立命之居所，及精神上的歸鄉與原本故園等之坎坷歷程。

在日本軍國主義侵華，犯亞愈見其瘋狂，將要演變成太平洋戰爭時，日本促進台人之皇民化運動，不待說是愈加強其毒辣手段的。

皇民化政策的目標，不外乎於強迫台人遠離其原本的人文屬性，並逼人們歸一成日本天皇子民為最。日本當局背後的意識形態當然是日本天皇制。在那日本神國思潮狂妄喧囂成為浮華時髦和特高（日本特務）政治壓境的時代，日籍人士要為己明哲保身，也是日感艱難。時為台北帝國大學醫學院基礎醫學的講座教授金關丈夫博士與總督府情報部（等於公關文宣部門）特約專員池田敏雄先生，於1941年5月婉轉且悄悄地站出來，反其時髦潮流而行，創刊《民俗台灣》，藉記錄與討論台人民俗為名，暗地裡揚譽台灣的草根性文化之可貴性。其真正內涵係針對天皇制加壓於台人的鴨霸作為的一種質疑。他們雖然不便作出獅子之吼，但他們透過出版《民俗台灣》，而間接地並持續性地否定了皇民化運動之正當性，是有識之士可以洞窺其一斑的。

熟悉日本學界人士，應該對日本民俗學主流派的鼻祖柳田國男之學風及其所創的「常民」概念，會有一定程度的印象的吧！柳田雖然大名鼎鼎，但他始終跳不出高級官僚俗氣的學風及天皇制思維方式的框框。至於日常生活上，他晚年又選住於東京高級住宅區，東京成城，接受門生弟子們的膜拜。

主持《民俗台灣》的金關教授和池田先生，兩位返日後所走的道路，顯然與柳田的徘徊周旋於人心、風俗迎合中之路，是有很大差異的。金關、池田兩位師生所過的為學與生活的軌跡，一概與時髦浮華的俗情世界全然無關。金關博士堅持了特立獨行，並把解剖基礎醫學、形質人類學、考古學、歷史學等匯合為一，開展了東亞民族誌的新境界。他同時依據發掘「彌生」遺跡（日本古代遺跡之一）的出土人骨，主張了日本民族形成中的朝鮮半島因素之重要性。1978年金關翁終於獲得朝日賞（朝日新聞所頒的著名學術賞），受到持有孤往精神學界諸多人士的讚揚與祝福。晚年金關老翁夫妻隱居於奈良天理之鄉間。此之前他自遠方購進古式日本巨大木頭老房子，並加以解體運來重建而後安住。冬季寒風瑟瑟，入室刺骨，蔭居大儒，堂堂巍巍，自得其意，至今歷歷在目，難以忘懷。池田先生返日後，由其師金關博士推薦進入老字號出版社——平凡社繼續執其編輯專業，推出不少佳作。有便相聚時，偶爾他會月旦台灣知識分子。他推崇的是徐瓊二先生（徐慶鐘先生之侄子，犧牲於白色恐怖），教筆者重新認識其人的真正所愛。他愛艋舺，愛龍山寺，更愛上了艋舺周邊的百姓與他們的鄉土味生活。由此他撰述了《台灣之家庭生活》及多篇有關艋舺的隨筆。將近有十多年的交往中，非常遺憾，筆者忘了請教於他：「池田先生，您究竟先愛上了您的學生黃鳳姿小姐，而後才愛上了艋舺的呢？還是先愛上了艋舺的草根性文化才擴愛於鳳姿女士的呢？」筆者相信，即使問了他，池田先生將只會非常含蓄地微笑而代答的。

在晚年，池田先生倒常提到他的夙願。他期盼能把《民俗台灣》的完整本復刻提供給學術界作研究之用，他仍舊保藏著因戰況所逼未及出刊的《民俗台灣》最後一期（本係第44號，1945年2月）校正本（他後來影印了一份送給我）。

他同時又盼望能有機會重排《台灣之家庭生活》，因它的確錯字過多，對不起讀者諸賢。池田先生自認，雖然上梓於兵荒馬亂、美機空襲之下，但身為筆者是難於卸責的。

「溫故」應有助於「知新」，我們可以藉機熟讀《民俗台灣》的完整本，反思一下，究竟當今台灣民俗的相關學問比起《民俗台灣》時期，有無新的開展和獨創性的成就。捫心自問若深感乏善可陳的話，有關台灣文化主體性的真正樹立仍然間隔有頗大的差距。筆者明知，此話不該說出來。說出來，將惹發鄉親們的不高興，但我還是說出來了。為的是答謝金關、池田兩位異國先進的學恩和多年的交誼。特此提出與好學的鄉親們共勉。

本文原刊於《聯合報》，1998年2月15日。原題「《民俗台灣》與台灣文化主體性的建構」。係於「《民俗台灣》回顧座談會」（1998年2月12日於國立中央圖書館台灣分館）之發言

（三）建構自我「歷史意識」乃當務之急
——反思「七七」及百年來的中日關係

多少年來，盼望能自我解套「井底窺天」之窘境。每次涉及近代中日關係只有認輸的份，教人洩氣萬分。瀏覽台灣島內有關日本的一些議論，一概可說非媚日或親日便是仇日或反日。鮮有知日家之言論。談「七七」當然可以從各自個體的親身體驗或周邊傳誦的言說開始。但我卻想提出規制我們這100年的歷史深層的暗流。19世紀末五年當中，一場空前規模的霸權初期性搏鬥正在東北亞醞釀中。1895年的甲午戰爭和1898年的美西戰爭卻是其起點。日帝占據台灣，美帝取代了西班牙統治菲律賓。它們的最終目標放在中國大陸之大市場。若無大英帝國霸權（Pax Britannica）相對於大清帝國霸權（Pax Sinica，康熙～乾隆年間為高峰期）的崩潰而興起與東來，清朝不至於敗於鴉片戰爭，新興明治日本亦不可能自東亞邊境冒出而稱霸。理由非常簡單，大清帝國胎內不曾產生近代自然哲學→自然科學→近代技術→產業革命而孕育資本主義生產方式來。碰上了「西歐近代」的砲艦與其亞流（epigonen）近代日本，我們只有挨打、節節敗退之窄路可走。

明治新日本崛起稱霸亞洲

法國名詩人及文明批評家梵樂希在斯年已發現新時代將啟幕的預兆而重重地受了衝擊。1895年已圍繞了甲午戰爭之結果寫了〈鴨綠江〉，及1898年再寫〈美西戰爭有感〉。「前者（甲午戰爭）為接受西歐式改造及裝備的亞洲國民（日本人）的首次實力行使行為。後者（美西戰爭）為由西歐脫離而發展的國民（美國人）向西歐國民（西班牙人）挑戰的實力行使行為。」梵樂希預見日美必在亞洲稱霸，將有威脅西歐之嫌。

20世紀的亞洲正是戰爭與革命的動亂世紀、亦可說是日美兩霸為著爭奪中國大陸市場的一個世紀。不健忘的話，明治日本第一次出兵台灣（1874年，「牡丹社事件」）時，美國人當了顧問不算，還貸給軍艦接送日兵征台。後來，日、美以巴士海峽為界，相互默契支配台灣和菲國。這一段日美蜜月所依據的基礎，在於互為新興資本主義國家向亞洲進軍的各自所需。1920年代末期以後，因「滿洲」的權益日漸發生衝突，日美關係開始惡化，逐漸邁進太平洋戰爭之路，當不需筆者在此贅述。

看清百年歷史的深層暗流

二次大戰後，日本經過盟軍占領，此期間一方面接受美國援助，另一方面利用了朝鮮戰爭及越戰特需經濟，遂有一躍為經濟大國之福，雖然欠缺軍事、政治大國之實力，但配合了美國之核武保護傘，重新搞出準日美同盟稱霸亞太地區迄今，眾人有目共睹。

「七七」只從中日關係來談，是見不到歷史事象的深層暗流的。中國人只管漫罵日本人的野蠻侵略又有何用，問題還是解決不了，因我們自己的弱勢不爭氣所帶來的災禍，如何尋求建立我們自己的「中國的近代」才是課題。具有本事時，才能抗拒「西洋近代」的侵襲。

台灣政界為了選票，人人喊起族群和諧的堂皇口號，但甚少有人提起，如何建構「歷史意識」的族群共有化，人文工程的重大意識。

只要有勇氣正視，當今台灣社會氛圍的不正常與欠缺是非感的嚴重性，企求族群和諧理想境界實現之前，有待我們學界、眾媒界一起努力的，該是建構真正屬於我們自己的「歷史意識」才是緊急要事。連七七抗戰的「歷史意識」都無法建構，有何可能實現真正的族群和諧。

台灣應爲日本人的傲慢負責

留日一待已有40年。目睹耳聞日本人愈來愈傲慢，藐視並對待亞洲人，有時深感我們台籍人士是否該負起一些責任來。已經50年間的日據時代，我們的前輩流過血，身陷囹圄更不在少數。但傾向台獨建國的鄉親們，還有人口口聲聲講「後藤新平是台灣近代化之父」一類沒有社會科學水準的話。教日本的有識人士都會來個捧腹大笑。主張台獨建國是一件事，尋求日本人的支援情有可原，但日本人對亞洲鄰人，卻是一貫地只吃硬不吃軟。千萬該記住，我們台籍人士繼續縱容日本朋友說些甜言蜜語並非真正作朋友之道。雖然它可以部分性地幫助日本人自我補償，日本人一貫地遭受韓國人的尖銳批判因此所衍生的不安心態。

本文原刊於《中國時報》的「抗戰勝利50週年——紀念七七專刊」，1995年7月7日，5版

（四）台灣光復意義的重新確認與定位

威權政治解體已有多年。台灣的既存秩序及價值體系亦跟著重編中。乍看台灣的亂象叫人既惶恐又厭倦。

光復以來歷歷可見累積下來的負面「遺產」（二二八、白色恐怖及政治性迫害等等）大大地壓倒了正面「遺產」（經濟成長及議會民主制度之部分落實＝所謂的台灣經驗）。遂有今年4月16日的「馬關條約100年告別中國」遊行之舉。

歷史的記憶及體認不該失落

1945年8月15日（日本投降）迄10月2日（於台北市公會堂，今中山堂的中國戰區台灣省受降典禮，後定此日為光復節）的期間，台灣省民不分男女老幼逐漸地體會到終戰（不會再有空襲之恐懼）及光復（回歸祖國）的喜樂。

特別在台北市，人人都著新衣，家家懸掛彩燈，鞭炮鑼鼓響徹四方，久違的「獅龍」舞遍全市。人們滿面春風，祝慶抗戰勝利，台灣光復的全島歡騰景象記憶猶新。筆者早在文章中提及，光復時台籍人士有三個年號可以選擇：一為中華民國34年，二為1945年，三為台灣零年（或元年）。但人們不曾對中華民國有過任何質疑（除一小撮幹過漢奸的富家等人外）。近乎百分之九十幾的人們都接受了中華民國34年。1945年可以解釋通歐美抑或通中共之年號。不管如何，當年有歐美關係的人士應該是寥寥無幾。至於知悉在延安有中共政權者亦不會超過50人。台灣零年者當然是謀求台灣自主獨立抑或與中國分離另立一國者可以選擇之年號。在我提出這個觀點以前，不曾聽過有任何人作過類似的思考。賢者告訴我們，不會汲取歷史教訓，不善於作好歷史的記憶及體會者，終將招來歷史的嚴重報復。

納粹德國是個典型事例。日籍學者亦有人警告他們的同胞，日本若不從廣島、長崎被投原子炸彈的悲劇為歷史教訓來反思，有可能重蹈覆轍，變為德國第二。有人認為因日本只有一次的失誤，還未真正覺醒之故。

正負歷史過程的確認和定位

任何一個國家和民族的歷史過程都具有正負兩面。只有對未來抱著不安以及對既存價值體系及秩序，懷有質疑及不滿者外，一般人通常對自己的歷史關懷度是不至於太強烈的。1950至1960年代前半之美國社會是個好例子。當年的美國社會流行了歷史無用論，認為不具時間性的社會科學才是萬能。歷史學是科學以前之「嘸路用」的人文之學。美國人不曾懷疑過美國式生活方式會有露出破綻之日，更沒有想過世界超級強國會敗在「小」越南之手下。

台灣史研究當今已成為顯學，其具體內容是否禁得起時代的考驗有待驗證。前面所提「告別中國」的遊行據傳有部分史學家參與，叫人費解。台獨建國可以主張，斯時如何對待中國是個重大課題。不主張對決，卻來個「告別」。告別可以與再見及逃走劃上等號。中國當然應該有政治中國、文化中國、歷史中國之分。割台予日帝者為清朝中國，斯者早已消失不必去「告別」。若是要告別文化與歷史中國的話，參與遊行者別忘自己也是中國

（福建、廣東）先人來台者的後裔，「祖宗牌位」該也一起在東京皇宮前點火一燒了之，才能合乎邏輯？國府在台50年政治當然可以批判；然而是否該予全面否定的判決尚需我輩探討。我得提醒年輕朋友，沒有抗戰之勝利是沒有日帝的敗戰及投降，我們仍然遭受日帝之殖民統治。我們的大學畢業生會有多少人，頗值得我們推測。該記得光復前台北帝國大學（台大前身）只有一位台籍人士受聘為教授（杜聰明博士，樣版成分比實質重）。甚多鄉親斷定地說國府為外來政權。筆者認為，國府在台政權（李登輝總統時代前）欠缺民意基礎是事實，但說其為外來政權確實有失公平。翻開世界史來瀏覽，我們絕不可能發現，外來政權對被統治者曾有過教育上的平等待遇一類之施政。

作好今日定位鋪墊爲追尋更光明的明天

只要我們不是醉生夢死之庸人，我們人人都該具有：為追尋未來之光明而企求「超越當今之自我」的覺悟。

台灣當今的亂象不值得我們去恐懼與厭倦。通常，既有秩序及價值體系之解體必然地將帶來等候整序的亂象。理性絕不是建構秩序的先行者，因為既有秩序及價值體系已失去民眾之信任，所謂理性者亦必會喪失其所以存在的社會基礎，反而重建後的秩序將逐漸地促進理性之建構。在此藉亞當・史密斯（Adam Smith，英國經濟學家）之《國富論》（*The Wealth of Nations*）來闡釋。光復以來接近五十年之間在威權政治下受到壓抑的民情、民欲一概已被釋放。這個活力正是等同於《國富論》中所論及之英倫經濟。它靠著「分工和競爭」來促進經濟發展，競爭又得靠著「自由」的保障而搞活。在自由競爭之下逐漸展現出「看不見的手」。這一隻「黑手」將帶出「規範」來。台灣社會的「黑手」將由成熟且具備「內面規範意識的」現代化市民群來肩負。光復以來，未能適時完成的過渡性工程＝「通過儀禮＝initiation＝歸宗手續」才是筆者回憶歡騰光復夜晚情景痛惜的憾事。光復時該[illegible]好的歸宗儀式及手續，受到國府當年派台官兵之失政而迄今尚未完成，以致幽魂不散，成為問題之根源。

總統直選後可望帶來政治激情之降溫。「光復」的既健康又公正的重新定位更可拭目以待。

[illegible]原刊於《中國時報》的「台灣光復50週年特刊」，1995年10月25[illegible]版

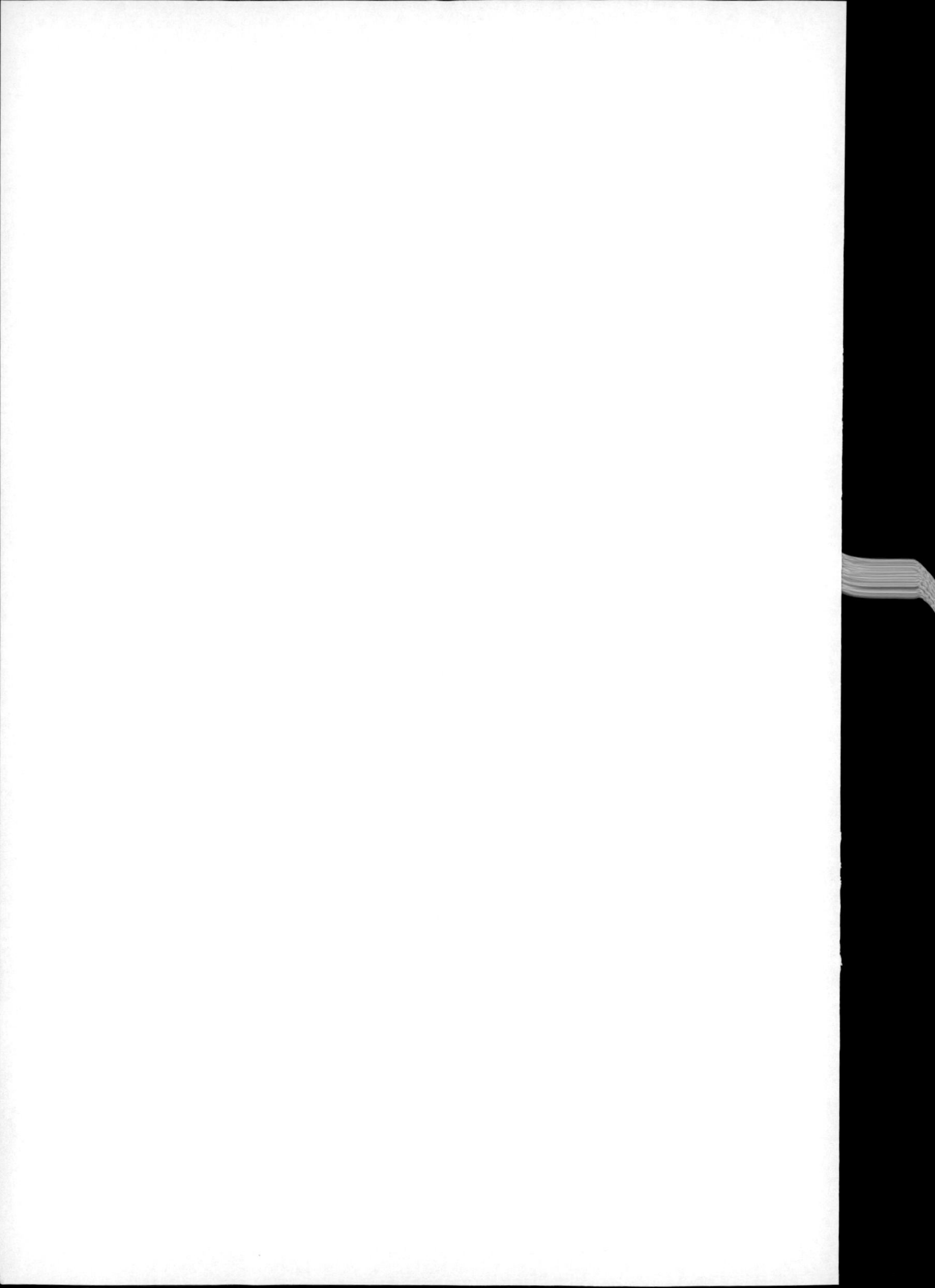

輯二

二二八事變絮語

二二八事變資料的訪求與整理

台灣二二八事變（1947年）是第二次世界大戰結束，台灣從日本殖民地桎梏解放以後，在台灣發生的一次大規模民眾暴動事變。「民變」當然帶來了彈壓及數不盡的政治迫害。台籍領導層及在台居民所受的浩劫是悲慘的。

「二二八」已經過去整整36年（本文寫於1983年）。隨著時間的推動，「傷痕」不但未癒，它在台灣史以及「台灣問題」上的重要地位和重大政治心理作用愈來愈明顯。

目前圍繞著「台灣往何處去？」的政治立場大約可分為「沉默的大眾」（silent majorities）、「台灣的黨外」、「台獨」、國民黨、中共的五個立場。

「沉默的大眾」一貫地對二二八事變懷有「芥蒂」與「嘀咕」。親歷了二二八的世代對國府當年的劫（接）收人員的貪婪殘酷有無限的悲哀、憎恨和惶恐。偶爾他們會從口縫漏出，該把那「有鬼附身的特務們」殺絕。晚生一些的「世代」雖缺乏有臨場感，但他們也靠著傳聞，不斷地增高憤懣和憂鬱。不過他們的大多數人，目前卻不能、不懂或不願表明他們對二二八的心聲。

「台灣的黨外」，特別是年輕力壯的一代，好像已嗅覺到二二八在政治上的重要性和敏感性。他們正在伺機，隱隱約約在刊物上，一「談」驚人。

「台獨」人士，尤其自命為理論專家的人們，有些的的確確已變成「天才編劇家」，對二二八大作政治掛帥文章。除此以外還帶有「莎士比亞專家」的一些口味來編織著「台獨」金色夢。

國民黨當局一直是盡其捂蓋的能事。但新選出來的某些御用立法委員，居然有人說出「該給二二八還它歷史面目」的話。國民黨陣營內部的「革新保台」派可能已發覺到，他們不該代「台灣省行政長官公署」（台灣剛光復時期的國府在台行政機構）背黑鍋。他們可能認為，也可能想主張，那時代的國民黨跟他們目前的黨不一樣，甚至於根本和他們扯不上任何關係。因而二二八所帶來的「歷史責任」對他們來言，是個多餘且富有毒性的，不該由他們來背負及承擔。他們或許在企圖，盡其快速地把二二八的歷史包袱藉歷史時光的無情來冰釋它，來沖淡它。把二二八的歷史累贅，扔到九霄雲外，恨不得使它煙消雲散，好來個「轉身」，並持續高攀他們銀色的夢幻境界。

中共，據我個人善意的推測，只要它沒有腐朽，他們有關人員最起碼在它的組織內部裡，該有過對二二八的調查研究及總結才對。不管如何，我們目前在表面上能看到或能聽到的，不過是為「統戰」為「解放」所作的一些戰術性運作而已。它包括出版些冊子、舉行座談會、主辦過幾年的「二二八起義紀念會」等等。這使人失望，深感遺憾。

綜合而言，我們不曾聽到和見過有二二八的學術研討會或學術報告。

我們知道二二八的受害者不止於台籍人士。大陸籍人士也不少曾經被捲入「悲劇」或「彈壓」的漩渦裡，而受傷甚至枉死於莫名。

我們同時亦懂得，類似二二八的慘案在世界史、在中國史是不斷發生過的。二二八對在中國大陸，苦嘗過殺人放火、奸淫擄掠、暗無天日、天搖地動的非常局面的大陸籍人士來說，他們可能會「稍動」於衷，且酸楚地對我們台籍人士說「我們同情台灣人的遭遇，但類似二二八的慘案太多了，你們不能往前看些嗎？你們不能堅強勇敢一點嗎？」

沒有錯，我們大陸在二二八前後的歲月裡，開明的知識分子、年輕人的失蹤簡直像一陣瘟疫，而一個人的生命，不論是誰，也好像不值一個銅板似的失之不明不白。我們善意的大陸籍的朋友很可能被養成「習慣」，被痲痺了，甚至於磨滅了他們的「感性」也說不定。

我們可以了解大陸籍朋友如上述的一些看法，但我們不願苟同。因為台灣是我們所愛的鄉土，台灣史是我們生長在美麗島上的一切同胞們，用一點一滴的血汗寫下來的。我們願意繼承並參與我們先人們留下來的這份可貴的事業。

36年來，二二八幾乎變成了我們揮不去的影子。根本用不著找它，它始終和我們同在。它一直是我們有良智的、沒有被銅臭所污染、而對台灣的前途抱有無限信念，並懷有深切關心的鄉親們，所熱心討論的一個主題。

但我們沒有充分的自由，也不能公開來研討我們的題目。

我們曾經為了安全、也因疲倦而找了個空間、尋出了時間和機會喘口氣，舔舔二二八的傷口。國府的確逼我們養成了偏安和明哲保身的「習慣」。

但時機已成熟了。我們不能再繼續感傷，應該站起來突破和克服我們被迫養成的「恐懼感」和「怕事症」，我們為了自己的幸福，為了全民族的福祉和光明的前程，我們也該硬朗起來才對。

我們不準備、忙於給二二八定性，好似「慘案」、「民變」、「起義」、「革命」等等。

我們只是為了準備能在最近的將來，對二二八這一重要史實作出較為公正而客觀的省察，並且將盡我們的所能、廣泛地蒐集有關資料，並加以註釋，並用科學的考證以便能從更廣的角度來作透徹的理解。

二二八將對中國現代史（當然包括台灣史）及東亞的和平有它獨特的重要性。這一點只要對「台灣往何處去？」有所關心的人們，不管他是中國人或甚至於不願承認自己是中國人的「台獨」人士，以及外省籍的有識人士都能接受並且承認的。

我們同仁認為，二二八的重要性主要在它的「政治影響力」，同時相信對它下功夫，蒐集資料並加以整理、注釋、考證，編成「資料彙編」，然後再加以考察與研究，對我們的人民是具有教育效用的。同時也可以藉此對歷史作下交代，是不用置疑的。

限於我們同仁的知識水平和工作能力，錯漏之處在所難免。希望鄉親諸賢、讀者們給予協助和指正。

這些資料得來極不容易，許多國內外的圖書館，以及朋友們給了我們多方面的協助。在此特別得指出，《台灣與世界》編輯委員會給了我們積極的支持，並特闢一欄讓我們刊登工程成果，謹此一並致謝。

我們同仁將全力以赴，陸續刊登。敢請讀者諸賢拭目以待。

本文原刊於《台灣與世界》第3號，1983年8月。以筆名「梅村仁」發表

【附錄】

敬答楚也鄉親

多謝你用讀者投書方式（見《台灣與世界》第5期讀者公園欄）給我們的「二二八史料舉隅」工作來個「熱烈」反應。現在我們可以不寂寞了。既有你的「不尋常」的反響，亦有別的讀者賢達給我們寄來資料以及正面的鼓勵。

你指摘的第一點，我們不便接受。因為我們的「訪求與整理」工作將是一貫性的，並不準備學一些鄉親們只為「做拜拜」趕熱鬧式的轉載就了事的作法。我得順便告訴你，我們在工作時會充分地考慮「社會成本」的，這一點請你多多放心。

第二點，你另舉我文的五行文字*並道出：「我個人認為這是一段沒有根據的詆譭。十幾年來，台灣獨立運動者所寫有關二二八事變的文章不多，……」等等的指摘並要求我拿出證據來作我五行文字的根據。

我在猜，你可能還年輕，火氣不但大，衝勁也蠻足似地，甚為難得可嘉。但我倒希望你能冷靜下來，理智一點。我們是在連載呀，來日方長，第一篇小作中的短短五行字就叫你跳起來，以後叫我們同仁如何繼續我們的校正、注釋工作呢？

還有你只談到：「十幾年來，台灣獨立運動者所寫……」等等的話，那麼你所舉以外的，也就是說，你所言之「十幾年來」以前的老

* 請參見本冊的〈二二八事變資料的訪求與整理〉一文中的「『台獨』人士……金色夢」，頁186。

「台獨」們所寫的，你將如何對待？後生者該慎重，別叫「台獨」元老們罵你不夠敬老。千萬別把人家所寫的文章一筆勾消。

我得請教你，你自己作過二二八文獻目錄沒有？若有，請你惠投一份讓我們同仁參考參考。若沒有，則你根據什麼來武斷地判定我們在詆譭呢？

據我們所知，台獨運動的歷史不只是你所舉的十幾年而已，該長些才對。我們也知道早期「台獨」作家用的多是日文，他們的派系以及變化亦相當地多元且精采的。難道楚也君，你都把所有文章一一檢討過？我們無法知道你是何許人，但願你能看懂日文，不然你的讀者投書會叫「台獨」元老們笑死的。他們將說：「後生仔，別太衝動，你小老弟不能代表我們元老們發言的啊！」

不管如何，我們將會對我們的工作負責的。我們老早準備好，將在這一連串整理工作的最末一段，來作「台獨」朋友們的有關文章的「訪求與整理」。斯時當然會「拿出證據來」，與你（們）討論，還得很仔細地向你（們）請教的呢。

我們冀求你別再浪費精力和美金來向我們同仁作些「末節」的抗議，如有這個精力和時間，你們為何不做你們自己的「整理」工作呢？

希望你能心平氣和地來協助我們的工作。不管怎麼樣，這一類工作或許是你們認為不值得去做，或許是不願去做，更可能的是你不能做，我們不準備計較這些。我們一直希望人們能夠多提供有關資料，如此做才夠意思，才能對得起已犧牲的烈士、遺族，以及有關人員。你說是嗎？

我們極不願在此言論較為自由的國度裡，重新面對法西斯主義一類的困擾。我們更不願看到我們鄉親裡面出現一些敗類，粗製濫造一些帽子，到處找人亂戴，間接地、直接地來彈壓海外僑界的言論及學術研究的自由。

梅村仁

於暑假旅次中

本文原刊於《台灣與世界》第6期，1983年11月，頁5～6。以筆名「梅村仁」發表。係戴國煇等於《台灣與世界》連載「二二八史料舉隅」時，戴國煇針對讀者來函所作的回應，特收錄於此，以供參照

以客觀、理性的學術立場看二二八

1983年春夏之交，我正在加州大學柏克萊校區訪問研究期間，葉芸芸小姐為了籌辦《台灣與世界》月刊，特地到柏克萊來看我。

雖然，我早就認識葉小姐的尊翁葉榮鐘先生，但我不曾聽過葉家還有一位舞文善墨、且有熱情辦雜誌的小姐。

相聚一談，我發現她對台灣史，特別是日據末期、光復初期的史實相當熟悉，對台灣史的社會科學層次的認知寬廣且高深，頗與一般台籍同鄉有異，使我甚為驚奇，同時也非常高興。

我向她強調了三點：1.刊物的立場要超然；2.編輯同仁本身，必須建構有自我提升、培養連帶感之共識，以資推展業務；3.堅持、堅韌的持續性而奮發圖強，以期突破當前僑界在海外所發行、以「台灣問題」為主題之雜誌水平。而我願在學術方面對這份雜誌奉獻出一些棉薄之力。

當天，我還很具體地建議她開闢一個專欄，整理有關二二八事變的資料和史料。1947年發生的二二八事變，對光復以後的台灣歷史是非常重要的。自發生事變以來，已超過35載於茲，台灣的政局雖不斷地「與時推移」，但言論及學術研究自由之尺度卻未見相應向前放寬。有關言及二二八事變之禁忌仍然存在。

過去談二二八，均屬情緒性或政治掛帥性的「偏頗」之類，始終難於找出具有理性、客觀、公正的討論，更談不上社會科學層次的學術研究。

事變的發生，誠然是一場人間悲劇。長年累月延續著的影響，不但無以告慰無辜被犧牲的、不分省籍的孤魂及遺族，更是難以真正癒合因二二八引發的省籍矛盾及傷痕。倘若放置這個創傷，不讓人民言及或研究，將會成為威脅今後台灣社會安寧之「火種」。

我對《台灣與世界》這樣一份超然的刊物的出現，寄予甚大的期待，因而建議把二二八事變的資料和史料作客觀的介紹及注釋，以便提示台灣當代史研究的「範例」與「刺激」，並企圖為將來的學術研究來做好初步性的準備。

歷來對待二二八事變，已有幾種特定的政治掛帥立場：一個是傾向台灣獨立的立場；一個是國府的立場；另一個是中共的立場。一般而言，這幾種立場都甚少納入沉默大眾的聲音，仍然是「各取所需」，以各自堅定的政治掛帥立場來解釋，甚至於利用這一段歷史悲劇，形成一場學術界人士難於介入的泛政治屬性的爭論。

從研究歷史科學的觀點來省察，對這段歷史的整理與解釋，若先有了政治掛帥立場，而不經過調查研究（包括資料和史料的批判性整理），終局將只是把「歷史」扭成現實政治的短暫性利害之爭。

筆者對於長期來只依靠禁忌來覆蓋歷史創傷的鴕鳥心態以及

政策，一直主張不便苟同。它不但連治標都達不到，遑論治本，將讓「歷史陰霾」持續，甚至於累積成「民怨」而成禍根。

另一方面，我亦不贊成部分台籍同鄉藉以往之禁忌和壓抑而形成並籠罩在許多有關人士心中的這一道神祕的歷史陰影，來大作政治性煽動蠱惑文章，甚至於將欠缺真正內涵、懷有情緒性的一類「道德」批判，轉變為政客型之政治性訴求，以資製造仇恨，加深省籍矛盾的手段，來達到政客自己所意圖的政治目的。這一類作法無異是報復主義的顯現，只能延續悲劇的德性循環而已，無法達到止痛、療傷，以及吸取歷史教訓之境界。

只有站在正義、公正、不偏不倚之客觀理性的學術立場上來對待及研究二二八事變的全貌，才能接近事變之真相；才能有效地撫平歷史的創傷，以便經過吸收其悲劇性負面經驗而轉變為正面的歷史殷鑑。

作為研究二二八事變的前提所需，《台灣與世界》月刊一方面蒐集整理資料和史料在專欄上刊登；另一方面，葉小姐十分擅於利用她父執輩的人脈，多年來在台灣、大陸、日本、美國各地採訪，累積了很多有關事變的見證人之發言及見證紀錄，為了學術研究，做了非常紮實的準備工作。她默默地堅持這一項辛苦的工作，實在難能可貴。

我很高興看到如今這些「見證紀錄」結集出版，這本集子最可貴的特色是，葉小姐並不依據政治立場來選擇採訪對象，而是透過個人私誼，尤其是她父親的人際關係所蒐集的見證紀錄。當然，見證紀錄不完全等同於歷史真相，也不等於說葉小姐肯定所有見證人的看法。我相信，葉小姐的真正意願是：為了更開放、更民主、更科學的歷史研究，提供了更多元的聲音及資料而已。

做為一個歷史學術研究工作者，我感激並感謝葉小姐多年的努力。她的確為理性的、公正的、正義的、科學的二二八事變研究，打下了必要的前提性的基礎。這是把二二八事變歸還歷史真面貌的一個非常重要的里程碑，是很大的成就。因此，我樂於給這本見證集代為寫這篇序的。

1989年11月1日於日本梅苑　戴國煇

本文原收錄於葉芸芸編《證言二二八．序文》，台北：人間出版社，1990年2月，頁3～6

政治狂熱與政治悲劇

台獨訴求是今年選舉活動中最具爭議的話題，持此論者標榜言論自由，以凸顯其在現實政治中的抗爭意義。然究其實際，此論則又處處可見虛構及矯飾的痕跡，或許此一論調只能稱作一種「美麗的誤解」。

筆者前著《台灣總體相》一書，對台獨問題曾做歷史回顧，並引一位曾經從事反體制活動者的自我批評：

「毛澤東他們在建黨後28年建立政權。台灣獨立派卻一直生活在偉大的虛構與矯飾的世界裡，喊了台灣獨立40年，卻一事無成。到現在還沒有尋找出自己體質的缺陷，對運動也很少作自我反省。」

台獨的虛構與矯飾，一在違背歷史事實，強做合乎己意的陳述，一在缺乏普遍性與前瞻性，是一種封閉而退縮的政治運動。

台獨源起日本，再移至北美，當初參與者多為政府在台實施土地改革後，在現實政治中失去參與機會的中小地主及其後代。為了方便台獨訴求，硬生生地將並無獨立訴求的二二八事件及其帶來的民怨，和台獨主張聯結在一起。這是一種不符史實的後設性解釋，曲解了歷史真相。台獨意識的發生或許和中共席捲大陸更為密切，對國民黨缺乏信心而又恐懼中共的共產統治。以台灣長老教會而言，即因拒絕中共的意識形態而思抗拒。另從廖文毅、邱永漢等人早年台獨活動到放棄台獨，亦可看出端倪。等到台獨運動轉移到北美，各種團體、派系林立，互為競爭，各有矛盾，只要台灣一有政治事件，即喧騰不已。

為求台獨的理論發展，台獨先有台灣民族論，但事實只有高山族才屬原住民，這種台灣民族論和其狹窄的住民自決論只好逐漸解體或崩潰。

由台灣民族論過渡到台灣二千萬住民命運共同體的訴求，說明台獨的理論也在不斷變化。這也說明歷史是動態的，沒有任何一種訴求具有絕對條件，台獨訴求亦然。

今天民進黨內新潮流派系所主張的新國家連線和新憲法，以其組織的封閉性和政治狂熱所體現的政治性格，它卻缺乏一種具有前瞻發展的普遍訴求，而是退縮的，所以難以向前開展；只有藉由政治狂熱，升高政治爭議來尋求非理性的支持。

作為一種話題，在解嚴之前，台獨是一種政治禁忌，不便公開談論；台海緊張情勢也使台獨話題缺乏討論條件。解嚴之後，台灣國民平均所得已超過7,000美元，教育普及程度，文盲比率比法國還低，這些都是資本主義社會逐漸成熟的表徵與指標，正推動台灣繼續發展，言論自由的空間也相應成熟。

但擁有言論自由的成熟社會，相對也要有社會功能的角色的承擔，有必要避開政治狂熱帶來的整體悲劇。政治狂熱從來無法持久，其所以能造勢形成潮流，主要是利用民眾的不滿情緒，以狂熱作為發洩。此時唯有寄望理性來平衡，也才能逃過劫難。

歐洲的義大利出現墨索里尼（Benito Mussolini），德國出現希特勒，日本繼前述兩國出現東條英機，都藉由政治狂熱而來，毛澤東的文革更是如此，悲劇則由無辜的民眾來承受，然而在當時的「政治狂熱」卻是民意，它是藉由造勢形成的既是非理性又是短暫性的民意主流。

日本學者矢內原忠雄在戰前以基督徒人道精神和馬克思（Karl Marx）的方法論寫了一本《日本帝國主義下之台灣》，在台灣殖民地立即查禁，後更因軍國主義的政治狂熱，被日本東京帝大解聘，戰後則受歡迎返校並榮任東大校長，這個史例說明言論自由畢竟是不能壓抑的，而政治狂熱更是危險的。面對倒過來的台獨言論，如何掌握言論分際也就很明顯了。

一位台灣老政治犯曾形容台獨是「美麗的誤解」並這麼說：「在外國一滯便20年以上的台灣獨立運動家，對實際情形太隔膜。據說多數人很可能仍然深信，只要能進入台灣，喊一聲『台灣獨立萬歲』，所有的人都會追隨過來。是多麼美麗的誤解啊！……

「因經濟成長而加厚的中產階級，無論是政治意識或人權意識，都提升甚多。加上對參與政治、參與社會的意願也旺盛。可是假如以為這些力量會直接與他們提倡的台灣獨立運動相結合，也未免太天真了一點。……

「大多為中產階級的台灣人，所關心的卻是偏重於世俗的舒適和物質上的享樂。他們事實上仍然繼續做反對運動的觀眾，而不願直接做推進運動的群眾。不明白這個嚴厲的現實，是可悲的。

「所有的中國人，『左也罷，右也罷』，『大陸也罷，島嶼也罷』，都是同胞呀。希望能對人類作出偉大貢獻的一天快快來臨。」

本文原刊於《聯合報》，1989年11月24日，3版。係戴國煇口述，由記者王震邦記錄整理

道歉的政治哲學

——二二八的善後抉擇

1990年代台灣第一個春天，冷冷暖暖的起伏變動，不只是自然氣候的更易；就人文潮流論，還是歷史面臨大轉換時刻的非常景致來的重要。在這不尋常的歷史時空中，要讓台灣跳出過去的小格局，進而與世界大趨勢結合，共同選擇未來，台灣的政治革新已不能再以過去「傳統小動作」的敷衍方式得過且過，而必須提出政治哲學所支撐的大智慧來因應。

不可淪為小動作

立法院在二二八前夕無異議通過將默哀一分鐘，以哀悼不分省籍的二二八死難者，這是一個朝野間好的、新的開始，可是這樣嚴肅的儀式，千萬不應讓它淪為形式上的「小動作」。

特別在此刻，我回憶到1985年西德總統魏茨澤克向全世界所發表，富於自我批判卻具有前瞻性的演講「追思與和解」。它的重點在，以日耳曼民族的立場向第二次世界大戰納粹受難者（包括猶太裔人民），表示深沉的歉意。並呼籲德國人民切記先人所犯的錯誤，要大家攜手一起向全世界人民求寬恕及和解，並力謀更光明的未來。這個演講轟動一時。

第二次世界大戰後，西德儘管有「新納粹」保守勢力的存在；在執政黨一直堅持無限期追蹤納粹戰犯，樹立西德在國際政治上的道德風範。有這種社會基礎與背景，才彰顯出1985年「追思與和解」歷史性演講的衝擊力，也才有最近柏林圍牆倒塌後，東德當局表明願意與西德共同擔負起對猶太裔受難者的道歉賠償責任。

日本始終不認錯

比起日耳曼民族，日本同樣有著傲世的經濟力，但日本卻一直沒有得到其他民族及國家的尊敬。追其原因，不外是日本當局少有對第二次世界大戰期間軍國主義侵略罪惡，進行嚴肅的自我檢討與賠罪。十數年前，昭和天皇曾訪英倫，因為未對戰爭責任表示歉意而被英國人民丟雞蛋，在國宴中受到退伍軍人協會的集體杯葛。此事記憶猶新。

從德、日兩例比較，可以理解「道歉的政治哲學」不但有利於自我民族的新生，同時也對建構自己國家在國際政治上的道德形象有莫大幫助。

雖然這些都是發揮政治哲學的國際性例證，但是我們應該認知高水平的政治哲學是具有普遍性的，不但適合於國際政治，也適合國內政治分歧的解決。

打開歷史黑盒子

二二八事件是台灣戰後政治發展過程中，最重要之「負的歷史遺產」之一。如何克服這個負數，是解決當前政治危機的緊急課題；如今台灣更迫近選擇新總統與領導體制，開創未來民間潛能的時刻。整個關鍵其實繫於對於「不透明的過去」如何做好批判性的整理與交代。

我們期待新總統能掌握高度的知性的領航藝術（intellectural leadership），而發揮政治哲學，解開有關二二八事件之「陰影、黑盒子」，更進一步地把「不透明之過去」明朗化，以資消除省籍矛盾與對立，讓台灣邁進新的和諧境界。

本文原刊於《自由時報》，1990年2月27日，3版。係戴國煇口述，由自由作家楊憲宏整理

鑑往知來

——事件目擊者之一言

43年來，二二八事件所帶來的悲劇與不幸，表現於政治層面的，卻是一片虛構與矯飾，除非能以更大的道德勇氣撥雲見日，還其歷史真相，讓虛構與矯飾的手法解體，台獨乃至各種可能出現的低俗政治對抗，仍會寄生於二二八事件的腐肉上。

透過民意訴求，立法院無異議地通過要為二二八死難者默哀一分鐘，這是43年來，首見發端於政治體制內，對二二八事件的哀悼，這個動作或許有人覺得遲了一點，但總比沒有好，雖然這之於二二八事件，仍屬象徵層次的表達。

從這裡，我們不妨把眼光放大到正在劇變中的東歐，東德宣布要為當年希特勒屠殺猶太人道歉並給予賠償，這還是不同種族之間的，對歷史悲劇的反省，而其背後更有深刻的思想上的、學術上的意義，從而得以超越政治糾葛，並提升政治生活的內涵。

然而二二八事件，落在今天的政治抗爭裡，卻仍停留在泛道德、泛情緒的層次上，對整個事件的認知不過是東抄西湊的剪貼，結論更充斥膚淺的政治口號，群眾意識淪陷在這種不負責的論調裡，更誤認解決了二二八事件，就解決了一切。

筆者在二二八事件發生的當時，正就讀台北市建國中學初中部三年級，親歷了暴力在剎那之間奪去了師友的性命，還有許多與事變不相干的悲劇在那裡蔓延，但何曾有所謂台獨出現。數十年來，二二八的鮮明印象，讓我痛心疾首那些貪官污吏，但同為中國人，在回歸祖國之初，立即出現省籍衝突，更覺得那是人間的悲哀。

當年建中老師，曾任檢察官的王育霖，就是因為抓貪官污吏，遭人挾怨報復致死。我目睹請願民眾走向長官公署遭到槍擊，更目睹外省籍小孩在公賣局附近遭暴徒拖踐在水溝內重傷，口罵豬仔、清國奴，難道這些都是無辜小孩子們應有的下場？

事件之後，建中校長原籍高雄的陳文彬先生不見了，後來才知他回大陸推行語言統一工作，台獨斯時又在哪裡？

接近歷史真相的了解應是二二八事件之後，老台共的謝雪紅和日後搞台獨的廖文毅仍流亡在香港，是在中共建立政權後，謝雪紅回大陸，非共的廖文毅只有到日本去發展台獨另樹一幟。這其中還有國際環境的推展，美國當時確有意推動台灣託管論調，並暗中支持台獨。

面對這些歷史的扭曲，就個人而言，在感情上不能不為死於非命的親友留下紀錄，但站在歷史研究的立場上，更應超越個人感情訴求的層次，以更大的視野，蒐集相關史料去探索二二八前後所發生過的一切。過去數十年來，因為政治上的許多禁忌，研究二二八，蒐集二二八史料，往往遭到非理性的猜忌和限制。歷史事件既遭壓制，泛政治的扭曲自然隨之展現，這又不僅是台獨在利用二二八而已。

這也說明，以歷史的眼光處理二二八事件，本身極具有重大意義。而且我們還要說，以研究二二八為例，研究它並不止於將二二八當年真相還原，那只是消極地走回過去看看。事實上，「現在」就是歷史積累的反映和表現，「未來」更是歷史接上現代向前的延伸。

據此來看待二二八事件的研究和理解，不僅應當還原當年真相，還要能面對現在，解決未來可能演發的問題。若說今天從事二二八訴求的多在虛構與矯飾之中寄生，那麼就應以更具說服力的實證來解構矯飾與虛構，這是筆者個人的心願，也是自覺作為史家的責任。

以謝雪紅（老台共）與二二八為例，因為長期的禁忌，能接觸的材料限制，所有的解說，大概都受到情治單位的材料控制和意識形態上的曲解，那些都不能算是學術性的，自然也不可能求真。站在對立面的反抗訴求，則藉此大作其政治「生意」。

中共在謝雪紅的事件上也同受扭曲，站在中共的立場上，由於當年在台領導台共的蔡孝乾「變節」，無從給予蔡孝乾在二二八事件中的地位，謝雪紅更藉機在大陸發動對蔡孝乾系統下人馬的批鬥，致使參加二二八事件的台共人士回到大陸後，均不敢說出真相，而任由謝雪紅編織她在二二八事件中的起義地位。而這些是那些以台獨作為政治訴求、扭曲二二八事件者從未能敢於面對真相的結果。

大陸對二二八事件的虛構和矯飾反射到海外，層層扭曲真相更見模糊，甚至還成為官方引證的材料。

再以陳儀為例，在整個事件中，陳儀應負重大責任，但陳儀和當年國府中央是有距離的，因未獲親信，所以他並沒有能力控制台灣全局，許多災難的發生或許與軍情單位有關，但陳儀在歷史評價中卻要負起所有責任，這也是另外一種對歷史的扭曲，責任豈僅全在陳儀的領導和指揮。而是各方都在利用他，或是推卸責任，或是主張暴力有理。

今天我們可以看到許多二二八當年人物，在解嚴之後不斷膨脹其個人在事件中的地位，好似烈士一般，但我們知道，這中間還有更多的內鬨，並在事件之後借刀殺人。其所以被誇張、被膨脹，和當時犧牲了許多菁英有關。若是平民，事件過後誰也不記得了，也不致成為政治訴求了。事變本身的悲劇性格之外，更大的悲劇是讓我們看到整個事件所呈現的文化陰暗面，前面提到的內鬨和借刀殺人是一種，更悲慘的是政治上的愚蠢，所有參與者、事件的相關者，幾乎都不能理解他們當時在歷史上的角色和自我定位，一憑好惡和情緒來尋求歷史問題的解決，傳統文化的官場餘毒反而不斷地發酵作用。

回過頭來看今天的政治反對運動，誇張省籍意識，正和當年的翻版逐漸接近，而人類文明之所以毀滅正是政治上的愚昧。荒謬的更是那些反對者自以為在選舉中獲小勝，馬上就有能力治國，和光復後，省籍菁英誤認為日本人一返回日本，他們就能掌握一切，也如出一轍。來自愚蠢和愚蠢的衝突，只會看到更大悲劇的重現。因此，我要說，歷史的過去和現在乃至未來發展，是通底的，那是我們社會的共同基礎。

立法院為二二八不幸事件默哀，是還原歷史的開始，然而在象徵意義上，我們是不是還能進一步從悲劇中吸收並掌握些什麼，是不是可能重建我們在道德層次上的反省，提升我們政治生活中的倫理規範。有人倡議予死難者道歉，給予後代賠償，這些都是表象暨形式的，更重要的是在物質之外，我們能不能找到消弭仇恨的共識，建構一個更和諧的人道主義民主社會，讓所有來自泛道德和泛政治、卻不負任何歷史責任的虛構與矯飾，經過二二八事件更徹底的探索與澄清，不再讓有心人能找到寄生的創口。

歷史的傷痕，唯有從反省的過程中才得平復，今天站在檯面上的政治人物，要是能從二二八事件中學到教訓，敢於反省和道歉，也才能對擺脫陰影有幫助。

本文原刊於《聯合報》，1990年2月25日，3版。係戴國煇口述，由記者王震邦整理

爲二二八建碑慎重從事

行政院二二八事件專案小組，昨天開會決定在明年二二八之前成立一個建碑專案小組，對此決議，我認為政府既然決議建碑，對於建碑事宜則應採慎重態度。

政府既然決定成立建碑委員會來研究建碑事宜。如此作法，我認為其性質應與目前由民進黨人士與二二八受難遺族所倡議，而在嘉義市所建的二二八紀念碑不一樣。這又可分兩方面來談，第一，除了嘉義市已經設立紀念碑之外，據說民進黨的屏東縣與宜蘭縣長亦要在該縣內建立二二八紀念碑，然而一旦紀念碑建多了之後，即可能失去其原有的紀念意義；我們或可以說，紀念碑建多了等於沒建，更何況，碑建多了反而成為一項勞民傷財的舉措。

第二，我曾經到嘉義市去看過該紀念碑，依該碑的碑文來看，它主要是以紀念二二八受難犧牲的菁英為主，在主題與觀念受到相當的限制，而且亦無法完全涵蓋全體受難者。事實上，二二八事件的受害者並非只有這些菁英人士，它還包括許多無辜的百姓和當時在台灣並受本省菁英尊重的一些外省人士。就我所做研究顯示，有許多百姓是由於不了解戒嚴為何物而無辜受害。因為在日本統治時期，除了前期與後來的山胞武裝抗日行動之外，漢族用武裝抗日行動愈到末期愈少，因此日本統治是採取特務統治，使百姓不了解戒嚴為何物，從而亦不知國軍為了防止暴動所採取的戒嚴作法為何，遂在不知情的情況下無辜犧牲。另一方面，大家亦忽略當時在台灣的一些外省籍受難者。茲舉一例說明，一位在日據時代末期來自北京的徐征老先生，在台灣教一些台灣菁英北京話，本人並未參與當時的二二八事件，但是卻也在3月15日無故失蹤。這些人似乎並未受到大家的重視；因此我認為行政院若是要建立紀念碑的話，應包括一般百姓以及這些外省人士，這樣才算是完整。除此之外，政府建碑的碑文，應強調未來我們不應再重犯類似錯誤，要吸收歷史教訓，以史為鑑。

本文原刊於《聯合報》，1991年11月8日，4版。係戴國煇口述，由記者鄒篤騏整理

犧牲人數應可考證，抹平傷口應補償

省文獻會出版《二二八事件文獻集錄》，此為官方首次公布有關二二八事件的調查資料。姑不論內容可信度如何，但能面對此一不幸事件，誠令人欣喜，尤其集錄中登載了國軍前第二十一師參謀長江崇林的訪談稿，證明軍方人士都已開始出面澄清，為歷史作見證，畢竟不同往昔，是很好的開端。

不過，就歷史論歷史，這部集錄雖可予高度評估，但究其內容，仍有待慢慢詳細探討。可論之處如下：

第一，關於事件犧牲人數方面，各方數字不盡相同，而且差異很大。有些資料所列死亡數字高達十幾萬人，也有三、四萬人不等的，就學術與真實而言，這種數字簡直開玩笑。中國人對數字概念極為模糊，加上被迫害一方往往誇大犧牲數字，這一來，會讓不想誇大事件的人，也誤認二二八事件是死了很多人，但情況是怎麼一回事呢？

據了解，二二八事件有些未參與實際活動的台籍律師、醫師等失蹤或被暗殺，這些人都是資產階級、本土菁英，在社會中有頭有臉，甚至未曾批評陳儀或長官公署一句，卻落得淒慘下場，愈發引人同情，廣為流傳議論，因各階層人士的群眾心理同情而激發擴大了犧牲人數。像這種可能情況，會造成數字的不實，不過，各種資料上的數字，如三至四萬人間，則可確定值得懷疑，因此，二二八的死傷人數，還得好好研究，使其接近事實。

第二，部隊從基隆上岸鎮壓事件這一段過程，江崇林的訪談並未交代清楚。這一段很重要，因為這批部隊剛打完抗日戰爭不久，行前又聽聞台胞已在台灣唱著日本軍歌攻打外省人，一方是抗日部隊，一方又被形容為搞日本名堂，加深彼此接觸時的仇恨心理。就軍隊所經沿途百姓而言，經過日本長期統治後，已淡忘戒嚴究為何事，面對事件鎮壓的警覺性不高，但內地部隊卻認定戒嚴行動就是「你出來我就幹你」，所以一旦衝突起了頭，怵目驚心之餘，老百姓會立刻防衛自己，因此，犧牲可能僅在初期，往後或會逐漸減少。以後繼續研究二二八事件時，應注意這一部分。

第三，至於集錄所談關於高雄那一部分情況較為特殊，軍人為了保衛要塞及武器彈藥庫，必定與百姓發生激烈衝突，犧牲可能大於北部。不過，目前尚有高雄地區的見證人存在，如王玉雲先生等，這一部分官方資料發表後，他們也會有意見與看法，相互參照之下，真相將可慢慢浮現。

過去一段歲月裡，二二八事件被迫害人數所以不斷擴大，咎責在政府當局，因為長時的禁談此事，把事件扭曲了。今日台灣的民主逐漸落實，很多事都可議論，不難水落石出。政府公布這份資料讓民眾參考，這種態度與作法是進步的。

不過，究竟有哪些無辜者在事件中犧牲了應可考證。以台灣戶政的完整（因防中共侵犯），不妨讓遺族有自我申告，提出事件時死亡、失蹤證明，並佐以人證，只要不是從事攻擊部隊而犧牲者，經過調查確認，都應予補償。至於如何補償，各方尚可詳細討論決定，唯應明示、申告絕不影響家屬任何權益，因有民眾向我反應，他們仍擔心害怕遭受各種刁難，危及自身，這不是聳人聽聞，而確是案例實情，基於愛護台灣，希望舉國和諧，抹平傷口的情懷，敢不為死者呼，敢不為當局諫。

本文原刊於《聯合報》，1991年12月1日，2版。係戴國煇口述，由記者謝邦振整理

對事不對人，恨事不恨人，可恕不可忘

行政院二二八事件研究小組所提出的研究報告，在定稿後即將公布。不過，這項研究報告的公布，並不是有關二二八事件的學術研究的完成，僅是真正的開始。

目前許多人在對於二二八事件所作的研究，以及事件當年相關人物所發表的事件經過，都還存在著糾葛難解的心結。因此，有關事件的責任歸屬、事件的死傷人數，以及省籍菁英失蹤情形等問題上，始終曖昧不明，難以釐清。由而，各界應先建立「對事不對人，恨事不恨人，可恕不可忘」的共識，然後才能秉持此一原則，化解心結，交代真相，以便對二二八事件作客觀公正的研究與處理。

例如，就有關事件的責任歸屬、事件的死傷人數，以及省籍菁英失蹤情形等問題而言，前台灣警備總司令部參謀長柯遠芬日前所發表的〈台灣二二八事變之真相〉，雖然有不符史實之處，但其中仍可挖掘出不少玄機。

柯遠芬把事變發生與蔓延的大部分責任推給台共以及台獨人士；然而當時的老台共有些尚未歸隊，地下人員來台不久，固然有部分個別參與者，以及小規模組織參與的情形，但其力量實不可能發動這場事變。此外，當時或有部分人士有台灣獨立的思想，但人數不多，也怕漢奸罪名，台獨思想多不敢表白。

柯遠芬還指出，當年2月28日下午6時左右，即有專機自南京攜來蔣主席手諭，詳示處理原則，以後事變處理，即據此施行。但就常理判斷，事件本身在28日黃昏時，是否已經發展到需要自南京專機飛台指示的狀況，不無疑問。這應是柯遠芬將責任往上推託的說詞。

此外，柯遠芬在其文中多處透露，在事變過程中，曾多次召集並指揮憲兵團、警備總司令部調查室以及軍統局台灣站等單位，進行部署戒嚴，偵察監視，以及緝捕平亂等行動。柯遠芬雖未對這些由他個人直接指揮行動的責任有所交代，但許多相關問題在此卻已透露出玄機了。在事變過程中失蹤的省籍菁英，主要是憲兵、警總以及軍統局等三個事先即已展開偵察的單位所逮捕的，這個部分的責任，柯遠芬難辭其咎。

至於在戒嚴中於基隆登陸的整編第二十一師，事先只聽說暴民亂殺外省人，而其時台民又多不明瞭所謂戒嚴令的真正意涵，因此就發生了軍隊亂開槍的情形。這段期間犧牲的民眾相當多，但因毫無組織，且無人出面幫忙講話，死傷的人數難以估計。這個部分的問題，則是整編二十一師應負的責任。

這些問題，其實早就應該以客觀公正的態度來研究和處理的，但正由於許多人的心結尚未解開，就使得問題更加曖昧難明。不過，目前法律早已失去追訴的時效，而文明社會也不應持有報復主義，大家都應建立「對事不對人，恨事不恨人，可恕不可忘」的共識，才能為更美好的明天，共同努力。

本文原刊於《聯合報》，1992年2月11日，3版。係戴國煇口述，由記者林琳文整理

陳儀該不該爲鎮壓行動負全責

陳儀既是當年二二八事件爆發時的台灣最高行政長官與警備總司令，則行政制度上的責任是無法規避的，但是若深入了解當時的政治情勢，則他實際上是無權擔負所有的責任。其原因之一是國民黨內部失和，而他與CC派之間也存有矛盾；另一個原因是他沒有實際的軍權，無法直接調度指揮軍隊。因此，陳儀所握有的公權力並未完全獲得貫徹，如要追究引發二二八事件的責任，須以較科學及客觀的態度來評論陳儀所必須負起的責任問題。

陳儀當初所能控制的公權力有三：第一是憲兵第四團；第二是警備總司令部調查室；第三是軍統局台灣站。由於當時的情勢使然，軍隊的真正指揮權，往往囿於子弟兵的觀念而歸屬於統領該部隊的師長或團長，因此陳儀雖名為台灣最高的軍政首長，實際上卻節度不了在台的軍隊。其次，警總內部的調查室是由警總參謀長柯遠芬統轄，而軍統局的台灣站站長又非陳儀，而是由林頂立擔任。所以這三個機構在行政制度上雖隸屬於陳儀，但根據柯遠芬萬言書的內容而言，柯遠芬不諱言地指出陳儀必須經由他才得以指揮調度此三機構，而柯在文中亦指出他自己在處理二二八事件時，均事先透過這三個機構來調查並進行逮捕。

此外，彭孟緝近日公布的回憶錄亦可看出，事發當時，陳儀主張以政治解決，但彭卻以情勢惡化不容再有延擱，而必須以武力鎮壓暴民。因此，陳與彭之間對如何解決事端已有分歧，再加上彭指出當時他與陳儀之間已無法保持聯繫，顯見高雄市的鎮壓應出於彭的個人判斷，不應歸責於陳儀。而事發後，中央派抵台灣的軍隊為劉雨卿所率領的整編第二十一師，原屬四川軍，對台灣的情況並不了解，陳儀在軍事指揮權旁落的情形下，實際上只能負調整、聯絡之責。因此，陳儀是應負起道義與行政制度上責任，而鎮壓、逮捕、暗殺等責任，陳儀是無法負全責的。

實際該為清鄉行動負責的應屬柯遠芬，因柯在事先未得陳儀的充分允許下，便自行利用軍統局等三個特務機構進行逮捕鎮壓，這亦是後來白崇禧、楊亮功來台巡視後指責柯遠芬擅權的真正原因。

本原刊《中國時報》，1992年2月21日，6版。係戴國煇口述，由記者陳秀玲採訪整理

寄望把二二八思想化及歷史教訓化

此次行政院公布的〈二二八事件研究調查報告〉雖然文章頗長，但在研究的成果而言，仍只是一個開端而非結束。畢竟，把重要史料予以公布，才能使學術界在研究之時可以公平競爭，互相提升研究水平。以往祕而未宣的史料得以公布，即使仍然不完全，但是這些一個開端，尤其在追究原因、歷史責任、事件真相等重要課題上，這個調查報告仍屬有限。

重要的是，任何歷史研究背後皆應有一套哲學為基礎，在這份研究中，較為缺乏的恐怕就是這個部分，因而成果會顯得與其研究資料之豐富難成正比。

對二二八真相公布與建碑活動等，我的看法是這樣的：

我們若不以歷史科學、社會科學的知識及方法為基礎對二二八進行深刻的反思與總結，而使得立碑運動不過淪為一種情緒性的風尚，非但失去紀念二二八的意義，也只是徒然增加社會成本，加重民眾的負擔而已。

像二二八這樣傷亡慘重的歷史悲劇，遺族與整個社會都可謂創鉅痛深，然而，過去學界卻鮮見有考證精審的資料彙編與見解精闢的論述。從嚴謹的歷史與社會科學研究的觀點來看，有關二二八的文章，大體上仍停留在比較粗糙的感性認知階段，還沒有加以提升，做深刻理性的認知，因而許多史實與觀念仍未釐清，陷於錯綜糾葛，顛倒錯亂，久久不得其解，遺族的傷痕也就難以癒合。

從這個視野來看，目前的調查報告還是未達到建立理性深刻認知的思想層次。

對於歷史事變的反省態度，我們可以把德國與日本做一比較，並從中得到教益。德國與日本都曾是掀起第二次世界大戰的法西斯帝國主義國家，他們的侵略暴行使上千萬人喪生，近億人顛沛流離，尤其德國人對猶太人的種族性大屠殺，日本人對中國人乃至亞洲各國人的濫肆殺戮，其殘暴不仁令人髮指，引起舉世公憤。不過，德國人在戰後，衷心誠懇地表現了懺悔悔罪之意。除了追究法西斯主義對歐洲世界與世人造成的禍害，表示道歉、賠償之外，還以深厚的歷史科學、社會科學素養，進行深沉的反思、自我批判。把法西斯主義的根源，向自我深層心理做了誠實且深刻的清算，從思想層次上做了歷史總結。

反觀日本的表現就遠不如德國了。日本當局到現在仍不肯為他們在第二次世界大戰中的罪行，向中國與亞洲人民表示誠懇的道歉、悔罪之意，只是曖曖昧昧、模模糊糊地說些「遺憾」之類的話。因此，日本如今雖已是經濟大國，仍舊得不到國際（特別是亞洲曾受日帝侵略的各國）的諒解及信任。

因此，我們應當以日本為戒，不要使二二八的紀念活動，流為只是喊口號，做表面文章。我們若不以歷史科學、社會科學的知識及方法為基礎對二二八進行深刻的省思與總結，而使得立碑運動不過是淪為一種情緒性的風尚，也未能跳脫政治秀的結局，豈非是一種社會資源的浪費？非但失去紀念二二八的意義，也只是徒然增加社會成本、加重民眾的負擔而已。尤其我們應該力求使二二八亡靈的犧牲，成為落實台灣民主政治的助力，能像日本四國愛媛縣宇和島市，為紀念一代法學宗師——穗積陳重所建的路橋一樣，讓後代台灣人踩過，通向民主之路，而不是任其淪為政治人物做政治秀的題材，讓二二八的歷史意義風化，那就不單是二二八亡靈的不幸，更是台灣住民的不幸，民族的遺憾。

建立全住民真正能接受且完美的二二八紀念碑，藉而把民族病變的後遺症治癒，並昇華使其歷史教訓化，且期許其能更上一層樓，創造性地把它轉化為「思想」。也就是說把二二八思想化，才是有識人士由衷的期待及該抱持的課題。

本文原刊《中時晚報》，1992年2月11日，3版。係戴國煇口述，由記者楊渡整理，並參照戴國煇《愛憎二二八》的粗稿整理而成

在二二八事件中的發現

——細評二二八研究報告

今年的二二八之所以形成各種討論及許多出版品的出現，包括了官方的報告（行政院與台灣省文獻會），主要的是為了解決環繞在統獨問題、歷史傷痕二二八以及如何走向未來的大問題上。研究歷史之目的及真正的意義在於：如何通過歷史的反省與沉思得到知識與教訓，並讓真正的知識及正確的認識引導我們更好地走向更光明的未來。基於此，我就不能不有所言。

行政院的調查報告當然不無政治解決的目的在內，即通過對二二八的調查報告，解決環繞在二二八周圍的各種政治上的恩怨糾葛，包括省籍矛盾、統獨問題等。但我們不得不先提一個哲學性思維的問題：何者為學術研究？何者為政治解決？

真正的政治，即政治家（statesmanship）的政治，而非政客（politician）的政治，它必須經過真正的學術研究才能實現有治國之風、政治家風範的政治。從這個思考來考量，此次行政院的調查報告能否獲致真正的「政治解決」，就必須視其學術研究之水平而定。如果學術之水平不足，則政治解決之目的就會落空並不易落實。

政治交代，無法撫平傷痕

此次二二八調查報告的出現，因而隱含著一個矛盾，即政府是在民間的強烈要求之下，著手進行本身的政治交代的意味非常明顯；然而，真正的學術研究又非一時一地之「政治交代」就能取代而處理完成。因而，行政院的調查報告雖然一再強調不受任何政治之影響，但是學術研究之態度，處理歷史事件背後之哲學是否具備足夠水平，卻不能不受到質疑。需知今日台灣民眾的教育水平是非常高的，如果不做誠懇、踏實，且具備學術基礎的研究，民眾是無法被說服而輕易同意這種「政治交代」的。它依然解決不了問題。換言之，一個學術水平不足的調查報告，如果只是基於一時性的而非面對歷史交代的，則無法從根本上消弭二二八的傷痕。

再其次，學術研究的方法與哲學是另一值得反省的課題，學術研究其中如何尋找證據、使用材料、採取觀點都是重要的問題所在。從報刊的閱讀中知悉，研究小組訪問什麼人、用了何種資料，但需要了解的是，訪問事件當事人會涉及訪問者的觀點、資料掌握、認知

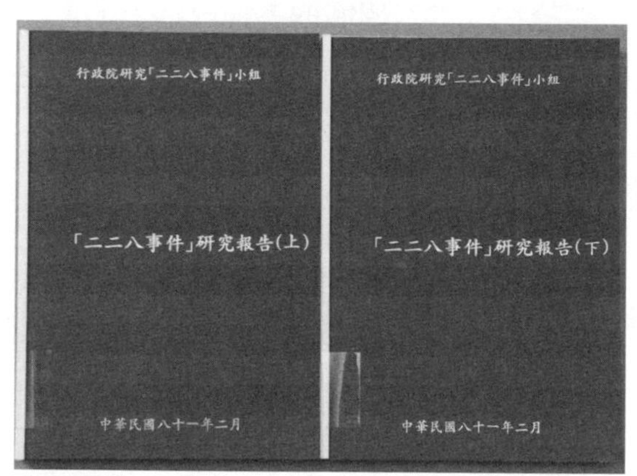

由行政院出版的《「二二八事件」研究報告》（上、下）

水平、提出詰難及問題的切入視角等，具備上揭良好諸條件才能問出重點來的。如果並無觀點及焦點的充分掌握，則訪問會變成另一種資料性（甚至是誤導或無用的資料）的羅列而已。現在的討論似乎只要能訪問到柯遠芬、彭孟緝就足以解決問題似的，但這其實是「形式邏輯」，形式邏輯根本解決不了關鍵性問題，真相能否呈現仍然大有疑問。例如柯遠芬的敘述中表明二二八事件當日就請示南京，並有蔣介石之指示，這一點我是不相信的，它很可能是當事人把歷史責任往外推的呈現，訪問者很有必要加以追問的。

就檔案的使用而言，也必須對其絕對性與權威性加以質疑。一般似乎認為只要檔案公開，真相就會呈現，但事實不然。歷史之研究可分為兩部分，其一是史料的整理與鑑定，以判別其來源、說法之可信程度，能否引用等；其二則是歷史的解釋。以柯遠芬之萬言書為例，我們如何加以「解讀」，背後將涉及有無史實之考核、「史德」之具備以及思想上有無歷史哲學為基礎，否則將構不成對歷史的解釋。把檔案資料加以整理羅列而構不成歷史之解釋，對高水平的讀者而言，是無法讓他們滿意的。高水平的讀者是需要研究者將資料進行批判性的鑑定，去偽存真，並構成一套思想體系，以歷史哲學加以解釋，才能對這段歷史敘述加以認可。從這個觀點來看，這次報告有無此種水平是關鍵所在。大家或許可以原諒，因時間太匆忙，但是就學術而言，終究是缺憾。

最值得討論的毋寧是研究小組的史學方法是否足夠全面。從報告來看，當時之大陸社會經濟情勢、當時之國際關係對中國與台灣之影響等，都未被充分討論，缺乏這個具有中國史、世界史視野的二二八事件調查報告，其實是難以全面性地解釋這個歷史事件的。

舉例而言，當時美國已準備在亞洲保持霸權，因此考慮琉球成為其對抗蘇聯的基地之一（是時中共力量尚未明顯壯大），需知菲律賓已成為其殖民地，若要把琉球、菲律賓聯結成為對抗蘇聯的一條「陣線」，台灣應如何處理當然在美國考慮之列。這就涉及到台灣人第一位留美博士林茂生為何死亡的可能原因，因林茂生曾以其流利之外語訓練陪同其他人到美國大使館去交涉及請願。光復之初，國民政府的軍隊主要布置在大陸西南，接收台灣的相關官員，主要靠美軍的飛機及海軍陸戰隊的登陸艦之運輸，即便是在台北中山堂接受日本人投降的典禮上，都還有美軍代表在觀禮。國民政府對美國的動向與如何處理台灣，一直深懷疑慮，處處提防，這點在二二八的處理中是非常重要的考慮因素。不應該忘記的是，決定二次大戰善後及台灣前途的關鍵性國際會議，其中開羅會議（美、英、中）及其宣言僅是先行會談之一而已。最重要的卻是雅爾達會談（美、英、蘇，1945年2月4日）→波茨坦會談（杜魯門、邱吉爾、史達林，1945年7月17日）及其對日《波茨坦宣言》的發表（同年同月26日）的系列，以美、英、蘇三大國主導的決策之推行。在此系列會談，蔣委員長一概不曾被邀請參與。所能接到的，僅是照會和通知。實際上，斯時的中國是沒有足夠發言分量的。蔣介石雖然參加了三巨頭的開羅會議（1943年11月22日～26日，27日簽署《開羅宣言》，12月1日發表），但往後的重要國際會議都沒有過真正的參與。面對當時國際關係的史實，國民政府不應該再扮演阿Q，視而不見地當作沒這回事，從而淹沒了台灣前途關鍵性決定的真相。

因果解釋，稍嫌過於簡化

這些當年的國際關係，並未在報告書中被清楚地當成重要關鍵因素來分析。

這份報告書在三個方面的陳述顯然不足：

第一，台灣光復前後的社會經濟背景（包括社會、社會力）：並未清晰陳述，而只是談到文化差異，言下之意台灣人生活已比大陸人進步，文化不同，才造成衝突。但這種分析卻模糊了社會經濟結構層次的問題。

第二，對中國政局之分析必須清楚：當時國共兩黨已開始爭奪領導權，暗中較勁。一般的論調後來傾向於說陳儀壞、國民黨不好，但做為國民黨內派系——政學系的頭頭之一的陳儀，到底想在台灣做什麼？他的企圖何在？國民黨內的派系傾軋會不會影響陳儀之主政？台灣光復後的資源會不會被視為一塊肥肉而為各個派系山頭所染指？具體的統治情況為何？這些，恐怕也是研究小組難於陳述清楚的所在。

第三，國際關係之大背景亦未充分掌握：在前述的問題之下，研究報告遂極易流於一般性論調，即「台灣人是挨打、挨欺負的，因而要還手」以解釋二二八。如此般，顯然有過於簡化之嫌，這又如何作為「政治解決」的真正依據呢？

曾經經歷二二八事件及「白色50年代」並有親屬在其中死亡的筆者自己，以嚴格的學術水平對研究報告加以批判，內心裡真正的希望是如何使我們的認知由當年的「無知」而走向較為深層的「反思」。

光復之初，滿懷熱情在基隆港、松山機場、台北街道沿途揮舞國民黨旗及國旗，歡迎接收官員的台灣民眾，認為日本人的離去，台灣回歸祖國則立即可進入烏托邦之中。熱情雖然純樸、善良、可愛，但對當時國際關係認知的不足、大陸政局的變幻莫測毫無所悉，自身社會經濟條件基礎與主政者的行政長官公署狀況亦未能掌握，遂使過度的烏托邦幻想剎那間破滅。破滅的烏托邦又立即轉向反面，成為二二八事件中一些未充分考量的舉動，以及提出許多主政者難以接受的條件。

建構在烏托邦上的認知不足，其實才是問題所在。它可視為一種innocence，一方面是天真、善良，充滿可愛的熱情，但另一方面卻是無知、缺乏常識，甚至有些愚昧。例如，二二八時蔣渭川曾誤解有CC派在背後支持，而喊出「陳儀這個阿山，只要一嚇就會把政權交出來。」而渾不知背後鬥爭之複雜性。innocence演變為激情的口號，終於發生如是的巨大悲劇。許多人到現在還認為二二八的憤怒與激情既是出於天真、純潔的熱情，因而是無辜的、無罪的。對當時之種種反而認為起事者無任何應該自責、自咎、反省之處。這其實只是既不負責又懶惰的片面性思考。

深度省思，方能記取教訓

這樣的反應終究未達「反省」之層次。正如大陸不該又不能把文革之責任全部推給毛澤東及四人幫，民眾與附和者亦應負有連帶之歷史責任一樣，我們在反省二二八之時，所應克服的即是這種innocence所帶來的素樸性認知。如果不克服，就會變成由一個innocence走向另一種反面的innocence，似乎只有人公布真相、道歉、補償、建碑、建館就夠了。但這一切都可能淪為「形式邏輯」，對我們認知二二八的真相並記取這個深具歷史意義的事件的教訓，事實上並無太多的幫助。真正的反思或許應該是，藉由二二八事件的反省，作為克服台人innocence的契機，並藉此而自我提升，有著更寬廣的視野、更多自我批判的要求，去面對歷史和未來。

去年紀念50周年珍珠港事件時，一對美國夫婦朋友受邀參加紀念大典，這位日裔美國教授夫人哈羅蘭·芙美子發表一篇評論指出，50年前的珍珠港事件這一天，美國人永遠失去了innocence，在經濟大恐慌剛過的年頭裡人人自求多福，無人關心歐亞、大陸的戰火，珍珠港事件將他們自天真、無知、閉目無睹中撼醒，失去innocence的美國人因而猛醒奮起，支付了代價而才獲得歷史教訓。

我們面對二二八也應該有上述的勇氣與自我提升的期許。若無法超越建碑秀、只要求多一點補償、道歉的這一形式層次世俗物欲訴求時，係可歎的。我們不該仍然停留在當年天真、無知、無辜、無罪，所有一切可以被原諒的情境裡。不然，即使我們可以原諒自己，歷史恐怕也不會原諒我們的吧！

本文原刊於《中時晚報》，1992年2月12日，3版。係戴國煇口述，由記者楊渡整理

我對二二八事件，有關官方舉措的建議及反應

一、給蔣彥士及馬樹禮先生的建議函

彥士先生鈞鑒：

今日承蒙先生接見，晤談甚歡，並遵所囑，將解決「二二八事件」以促進民族內部團結之建議，草成書面致函馬樹禮先生。茲將該函副本奉上，敬請指教。

敬祝

鈞安

晚　戴國煇

1985年7月25日深夜於台北旅次

副本

樹禮先生鈞鑒：

今年得以重返睽別12年之家鄉，承蒙鈞座多方協助，內人與我均感於心。

海外生涯30年，身為台籍而不至為台獨所惑，實得力於自身所研究社會科學與史學之故。對久別家鄉的海外台胞而言，三十

彥士先生鈞鑒
今日承蒙先生接見，晤談甚歡，[illegible]
，對解決「二二八事件」[illegible]
，草成書面敬呈馬樹禮先生，[illegible]副本
奉上，敬請指教。
[illegible]
鈞安
晚 戴國煇
一九八五、七、二四 謹敬於台北旅次。

樹禮先生鈞鑒
今年得以重遊睽別十二年之家鄉，承蒙鈞座多方協助，[illegible]感銘於心。
海外生涯三十年，身為台籍而不至於台獨所惑，實得力於自身所研究社會科學之故。對久別家鄉的海外台胞而言，三十多年來的建設是令人意外和驚喜的。這些成果誠然是台灣老百姓努力的積累，但與政府之領導亦不能無關。
唯令人遺憾的是，海內外仍有不少台胞懷恨當年「二二八事件」之餘，而對政府有一定之成見，加之台獨之宣傳，而不能對政府建設台灣之成果有公正之評估，甚且對領導台灣建設的二代蔣總統，失去應有的評價。也因此而使得海外台獨得以

同胞得以在[illegible]的信任的基礎上團結前進。
海外台獨或台灣自決論[illegible]依據而能蠱惑台胞人心，無非利用台胞在「二二八事件」中所受之歷史的感情挫折。「二二八事件」若能獲得政治上的解決，亦即解決此項台胞[illegible]之情結。並且，[illegible]今日政府和蔣經國總統在此所[illegible]的歷史誤會，在政治考慮上，亦當[illegible]利而無一害也。
久別故土，欣然返鄉，所見所感，不敢不言耳。
敬祝
鈞安
晚 戴國煇
一九八五年七月二四日 謹敬於台北旅次。

戴國煇致蔣彥士、馬禮樹先生函

多年來的建設是令人意外和驚喜的。這些成果誠然是台灣老百姓努力的積累，但與政府之領導亦不能無關。

唯令人遺憾的是，海內外仍有不少台胞懷恨當年「二二八事件」，而對政府有一定之成見，加之台獨之宣傳，而不能對政府建設台灣之成果有公正之評估，甚且對領導台灣建設的二代蔣總統，失去應有的評價。也因此而使得海外台獨得以有一定宣傳發展的機會。

三十多年來的經濟繁榮舉世矚目，唯政治的進步雖有目共睹，不過朝野共識總是難以建立，而令人有遲遲難以開展之感。究其原因，又不能不與二二八事件所造成之創傷有關，心中有結而難以舒坦。以至於政治建設難與經濟建設相配合，而造成今日台灣整體進步的瓶頸。實為今日台灣進步中的遺憾。

因此，竊意以為，為使政府和蔣總統能得有公正之評價和台灣內部朝野共識之建立，及促進中華民族之和睦團結，解決二二

八事件的歷史問題實有其必要性和迫切性。

而二二八事件在本質上，實1947年台灣光復之初，中央政府尚在南京的一個地方事件，其政治責任理應由當時的地方政府負責，與中央政府，尤其與今日政府和蔣經國總統無關。

此事或牽涉較廣，難以遽然處理，也應當組織學術研究小組，聘請對台灣近現（代）史素有研究之相關學者，關（開）放檔案資料並進行調查研究，初期研究或可不必對外公布，迨資料蒐集齊全，研究成熟，而擇一適當時期，由學術報告和討論，漸至政治解決之階段。至後年（1987）二二八事件40周年，由總統透過台灣光復節之文告，向國人宣告，二二八事件的歷史創傷得以公開撫慰，從此解除疑慮，全省同胞得以新的信任的基礎上團結前進。

海外台獨或台灣民族論實無社會科學之依據，而能蠱惑台胞人心，無非利用台胞在二二八事件中所受之歷史的感情挫折。二二八事件若能獲得政治上的解決，亦即解決此項台胞引（因）挫折而產生之情結。並且，除去今日政府和蔣經國總統為此所背負的歷史誤會，在政治考慮上，亦百利而無一害也。

久別故土，欣然返鄉，所見所感，不敢不告耳。

敬祝

鈞安

晚　戴國煇

1985年7月2日深夜於台北旅次

按：1985年3月，筆者隔了12年，出國赴日留學以來第三次率領我服務校立教大學棒球隊返鄉訪問。隨後，筆者開始陸續被邀返台參加各種學術會議。同年暑假返台時，我特別趕到國家科學委員會大樓（其時尚在廣州街）造訪蔣彥士先生（當時的他，因故下野），他問筆者，如何看當前台灣的黨外運動。我有話直說，曰：「二二八事變所埋藏於台籍人士之怨氣，應盡快力謀撫平，不然今後發展堪虞。」蔣答曰：「有同感。我已不在其位，你能否直接給馬樹禮先生（斯時，馬先生辭下駐日本亞東關係協會代表。返台，接任蔣彥士國民黨中央黨部祕書長職位）寫信，方便轉呈層峰。」收進在此的二封信由此而來（信中用詞係經過多次斟酌而定奪的。全文，在此〔文中之錯、漏字用括弧改正，以資存真〕初次批露敢請讀者諸賢費一些精神代我細讀了）。不久事態愈趨嚴重時，轉來「掌管此類事項的某黨大老，不識『時務』把你的上函擱置，真是……」一類歎息，是為後話。

二、我對行政院「台灣二二八事件」研究報告的意見表

文字方面（用字是否客觀中立？通順？辭能達義？）

1. 簡稱少用為宜，例如雄中，斯時有高雄第一中學與第二中學，整編第（有時有，有時略去）二十一師應該統一。

2. p.282日據台南一中為日人學校，會有「中一會」否？很可能是光復後台南二中改稱一中，因而組織者，請查改。

3. 對人物最好免去價值判斷，除非執筆者有確實判斷根據，

甚多引人家所言，不宜也。例如p.258李友邦，例如p.279三青團之評價，p.282名律師王清佐，p.212註1，p.49～50，中山公園、新公園、台北公園之間的關係待查。

內容方面（是否充實？有無不當？是否應增減？）

可能來不及補充：1. 對時代的大背景（尤其是台灣的社會經濟、大陸的政局、光復前後的國際關係）掌握不甚夠；2. 對當年的政治各派系之內涵及定位甚少涉及，頗感遺憾。期待再版時能充實。

資料方面（是否完整？有無其他資料可以補充？）

有關資料之引用，同一文章有不同版本（同一作者）之註，應該統一，不然該作交代。甚多可找出「原始版本」者，為何引自李敖抑或陳芳明所編轉載者，這一種作法除了容易引用錯誤外，是犯了撰述學術研究著作時的大忌。

觀點方面（是否客觀？）

希望主編能再詳讀一次。有些地方，作者忘了自己的「定位」，用詞上不甚恰當。還有，地方縣市名亦該全記為宜，雜亂處不少。誤記者：

p.31 《台灣與世界》第32期，不可能是1966年，該是

→1986。

p.34　註93之救濟分屬→署。

p.54　林頂立，據我看到的一切資料認為他是台灣站長，但你們一概把他寫為台北站長。

p.54　陳達元前面該加台灣省警備總司令部調查室主任。

p.65　第2段，公署權力已被架空→公署權力已有被架空之勢。

p.74　從下第3行，鍾不可能是日軍少佐。

p.86　自下2行，王一，之後該補上「塵」。

p.93　自上第2行，逃走適當否？

p.75　日據——光復隨後，省立新竹初級農業，這種稱呼不曾存在於苗栗？待查。

p.98　自下第5行，日據沒有警政署之機關名。

p.100　自上第6行，砲艦如何自壽山航行？同頁自下第2段第3行，印製所？

p.107　自下12行，日文有錯。

p.150　註299該是115～118。

p.192　自上第3～4行，此處的4月6日該指的是1949年的四六事件。它與二二八事件無關。

p.382　王育德之日文書名有錯。

p.280　自下第2段，周傳枝為現住北京的周青之本名，不曾聽過他被逮捕過。

總評

短期間，有此成就已頗難得。但真正的學術研究尚待貴組所獲得檔案的公布，才有可能開展！

表示意見人簽名　戴國煇

1992年2月2日

按：1991年9月至1992年2月，筆者第一次在台灣政治大學歷史系所任客座教授，並在趕寫拙共著《愛憎二二八》（遠流）。賴澤涵博士（斯時任職於行政院「二二八事件」研究小組委員兼總主筆）送來他們所撰述的研究報告（第一次為1991年12月，第二次為1992年2月），邀我填寫意見表，互相間該係「心知肚明」的。賴教授要的是「背書」，筆者所求者為「大局」之穩定，盼能助一臂之力。我除了寄還上述意見表外，又影印幾份，另寄給幾位賢達，以資「訴諸良知」。

三、探究「二二八」如何理出眞相——不明朗的應明朗化

繼李登輝總統在就職記者會中談到二二八事件後，總統府資政邱創煥也已受命處理此事。因政治的糾纏被迫回到歷史的現實裡探究真相，或可期待。但真相如何愈理愈明，避免淪為服務政治的工具，幾位學者發抒了他們的看法——

台灣各界對二二八事件的研究，都未曾奠基在歷史哲學和政

治哲學之上，是很大的缺失。

傾向民進黨和台獨的人士，利用二二八事件搞政治運動；而國民黨本身卻多方隱諱不談，這種作法連蘇聯的戈巴契夫改革都比不上；戈氏在面對改革時，把一切不明朗的，加以明朗化，把歷史重新定位，他的方法值得學習。

因此，邱創煥要提出各方較能接受的持平說法，我的看法，這可能還是一種應付、敷衍了事的姑息作法。因政府到目前尚不敢把過去一切不明朗的事件，如孫立人事件、張學良事件，加以明朗化，可見一斑。

二二八事件僅是國民政府時代，地方政府在處置動亂事件中所犯的錯誤，造成很多被殺和被關的冤家，政府應主動調查清楚，逐一給予賠償和平反。因此，我主張學者組成客觀研究團體，重新加以研究。

至於二二八事件是造成省籍矛盾的說法，是不對的，也因此，政府對二二八事件的處理，不能再拖下去了，愈拖下去，老百姓就愈吃虧。政府應該勇敢地面對此歷史事件，組織學者做客觀研究，該給受難者補償，而此事件若再拖延下去，將讓另有企圖的人士當作政治工具來利用，可虞也。

本文原刊於《聯合報》，1990年7月30日，2版。係《聯合報》記者徐東海所揭示的編語，及對戴國煇等學者的訪問（僅收錄戴國煇的發言）

四、柯遠芬所講〈事變十日記〉之可信度有多少？

柯遠芬口中透露的有關二二八資料，部分與事實有相當差距，例如說謝雪紅等共產黨人鼓勵，其實，謝雪紅當時還未歸隊，並與中共派到台的領導人蔡孝乾等不合。而柯遠芬在談及台北戒嚴後，暴亂分子往南走，台獨分子趁機而起。依我的研究，當時部分反抗人士或有台獨的念頭，但並未公開言及並起而行，當時大家的主要訴求還是在希望政府能改革政治現況。

不過，柯遠芬說對清鄉狀況不了解，這確是實情。因為後來從事清鄉的整編第二十一師，本身是中央派來的直轄部隊，柯遠芬無法節制，故其不清楚清鄉狀況是可以理解。至於清鄉為何有那麼多民眾犧牲？主要是長期受殖民統治的台灣民眾雖受壓迫，但已走上日本殖民體制下之「法治」有50年，不知戒嚴的嚴重性，沒有心理準備，同時來彈壓的整編第二十一師有關官兵，打敗日本，勝利不久，當然難免錯認台人對大陸外省來人的「反彈」之深層心理。只看其表象，判定為對回歸祖國的台灣民眾不知感念，在心理上產生嫌惡，造成仇視所致。

我認為，柯遠芬在二二八事件中該負的責任，應是二二八事件中在警總成立「別動隊」，對知識菁英們的彈壓，造成許多人失蹤或死亡，這個問題他應做詳細的交代。柯遠芬當時不到40歲，擔任中將參謀長，且非軍系主流，也沒有戰場經驗。依個人推測，其可能有借此事件彈壓，建立事功的企圖心意味。

本文原刊於《聯合報》，1992年1月28日，2版。係戴國煇口述，由《聯合報》專欄組整理

五、我對行政院公布《二二八事件研究報告》後之些許期待

台灣這幾年的民主腳步進展快速，使學術研究的領域較過去開放，政府不再視二二八研究為禁忌，民間史學者對這項研究感興趣的人士相當多。

官方研究機構中，省政府文獻會和行政院研究小組因為有當局的授權，得到很多方便去尋找檔案資料。針對受難家屬，尤其是對重要官員如柯遠芬、彭孟緝等人進行當面訪談，報告終於公開了。我認為重要的不在報告之內容說了些什麼，而是研究單位應盡快公布他們查到的第一手資料和訪談紀錄，讓學術界及受難者家屬檢驗這些「證據」，並且讓有興趣的人士在機會平等的原則下，能利用資料做研究才是更重要。

執政當局對這份報告究竟會如何運用，筆者無從揣測，但是官方研究機構一再強調調查報告純從學術立場出發，不受政治干擾，我想一般學者及遺族可能很難接受。

執政黨當局或者是迫於情勢，急著為二二八事件做個政治解決，所以時效上，趕著提出一份調查報告，但是就學術研究的立場來看，這只是研究的開始而已，絕不是二二八事件的蓋棺論定。

本文原刊於《中國時報》，1992年2月11日，3版。係戴國煇口述，由記者曹郁芬整理

撫平「二二八」的傷痕並不難

據台北的新聞報導，有關二二八的政治、法律層面的善後手續將近尾聲。

筆者與葉芸芸女士合撰的《愛憎二二八》裡面，本人曾經有如下的敘述：

> 對（二二八）的善後問題，我覺得（二二八）中很多不明不白被冤枉殺害者，應使他們的犧牲有助於台灣的民主化。遺族的最大願望應是平反其冤枉，至於在工作、升遷各方面要給予公平的待遇，不能再視其爲叛亂造反的家族（中略），我認爲，對二二八事變無需誇大，更不容掩飾，把它的眞相公布，該道歉的道歉，該補償的補償，竭盡我們之所能，一起來克服二二八的後遺症，化戾氣致祥和，以尋覓更美好的明天。

基本上，我的看法及提議的宗旨至今未變。

縱觀最近有關「二二八事件賠償條例」的新聞報導，可以清楚地看到朝野協商尚未完全成功。但國民黨中央政策會已作成四項結論：賠償金額上限不超過700萬元，政府不公開道歉，不追懲元凶，2月28日訂為和平紀念日，但不放假。政策會執行長饒穎奇會後表示，賠償額必須考慮國家財政狀況。至於民進黨要求追查元兇與公開道歉，饒又說，李總統登輝先生已表達過，「將在二二八紀念日當天（指的可能是明年）發表重要談話」，而且總統在許多場合中已多次就二二八事件表示過看法，對二二八事件表示遺憾，並認為應盡快治癒這個歷史傷痕，追查元凶和公開道歉都於事無補。民進黨立院黨團幹事長盧修一獲悉前述國民黨的底線後則表示，民進黨「不敢苟同，不可理解，不能接受」，他同時要求賠償金額上限1,000萬元，不能討價還價。

或許是因為筆者在海外待了過久，持有的漢語的語感或字感已與台灣住民產生微妙的差異。我總認為「條例」既然冠有賠償兩個字的話，二二八事件的責任所在該是明確的，然以此類推元凶又該是清楚的。

但以筆者花了近四十年的時光所追查及研究而獲得的成果來說，二二八事件是相當錯綜複雜，且仍然具有漆黑一團的部分。台籍人士通常所共有的歷史性記憶是單純且透明的。迫害者和受害者的界線又是再分明沒有的。不過，當你追查愈深後，不難發現，認為同屬被害者族群內卻隱藏有「敵人＝迫害者」，同樣地在你認為該屬於迫害者的族群中反而有「朋友＝受害者」之存在。因有此類研究心得，我才一直給二二八定性為「民族病變」和「時代悲劇」，而主張該是補償而絕不是賠償。

寫到此，憶起受難者遺族的讀者寄來的一封感歎信。信中說：持外國護照在外國當寓公寓婆的一群遺族，他們自私自利已昏迷了良知，早把自己先烈犧牲的可貴，拋開到雲霄之外，只為自己求償愈高愈好，除了控制紀念音樂會外，還伺機要求當局給予禮遇，我們草芥小民想要趨前一步向李總統握手致敬的機會都沒有。本來生命的價碼應該是不分出身及地位而平等的。我就不知，台灣的納稅人＝大多數人亦是同為二二八、白色恐怖以及戒嚴時期的受害者，他們有何義務及理由繳上寶貴的血汗錢變成財源，去賠償那一批昏迷了良知的遺族們呢？若要賠償該把國民黨的黨產來充當其財源才合情合理。

我希望，這一封信所述及（信中明記有關人士的真實姓名）的一切都僅是傳聞。

把公開道歉轉為李總統談話，筆者是贊成的。近年來，李先生已有述及他與二二八之一些往事，但他與白色恐怖以及他的良友們因白色恐怖而犧牲的悲慘事蹟，雖然絕口不談，但同一時代的先後同學都清清楚楚，銘記於心的。

李先生當然不必為與他無關的悲情年代的慘劇來向公眾道歉。不過，畢竟他是中華民國在台灣的元首，他有需要負起「繼位」者發表遺憾談話的道義責任。近有南非曼德拉總統就任演說，在曼氏之前亦有西德總統（當年）理魏茨澤克記念敗戰40周年紀念日而作的演講（1985年5月8日）之範例，值得我人三思。

我切盼明年的二二八紀念日，能聽到我們的學者總統李登輝先生的光明磊落、剛正不阿且具備前瞻性和哲理，而又蘊含著極富歷史哲學、政治哲學的演講。

本文原刊於《中國時報》，1994年6月27日，11版

道歉之外還須做些什麼？

李總統昨天針對二二八事件的道歉演說，引起了國內外的高度關注。通觀整篇講辭，我個人覺得這是一篇誠懇、含蓄、簡明，並且格調極高的講話。

過去一直有學者和記者表示李總統應該對二二八事件發表他的看法，但是顯然李總統並不準備表明他個人的意見，而是做一次宣示性、高層次的演說。而事實上，這也是一次具有台灣史里程碑意義的講話。

李總統的道歉演說具有兩種身分。一是私的，以一個親歷事件者的身分；一是公的，以國家元首的身分。這樣區分是有很大意義的。以前者言，李總統在講辭中流露出他真性情的一面。譬如他說：「多年以來，始終為這件可以不發生卻終於發生；可以免於擴大而終於不免擴大的歷史悲劇，感到萬分哀痛。」聽在同為60歲以上台籍人士的耳裡，相信跟我一樣，都會感同身受。

以元首身分言，他表示願意面對歷史事實並勇於承擔起這段歷史的責任，不單表示他承擔犯錯責任，因而他應然地同時也要承擔起善後責任。我們的傳統政治文化係是非不明、權責不明的和稀泥屬性較重的社會。此次台中衛爾康大火事件就是最佳例證。李總統勇於負責的態度，的確令人耳目一新。他說：「一個負責的政治人物必須坦然面對歷史事實，勇於承擔歷史責任。」

道歉之外，他又該如何負責呢？「歷史真相的公開、受難者的國家補償……」，都還有待努力。但是補償與賠償是兩回事，該事件真相尚待繼續挖掘，怎可輕言賠償？但以愛的精神來補償則是必要的。至於如何克服歷史悲情的問題，亦可體會。當年台籍人士熱情歡迎代表國府的台灣省行政長官公署，卻遭逢二二八慘案，自然自認是被迫害的客體。今天，應將客體變為主體，甚至再擴大主體為台灣地區全體住民，也就是四大族群一起來經營大台灣，這也就是所謂的建立生命共同體，擴大主體便是等同於建立生命共同體之意。

過去民進黨的朋友也常說命運共同體，但是「共同體」這個概念並不是說各族群自我主張、互不相讓，隨便拼湊在一起就能成立。因為這樣一來，根本無法凝聚成為一共同體。所以，要克服這個歷史課題，就一定要先促成台灣族群和諧，建立共識，力促融合，一如李總統所說，「要不分族群，彼此疼惜，相互祝福，以開放的胸懷，穩健的腳步，共同經營大台灣，……。」此點深值各界人士體會。

在過去政治狂熱的年代裡，大家未深入研究二二八與相關歷史，甚至偶見有人藉此大搞低層次政治，或大飽私囊。今天不但是改正這類既不道德又不公正之手法，也是台灣社會重整步伐，走向好時代的契機。

本文原刊於《中國時報》，1995年3月1日，11版

碑文詳載史實，可昭炯戒

二二八紀念碑碑文昨日定稿，綜觀全文，以一個長期研究二二八的學者立場，我認為碑文內容「公正平實」，可以被各方接受，如果要打分數，我打它90分。

這篇只有642字的碑文載史翔實，對同胞的情感更是躍然紙上，所以我給予高度肯定。至於沒給它滿分的原因，是因為其中含有瑕疵。

舉例而言，文中提到陳儀「歧視台民」，這個用詞不盡適當，因為對陳儀的思想行為有深入研究的人，都無法找出他曾經有歧視台灣人民的具體事例，我認為，最多只能說他對剛重回祖國懷抱的台灣同胞，缺乏正確的認知及關懷。

此外，文中把「產銷失調」、「物價飛漲」、「失業嚴重」等責任完全推給陳儀個人，對他並不公平，原因是這些情形是戰後各國發生的普遍性社會現象，要陳儀一人全扛這些責任是不夠客觀的。

同時，文中倒數第二段指出「斯後近半世紀，台灣長期戒嚴」，這段文字敘述及結構與歷史有出入。這兩句話連在一起，讓人有台灣自從二二八之後，就一直實施戒嚴的錯覺。而了解史實的人都知道，光復後台灣的戒嚴史可以分為兩階段，一段是1947年二二八發生時的戒嚴，另一則是國民政府遷台後所實施的戒嚴（1949年5月2日～1987年7月14日）。其實在二二八事件發生之後翌年，也就是1948年及1949年初夏前，是一段台灣社會難得的民主時代，民眾擁有相當廣泛的言論自由時段。

任何紀念碑都是象徵意義大於實質作用，二二八由禁忌到建碑，由有碑無文到碑文定稿，都是台灣民主化成果的展現。民眾佇讀碑文的同時，尤應深思，記取教訓，人人發揮愛鄉土的情懷，致力於族群融合，以避免悲劇重演。

本文原刊於《中央日報》，1997年1月28日，4版。係戴國煇口述，由記者潘大芸採訪整理

時代留下的課題

1960年代初，反對《美日安保條約》（簡稱「安保」）的日本人反對運動，正如火如荼地在全日本進行。而始於1957年的中國大陸反右鬥爭的風潮方歇，進入一時的穩定期，於是日本和大陸間的學術、文化交流趨於頻繁。

這時正值我留學日本將取得東京大學博士學位的前夕，因此和日本學界的交誼漸深。日本學界友人每有訪問大陸回來，自然就會透露一些大陸的情況，其中就有人談到了流寓北京的台籍人士的種種。而話中最引起我的關注的，當然是我在台北建國中學（當年初、高中合辦）時代的校長陳文彬先生。我這才知道，出身台灣高雄的陳校長，當時在大陸擔任「中國文字改革委員會」研究員的工作。嗣後，另有日本朋友訪中回來談起陳校長時，我才說起這陳校長是因為二二八事變，為避禍而流亡大陸。而由於二二八事變的話題，這位日本朋友就提起了時在北京大學教授日本語的陳信德先生。據稱，陳信德先生當時擔任淡水中學（當年亦是初高中合辦，今淡江中學前身）校長的長兄陳能通先生，不幸在二二八事變中失蹤，極可能遭到殺害。

我早在修習博士課程的時代，就已同時展開二二八事變有關資料的蒐集和研究，至今不輟。1992年，我受邀約擔任楊威理著《雙鄉記》〔《ある台湾知識人の悲劇》〕（人間出版社）書稿的審閱工作，從書稿中發現陳信德先生已於1970年因文化大革命的衝擊，瘐死獄中。繼之，我又發現陳信德先生的日籍夫人平林美鶴女士有回憶錄《活在北京風暴下》〔北京の嵐に生きる〕（悠思社，東京，1991年12月）在日出版。我於是循線和平林女士取得聯繫，進一步知道了她已偕獨生女和女婿回到日本，定居於仙台，我夫婦並曾一度親謁平林女士一家於仙台。陳夫人奉出陳先生遺著《現代日本語實用語法》以示緬懷先夫。

這是筆者知道淡水中學故校長陳能通先生的弟弟陳信德先生的一段生死緣故。我一貫是個無神論者。但陳先生一家卻是台灣加拿大系基督教長老教會的世代基督徒。陳信德先生的尊翁陳旺先生，和長兄陳能通先生並且都是教會牧師。然而命運竟讓陳能通牧師死在台灣的二二八事變，而陳信德先生則在大陸文革的風雨中身故。常問若有蒼天，其弄人乃爾，何以測度？

我曾旅日四十餘年，從事研究和教學，因此日語文的說和寫，差可自如。雖然對於日本語在明治維新以後，隨著近代民族國家日本的形成過程而發展成日本的「標準語」，又從而發展為日本國國語的歷程，有濃厚的興趣，但日本語的語言學的研究，畢竟不是我的專業。然則，我知道有三上章（1903～1971年）者，對日本語文的研究，做了突出的貢獻。三上出身東京帝國大學工學部，長年在中學擔任數學教師。其間，他完全以自學的研究，完成了嶄新的日本語的構文論，以其獨得的研究，提出日本語的主詞否定論，指出在日本語文中，不一定要有主詞的這一概念，而成為日本語文法學的大師級人物。而陳信德先生是將三上的日本語文法論介紹到中國大陸的第一人。他在1961至1963年間，並有相關的專論在大陸的日本語學界發表。今日思之，設若沒有文革的波濤，陳信德教授在日本語研究上的成就，將不可限量。

我常以為：做為一個中國人，其與日本語的關係，是一個值得深刻思索和研討的課題。日本字的「片假名」和「平假名」之由來，都與漢字有密切的關係。無可否認，在日本語文中，確實含有大量漢語的質素。這固然使少數一些國人滿足民族沙文主義的情感，但在現實上，此一事實的另一方面，卻成為中國人學習日本語文時的陷阱。

我曾在日本立教大學擔任過兩屆國際交流中心的領導工作。因此，有較多機會接觸非漢字圈各國的留日學生，當然也接觸不少來自兩岸的中國人留學生。不久，我和日本教授同仁都發現：兩岸中國人留學生在平素會話、交談時，日語程度尚可支應，但一旦要批閱他們考卷時，就有不知他們所云之苦。追究箇中原因，才知道來自漢字圈文化的兩岸留學生，在讀日文書時碰到熟識的漢字，可以不以日音去讀，甚至以自己母語去敷衍或捉摸、猜測的發音去讀，而居然大抵差可應付、敷衍。這個辦法，一個人看書時連猜帶混，猶可應付；但到了課堂上聽課，除非日本人教授肯把相關辭語的漢字一一寫在黑板上，兩岸中國留學生就完全聽不懂課了。從而，考試答卷，自然無法成章。然而來自非漢字文化圈的其他國家留學生，因為沒有漢字知識上的「方便」，反而無法瞞混投機，只有規規矩矩從日本語的發音、漢字的日式讀法按部就班地學，雖然艱苦備嘗，學好了，反倒比從漢字文化圈來的兩岸中國人留學生學得紮實。

日本教授也發現：兩岸來的中國人留學生，對日文學術性、思想性著作之閱讀力和理解力頗不理想。調查之下，發現這些留學生中，90%以上在來日求學之前，竟不曾完整地讀過任何一本日文書。

台灣籍留學生的日語文問題尤其突出。他們當中有一些人，因為歷史的原因，有某種程度的日語家庭背景，父祖輩在家庭中偶爾也使用日本語。這種日常慣習的、並不完整的日本語環境，讓他們產生一種誤解，以為日語文容易學，結果反而怠忽了勤苦嚴格的學習。凡此都足以顯示：中國人學習日本語文時，他的漢字文化如何地反而成為學習上的陷阱，影響正確學習日本語至鉅。

台灣在日帝統治下所留下的日本語「素養」的水平，一般而言，只能勉強應付日常生活上的語言需要，離學術研究、思維、論議和書寫的要求，有雲泥之遙。而沒有經過對日本語的文法、思維方法和文構論的苦學，在大學、研究所聽課、看深奧的學術性、思想性的書籍和論文，都只會滿頭霧水，無從一登日語世界思想、知識之堂奧。

我回到台灣已近兩年，有機會在學術會議和其他場所見到年齡與我相上下的一代人用日本語談論，其中不少人隱約中都頗理所當然地以為自己的日本語水平頗為了得，但事實上，我只能說這是一種「美麗的自信」罷了，離開精通的理想頗遠。

語言和具體的現實生活的關係十分密切。而且語言是活的，因此幾乎每天都在發生著變化。五、六十年前在強權逼迫下學得的日本語，到了今日，閱讀一般性書報猶可，但用在學術性、思想性的思維、議論和書寫，就難免不捉襟見肘了。

此外，中國人面對學習日本語，還有一個「主體性」問題。

當今台灣，所謂「本土化」論、「出頭天」論甚囂塵上。不少人對於台灣光復初期來台接收官僚，動輒以台民接受日本教育而謂台民受「奴化教育毒害」，極表憤慨。某博士就悻悻然說過：「為什麼大陸人到日本學會日本語就是人才，而台灣人受日本教育的就是奴才！」

那接收官僚的暴論，暫且不論；所謂「人才」和「奴才」如何定義，也另作別論。但是，1945年以前，一個大陸人（「滿洲」或其他日占區出身者除外）學日語，和一個人在殖民地下台灣學日語，日常被逼使用日語，一般地確實有其本質上的不同。前者在修習日本語的選擇、決定和動機上，有其主體意識；而後者之修習日語、使用日語是日帝在台殖民地化、皇民化過程的一部分，表現為對被征服民族文化、語文的強權壓迫和奪取，是殖民地政治、經濟與精神支配與歧視結構的一部分。這就是為什麼大多數韓國人民在戰後憎惡與忌避日本語的原因。而今日的台灣知識分子中，能夠充分認識到殖民地時代的日本語教育中附加著「文化帝國主義」的殘餘者，鳳毛麟角。

而台灣人在語言問題上的所謂「出頭天」論，應該包括「有自我精神的去殖民地化」（decolonizing the mind）這個燃眉性的課題。而台籍人士今後在語言政治學和語言心理學上的原理性探索，實有深刻的現實性和必要性。尤其是我這一代上下的台灣知識分子，對於在日帝下習得日本語的歷史，應該有所省思，從而對於殖民地教育所附加的「日本價值體系」，做好認識上的清理，並將具有濃厚的文化語言殖民主義屬性的「台灣式日語」，加以超克，以我為主，把日本語轉化為客觀的工具和接近資訊的手段，為我所用。年輕一代的人，以自己為主體去修習包括日本語在內的外國語，若魯迅所說的「拿來主義」，拿來為我所用，也是非常重要的。而今人好以半生不熟的外國語驕人，就更其等而下之了。

我深切期望陳信德先生的這本遺著——《現代日本語實用語法》（人間出版社編審，英德出版社出版），在進一步提升台灣的正式日本語文的教學和學習上，做出良好的貢獻。

本文原刊於《聯合報》，1999年1月10日、11日，37版

輯三

李登輝時代的開幕與挑戰

從蔣經國總統的
「我已經是台灣人……」談起

台灣在日本殖民地體制統治下長達51年，光復至今也將近50年了。而「台灣化」或本土化的問題始終是政治議題的焦點。

感情連接構成新認同觀

日前，蔣經國總統在與12位台籍耆老的談話中表示，他個人在台灣住了四十多年，可以說老早就是台灣人了。這樣的談話暗示著，形式上代表外省籍的國府與台籍人民感情上已有連接，構成共同的新認同觀。然而若無後續的對應政策，則此次談話只是為著一種政治情感上的補償所發。配合國內目前的政治革新，個人極願將此次談話視為一個從上而下的解決省籍意識，乃至站在中國人立場上建立起一個自主的、主體的且健康的「台灣人意識」的契機。

台灣的「本土化」應是基於同人類愛，追求包含先住民、客家、閩南及其他各省籍的台灣居民的利益，促進對本土的認同感。因此真正的本土化，應該是結合健康的台灣意識與台灣人意識的產物。

從歷史來看，台灣地處中國邊陲，加上曾受日本半世紀的統治，以及目前與中國大陸政治上的分離狀態，台灣居民因而逐漸具有遠較其他地區相形強烈的地方意識，亦即「台灣意識」。在現階段來說，為了與中共競爭，革新台灣現狀，大家盡力溝通，尋求共同的觀點與利害關係，或許也可能構成前瞻性的台灣意識。所以台灣意識有可能育成所謂「台灣居民意識」。

與此意義重疊但不盡相同的「台灣人意識」，乃是主張身為台灣人的出生尊嚴，這種台灣人的概念是慢慢形成的，尤其在遭遇到外來的對抗或壓制時，才會意識到或突出了這種概念。

建立健康的台灣人意識

任何意識有其正面與負面的發展，當它走向絕對化，不能超越其本身的特殊性時，很可能造成無可避免的悲劇。「黑船來了」曾喚起日本人的「和魂」，然而當和魂變為夜郎自大的「大和魂」時，終於被軍國主義者吞噬利用；希特勒的「日耳曼民族為世界最優秀的民族」最後也惡化為極權主義，而導致日德兩國苦嘗戰敗害人禍己的惡果。因此我主張健康的台灣人意識有兩個含意，其一是相對性為前提的，它肯定台灣內部居民的多元存在，善待先住民諸族、客家、閩南及大陸籍人士。其二，它必須先建立主體性的特殊性格，然後超越此特殊性的框框，與普遍性相連。換言之，台灣的住民可建立其各自整體意識，然後形成成熟且健康的台灣人意識。這種台灣人意識當然仍是以開闊、健壯之中華民族的立場，且須超越此特殊立場，發展基於人類愛，連結世界人類共同體的普遍性。所以，孕育健康成熟的台灣人意識可以說是「立足台灣，關懷全中國，面向全世界人民之共同體」，它是一個經由廣泛認同而建立尊嚴的發展歷程。

因此，國內長久存在的省籍矛盾，可以說是一種台灣人意識被扭曲的呈現。省籍矛盾根本上是地域性本位主義相互摩擦的問題，而不能將其擴大為民族的、被殖民的矛盾。

但以現階段台灣政治、經濟、社會的總合現實而言，台灣人意識的孕育並不甚健康或並未成熟，尤其在其被複雜化為政治性的對抗象徵之後，更是慘遭扭曲。

例如肯定多元文化存在的現實，是不可迴避的大前提，但政治上的當權者卻恐懼，有心人會藉強調地方特性來主張分離，所以在「政治導向」的處理原則下，中國那麼多的少數民族與方言，卻硬把「北京官話」當做大一統在語言上的一種顯現的「國語」來講，係非常勉強的。造成「北京官話」與「閩南話」、「廣東話」、「客家話」……等各種方言在異常的歷史背景下又形成對立。其實各種方言和一種做為溝通用的、且大家都懂的「通用話」（目前，台灣稱其為國語，大陸則叫普通話）之間應該是可以和平共存的，而大可不必惹起壓制方言、推動國語的某些不通情理的錯誤行為。

確立主體性為先決條件

建構具有主體性的台灣人意識，是使之超越特殊性的先決條件，但既往的意識卻始終耽溺於日本殖民地統治的遺毒，及戰後政治性挫折的傷痕。過去台獨人士所主張的「台灣民族論」，不僅不接納台灣的外省人，甚至主張台灣人和中國人是不同的民族，台獨原本是一種政治選擇，但為此不惜在「國民黨把台灣當殖民地統治」的誤認下，形成排外、閉鎖的心態，甚至讚揚日本帝國主義對台灣殖民統治的功勞。此種「被殖民心態」也存在於一些中產階級以上的台籍知識分子中，尤其他們在戰後遭到太多政治性的挫折及傷痕，抑鬱的苦悶終於爆發成對體制強烈的不滿。

這種心態可以說是在日本殖民體制統治下，受到日本殖民價值體系的殘害，失去對自我民族、文化的信心暨信仰，在不知不覺中接受過去殖民統治者的價值體系，以「日本尺碼」來看事情。將日本初期統治台灣的民政長官後藤新平，視為台灣現代化的奠基者，或「台灣是經由日本統治才被近代化」的類似議論，就是「日本尺碼」遺害之最明顯的例子。

當然台灣經濟在日據時代是有過它殖民地經濟類型的發展，但這只將台灣經濟陷於日本資本主義全體系的逼求之下，以強有力的日本帝國主義之政治、經濟政策先把台灣經濟從中國經濟圈中割離，轉而使之淪為日本資本主義體系的附庸。在實質上根本就是殖民統治結果的「副產品」。況且戰後台灣經濟資源也不是日本人心甘情願要留下給台灣島民的，是因日本迫於戰敗，無法帶回日本去，不得不將「副產品」留下來。一味歌頌經殖民地經濟開發才有近代台灣的人士，似乎故意忽視這個極簡單且嚴肅的史實。正面的近代化應該具有「內面心靈的且自主的內涵才是健康的」。

促進社會和諧更上層樓

再者，被殖民心態往往是片面地只從殖民統治者的政策措施暨其結果，單純地觀察這種殖民地型態的經濟發展。換言之，這種思考習慣是只從身為統治者地位的日本當局及日本人的單方向，來探討所有促進經濟發展的原動力所在。

省籍或地方主義的問題全世界都有。加拿大魁北克省是一個最明顯的例子。在台灣，省籍矛盾之所以被扭曲成民族矛盾的假象，乃是受到兩個主要歷史因素的影響：第一，台灣與大陸不曾一起被殖民過。台灣有過50年與中國近代史及與大陸割裂的體驗。第二，台灣回歸祖國後不久，就遇到二二八事變，與中國共產黨在大陸樹立政權的兩個衝擊。所以當早期中國大陸在近代化的掙扎過程中，台灣未能與其步調相連，而國府中央遷移台灣，也並非如一般的移民，傾向或不得不同化於原先居民的既有秩序的通常事例，國府中央為核心的新移住民群反帶來新的秩序，要求先住多數人認同少數新移住群體所帶來的秩序及價值。這種強制性認同在中國的統治史上並不稀奇，閩、客人侵台逼迫先住民（山胞）漢化是個例子。但若沒有二二八事件，省籍融合或能輕易的建立，然而二二八的陰影未能跳離，國府恐共情結下對地方分離主義的恐懼，也使建立一套眾人較易認同的新的價值體系產生不少困難。

建立健康的台灣人意識，關鍵就在如何建立「求變」、「求新」的推動群體的主體性，以保障人權，落實社會正義為支柱的新秩序與新價值。這個工作早該在光復後就做，從異族統治的社會秩序和價值體系轉變成嶄新的自主秩序和價值體系。但一如前述，二二八的陰影阻礙了這個工作，並碰撞出省籍矛盾的問題。所以，關於二二八事件的有關資料，做學術上客觀的評析是首要的步驟，平反此一台灣現代史上的悲劇，國民黨政府應補償，負起道義責任，表示道歉，來促進台灣社會的和諧更上一層樓。

澄清二二八的歷史亦能幫助台灣人跳離日本尺碼的框框，做為尋求自主性、徹底與殘留的日本殖民價值體系對決的一個開始。建立自主的價值體系，除了掙脫日本尺碼，還必須掙脫美國尺碼，這種尺碼則是長期以來浸潤於美國強勢文化的價值所造成。畢竟這兩個外來尺碼在台灣現代化的發展過程中，導致心態上的自我迷失及分歧與許多不實的虛胖現象，更使得台灣在建立價值信仰缺乏深刻的自我反省，而無法探索出自己的出路。

省籍問題亟待正視以求其緩和

近一年來，國民黨政府從上到下走的民主化步調極快，省籍問題也亟待正視與主動地促進其緩和。在政黨競爭中，不應將省籍問題由單純的地方主義的對抗惡化成複雜的政治對抗或分歧之象徵，走入台灣人意識的負面極端。在目前這個逐漸打破政治、社會禁忌的時候，期望執政黨能澄清二二八事件，做為建立自主性價值體系、整合民族連帶感的開始，而「民進黨」能揚棄訴諸政治苦難的情緒，提出一套新理念、理論與政策，雙方在健康、自主的共識基礎上，孕育出嶄新且寬闊的認同觀，為台灣的前途共同努力。

本文原刊於《中國時報》，1987年8月22日，2版。係戴國煇口述，由記者徐瑞希整理

我所知道的李登輝先生

從元月13日晚八時至翌日凌晨一時，我家（斯時我還住在日本東京）電話鈴聲不絕。《朝日新聞》、《讀賣新聞》及共同通訊社接連就經國先生謝世向我採訪。其要點有三：1.對經國先生的歷史評價；2.經國先生逝世後台灣及海峽形勢會有何種變化；3.如何看待李登輝新總統的為人及政治素質。《聯合報》恰巧也來電約我撰寫有關李先生的文章。

篤念舊情不亢不卑

由此，我回想起第一次見到登輝先生的情景。那是民國50年7月1日，正值我擔任東京大學中國同學會總幹事，曾邀請正在訪日的李先生到東大向我們講述「台灣農業發展現況與展望」的事。此後我在民國58到61年之間返國二次，均去拜訪李先生，向他請教台灣農業經濟、農民等問題。民國61年，登輝先生從學界轉入政界，以後一直到民國74年春天之間，因我沒有機會回國而不能面晤。至民國74年春，我第三次回國，登輝先生已位尊至副總統。我躊躇再三，一則想到李先生公務繁忙，二則怕有攀附之嫌，自己乃是一介書生，故而沒去造訪。同年底《聯合報》與「中國論壇社」召開「國家未來十年發展的探討」研討會議，大約李先生從新聞報導中發現我的名字，派祕書電話聯繫找我面晤，由此小事可見，李先生的為人是重舊情，而非是倨尊自傲、目空一切的。

關於他的為人，我還想起一個小故事。民國60年李先生因公到日，並訪問我服務的亞洲經濟研究所，同我的恩師東畑精一（日本經濟學及農業經濟學權威）會面。李先生當時的態度就是不卑不亢，以尊敬長者的態度向東畑博士請教農業問題。全然沒有某些中國知識分子對外國權威表現出來的自卑或媚態。東畑博士贈送了李先生他署名的自著。東畑老師翌日招我談話，他說，他知道的台籍知識分子有兩位。一位是某先生，另一位就是李登輝先生。他意味深長地說：「戴君，你不應學前面那個人，而李君倒是位『貨真價實』的人，得以為楷模。」這些印象讓我始終認為，李先生是位愛鄉土的民族主義者。

建立一套政治哲學

眾所周知，李先生是位從學界轉入政界的學者型政治家。從政前，他的學問就漸趨成熟。我始終關注他的論文，從中發現，他除了對台灣農業問題作非常細緻的個例分析外，也根據歷史發展的脈絡將其作縱向的整理。更可貴的是，他曾留學日、美，從而能將其進行同時代的橫向比較。在此種深厚學養的基礎上，他走向政界，先後任台北市長、台灣省主席、繼而任副總統，可以說，以民國61年為界，他從專才轉向通才之路，即除了學術之外，還要面對並處理具體的現實政治。

我記得民國61年回國參加第一屆國建會後返日，向東畑精一博士陳述開會情形，他問起李先生現況。我說他已開始從政，任政務委員。東畑博士立刻談起戰敗不久，吉田茂邀他入閣任農林大臣，當時他的許多學生朋友通電給他，希望他保持「出污泥而不染」的境界，藉學術的立場發揮其理性的批判來指導戰敗後日本農業的重建。東畑博士問我，李君能否「立污泥而不染」。意思是說，他自己倒沒有「立」的勇氣，只能「出」污泥而不染，然後哈哈大笑。我當時沒說什麼，也不知道李先生能否在政界發揮他的力量，但內心深處卻是希望他「立」污泥而不染，發揮他的長才。就學界和政界相比，前者單純，後者自然有許多污泥的成分。

自民國74年以來，我有機會多次回國參加學術會議，因此也多次拜訪和請教李先生。有一次，李先生對我說：「學問重要，政治更重要。對改造社會而言，學問有它固有的力量，但政治如真正能搞好，政治力量比學問力量要大幾百倍。」這是我第一次聽到李先生談從政的想法，經過一個小時的談話，我體會到李先生已逐漸建立起他自己的政治哲學。按照我不成熟的看法，支持其政治哲學的不外乎是「愛與正義之人道主義」。

無私無我廉潔公正

在當天的談話中，我問起一本《李登輝的小故事》之事，是台灣省政府新聞處的一位先生編的。我告訴他，除農業專業領域外，一般的日本人並不知曉他，所以想把這本小冊子翻譯成日文，向日本介紹台籍菁英的第一位人士。李先生說，不必突出他個人，他並沒什麼了不起。因經國先生身體不佳，故而由他出訪民間，進行了解，接觸老百姓，轉達不同的民意。

我又問他，這位作者現在何處，是否在你身邊。他笑笑說，這人還在台灣省政府。我又問，我雖然不認識此人，但看其文采、編輯能力都極強，為何不將他放在身邊多多加以訓練，以輔佐你的工作。李先生回答說，台北的職位空缺並不多，我也不願意拉人，形成自己的私人班底。我當時就感覺到李先生對政治的一種清廉態度和清高的理想。

我們都已經看到，台灣現在正面臨一個非常大的轉型時期。雖然最近二年來，經國先生領導實施了一些改革措施，民主化和開放也逐漸上了軌道。但是，與此同時，也形成了對以往既成秩序的挑戰，比如自力救濟、街頭運動，以及台獨意識的抬頭。凡此種種，從我的看法出發，來進行原理性的整理，則可以劃出二個題目：一是如何做好「精神的歸鄉」，所以提出這個問題，一是因為台灣受日本殖民統治50年，而造成了精神受扭曲的部分；另一個是因為國府中央撤到台灣40年，這期間為了力求生存，而全面依賴科技的發達以及經濟的成長。當然，科技和經濟成長帶來正面的繁榮，但同時不免也帶來負面的影響，即精神的空洞化或知性的空洞化。由此，當前台灣的社會病理蔓延，價值觀混亂。在這種情況下，「精神歸鄉」是最重要的問題，即如何克服精神空洞化，連接過去良好的傳統，即所謂「漢魂」的境界，

（好似日本人藉「和魂」來與全世界的普遍公理連結，推進其現代化）來接受21世紀的新挑戰。

整合角色任重道遠

第二個題目就是關於整合的課題。眾所周知，戒嚴、黨禁、報禁都解除了，大陸探親也開放了。這都是迄今未有過的新形勢，這也可以說是一個秩序重整的過程。此外，目前朝野都在討論中央民意代表的改選問題。用歷史的縱向眼光來看，民國38年至今，國民黨政權在台灣建立的正當性正走向重編整合。我曾向日本新聞界人士說，要繼承強人，安定台灣政局，在目前看來已不可能出現第三位強人，而恰恰是非強人的李登輝才能夠應付目前的大變局，來完成整合的大任。有人或許反問：李登輝既無大陸經驗，也沒有經歷過太多歷史的暴風驟雨和大局面的磨鍊，其政治手腕能否應付裕如是值得存疑的。不容否認，這是一個不爭的事實。但是李先生的長處足以能彌補這些短處。也就是說，他具良好的人格風範、深厚的學術修養，精通英、日文，再加上他的勤奮用功，善於虛心請教外省及本省籍的長者，並還可期待他能聯繫留學歐美、日本之年輕菁英們處理萬機。以他為中心的集體領導體制是能夠把台灣的改革事業向前推進的。

一張富於歷史意義的「時代肖像」
——海外台籍人士之冀待

今年1月14日，東京各報早刊登出蔣經國總統逝世消息，隔日旅日人士才有機會從航寄的台北報紙上看見更詳細的情況。在報上，我們看到一張具有「時代肖像意義的歷史性照片」，這張照片的內容是，李登輝先生宣誓就任總統，一旁有司法院長林洋港監誓。

當然，可以想像，在場觀禮的人還有其他黨、政、軍大員，但在照片上出現的主角只有三位：國父孫中山先生的照片，另兩位是台籍菁英登輝先生與洋港先生。

再三端詳這張照片，頓時感覺到一種歷史徐徐和風的吹拂。這是故總統經國先生生前不凡的安排下必然的顯現。

甚多台籍人士看到這張照片之後，都談及「台灣人終於出頭天了」這樣的表面話，卻很少人能夠仔細去思考「出頭天」的內涵應是什麼。從這個關鍵性的義涵出發，我們開始思考，兩位我們所尊敬的學長，將如何面對大轉換期歷史承傳中，眾人所託付的使命。

從人類文明史上，我們一再獲知，只有真正能夠自我覺醒、反求諸己，並洞悉世界性規模時代精神的賢者，才能把原我的微觀與超我的宏觀相互關照，因應大局。

在20世紀末的最後幾年，台灣地區正邁向中國人所未曾經歷的新局新境，經國先生「強者風範」的帶領，曾給予同活在這個時代的人們深刻的印象。李總統與所有肩負繼往開來任務的賢者，可以期待將成為開創另一個時代新典範的先行者。

「強者的風範」並不一定對他人具有強制性，但與時推移後，「強者的風範」會對有關人員產生一種魔力，促使有些人員自囿，變其俘虜。就此觀點人人皆難免成為「歷史的囚犯」。

二月初，返國期間，拜訪一位農學界的長者（按：這位是已故蔣彥士博士），見面時，他握著我的手，非常高興的說：「我們的朋友李登輝先生就任了中華民國的總統，他更是中華民族的總統。」他指著辦公室懸掛的匾額，孫中山先生的「博愛」墨寶強調，登輝先生薪傳國父孫中山先生與兩位蔣總統與嚴總統，而就任中華民族的總統。我們應該強力的支持他。我當時直問：「登輝先生與軍方沒有淵源，軍方也會支持他嗎？」這位長者說：「沒有問題。」接著我提及外界傳言，登輝先生與洋港先生之間有些芥蒂，此事如何看待。這位長者搖搖手說：「這都是小事。」他直言，他們兩位都是心胸開闊的人物。他再度指著「博愛」的匾額說：「一切基於博愛、和諧、團結，便可克服萬難，成全大業。」

偉大的歷史哲學家黑格爾（G. W. F. Hegel）曾經說過，世界史為審判個人及人群之社會行為的「最高法庭」。對於經國先生的歷史評估，史家已有定見。兩位台籍菁英承傳「後蔣經國先生時代」，則是剛剛進入這個歷史「最高法庭」的殿堂口。但這個

「最高法庭」是帶有人性普遍的脆弱性及嚴酷性的。多數海外台籍人士都期待著，新總統李登輝先生及司法院長林洋港先生各自樹立新典範及合作無間，來克服人性普遍所具有的脆弱性及嚴酷性，一致協力開創新格局。

真正的「台灣人終於出頭天」的義涵，應該是命題在立足台灣，關懷全中國，放眼世界，聯繫世界規模的普遍公理，實現幾千年來哲人所冀求的愛與正義，以及關懷人類福祉的大同世界。

護農要得法，政策須周全，觀念待調整

中南部農民北上請願，釀成暴力衝突的結果，令人感到十分痛心。由報上所載衝突發生的背景並不單純，由於身處國外，對事件的始末因素，我不便多發言。但筆者是學農業經濟的，所以願意藉這次機會對台灣的農業和農民表示一點看法。

台灣光復40年以來，頭20年一直都是農業部門支援台灣的工業化及社會的安定。目前台灣工業發展已上軌道，外貿總額達880億美元，排名全球第12位，外匯存底也有鉅額的累積。在此情形下，政府是否有綜合性的考慮，工業部門如何回饋農業及農民？對此，我們常聽到要提高農民所得和改善農民生活水準，但是一直是口惠而實不至，以實際的綜合性政策或理論來協助農業，至今一直都未曾出現。

日本執政黨自民黨一直是以農民為其主要票源，所以一貫地很照顧農民。他們也都有一個基本的認識：自從明治維新以後的工業化，始終都是靠農業和農民支援。因此敗戰後日本在其所得分配政策中，開端便希望先在農業和非農業部門的所得分配求其平衡，然後再求超額的成長，這是日本農業政策相當成功之處。而他們以工業成長的成果回饋過去農業部門對它的支援，也是值得學習的。並且也應落實到我們具體的政策和作法上來。綜合性的產業政策和所得分配政策，應盡速制定實際推行，而不是開空頭支票，空談了事。

我希望政府當局除了誠心誠意面對農業難題，帶領農民解決問題；同時也希望政府對這次肇事的激進行為在依法論事之外，也該採取寬容的態度，避免累積不必要的怨懟，埋下以後禍害社會的火種。

目前的農民困境是由於過去的經濟成長、外資擴展，累積外匯存底等，這種追求台灣「經濟奇蹟」的後果，隱藏了農業的不平衡發展。現在台灣農民的主要問題在於「失調」，引起農民普遍的不安和不滿。這需要一個綜合性、整體性的政策來調整，不是單獨從農業下手就能改善的。而必須由農業、工業、貿易等產業均衡思考，才能謀求解決之道。

本文原刊於《中國時報》，1988年5月25日，3版

自世界性大調整中，摸索我們的戰略性思考框架

最近，世界上兩次高層國際會議既引人們注目，又給人們帶來許多重要訊息。一是美蘇首腦會談，即雷根去莫斯科與戈巴契夫會晤；一是在加拿大多倫多召開的第14屆西方國家首腦高峰會議，該會議發表了政治宣言與經濟宣言。對此，海內外均有大量報導。

就我看來，這兩次重要會議至少帶來了這樣一些極值得我們注意的訊息。

第一，戰後東西兩極對立的冷戰結構正趨向根本性的緩和，國際關係格局正處於重大轉變與大調整之中。說得通俗一點，以前西方資本主義體制國家的人們，往往是談「共」色變。反過來看，已經經過革命而建立起社會主義體制的國家有關人士，則是談「資」色變，雙方是仇恨加恐怖。由此得出第三次世界大戰難以迴避的結論。於是軍備擴張競賽有增無減。但是，目前，美蘇和其他東西方國家均感到了核武器的共同威脅，尤其是軍備擴張帶來的經濟面負荷和政治上承受力過大，於是謀求緩和擺脫經濟困境，成了迫切性頭號大事。上述兩次會議便十分清楚地表明了全世界性大調整的渴望和趨勢。

第二，日本在這次世界性大調整過程中的舉動，引人矚目。在這之前，日本以小氣和自國本位，著稱於世界經濟政治舞台。但這次竹下〔登〕首相卻在高峰會議上提出解決第三世界累積債務國的債務政策，以便促進貧困國家和地區的發展。此外，諸如具有日本財經界的代表性格之大報《日本經濟新聞》等媒體，亦積極評價美蘇首腦會晤和多倫多高峰會議，表明日本迫切希望美、蘇和東西方國家繼續降低敵意，發展「我中有你，你中有我」的新形勢。日本的戰略意圖很顯然，即動員其總生產力，不分東西方，不分「資」、「共」，來推動世界性大循環，從而以此維持並持續地發展它的經濟繁榮。比如，日本最近正籌備建立一個規模相當大、類似筆者曾經服務過的亞洲經濟研究所的「蘇聯東歐經濟研究所」。此外，日本五大製鐵公司亦準備聯合與大陸合辦，比寶山鋼鐵總廠規模更大的最新式鋼鐵廠。

剛剛結束之「蘇聯共黨特別會議」，顯示了蘇共大轉換之種種預兆。這些徵兆，讓日本蘇共專家們肯定了戈氏之改革路線，已走上「不歸路」。它將給全世界之結構性體系帶來衝擊，真令人目不暇接。這種世界性大轉換和大調整的訊息以及日本的靈活因應，使我聯想到國人傳統的歷史觀和具有「拖時間」慣性之耽誤時機的種種偏頗習性。

先以「近代」的鴉片戰爭為例。每論及這個戰爭，國人們總是站在勸善懲惡的倫理道德史觀上，來斥責英國人向我販賣煙毒。當然，英人販毒確是可惡至極。但宏觀觀之，英國砲艦對準中國的更大動機，則是將其新興的霸權和棉織品推銷到偌大的、當年已具有四億多人口的中國市場。可以說，這正是鴉片戰爭背後所潛藏的國際社會經濟，特別是英國霸權之全球性擴展動機之部分顯示。忽視這一點，便難以全面把握鴉片戰爭的整體性全部義涵。

以美國南北戰爭（1861年4月～1865年3月）為例，這個美國的國內戰爭比鴉片戰爭僅晚20年。提及南北戰爭，據我所知，國人們一般都是把林肯奉為解放黑奴的聖人。史實告知我們，林肯雖然高唱反對奴隸制，但絕非是真正主張全面性解放黑奴和絕對禁止奴隸制度的政治家。他的解放黑奴令，更多是出於當年以美東五大湖為主流之美國資本主義之政治經濟上，欠缺勞動力的考慮。站在倫理道德的史觀，當然可以評價南北戰爭的結果之一是摧毀了黑奴制度。但我們絕不能忘記，正是美國資本主義從東部、中西部向西部發展，國內市場迅速擴大，勞動力來源奇缺，所以需要打破最南部大奴隸主對黑奴的封建性之拘束與壟斷。將解放出來的黑奴的「能量」編進美國進步的、處於上升期的資本主義生產體系中去。同時，我們在南北戰爭中，也可看到鐵路的軍事角色和鋼鐵、船艦的威力，已大大地超過騎兵隊之威風。由此看來，我們在評價南北戰爭中，有必要重新審視和研討其背後隱藏的社會經濟因素。不必仍然陶醉於影片《飄》（*Gone with the wind*）之兒女情長式的感性認知階段。

將視野從「近代」轉向「當（或現）代」，我們亦可藉上述之思考框架來探討中共提出的「一國兩制」的政策。

遇到這個問題，台灣有些人也會陷於剛才提及的那種傳統的歷史意識和心態之中。換言之，他們很喜歡或者說已經習慣從「唯政治」的角度來審時度勢。

其實，只要是真正熱愛中國，關切十億人同胞之前途，關注中國未來的走向的話，便可清楚地看到「改革與開放」及「一國兩制」的出籠，正是以中國大陸的巨大變化為其背景的。因此，儘管鄧小平他們沒有或不便明說，但我敢大膽地說，「改革與開放」和「社會主義初級階段論」及「一國兩制」的提出，正是其設計者向全世界所作的一種「敗北宣言」，並表明蘇聯模式和「文化大革命」直前及「文革」中，中國大陸經濟建設模式已完全行不通，或者說是遭到決定性的挫折。因此，在未來的經濟建設中，需要利用和引進資本主義市場經濟機制的某些特色。至此，我覺得應該追溯到鄧小平當年提出、但被「四人幫」批判的著名的「黑貓白貓論」（按：原來係黃貓）。不管人們對鄧之喜惡與否，鄧確是一位現實主義的馬克思主義政治家，所以他才會回歸到正統馬克思主義觀點、提出「不管黑貓白貓，能抓老鼠的便是好貓」的充滿活力的、非教條的主張。但這個論調卻是蘇共模式以及毛澤東模式之具體修正之展示。

從「黑貓白貓論」到人民公社解體，大量引進外資開發經濟，促進「改革與開放」政策，再到「一國兩制」的提出，我覺得這條線，不管它是否正確，卻是一貫的，也是合乎邏輯的一種發展。可以說，前面的變化正是「一國兩制」產生和潛藏的社會經濟背景。特別是中共「十三大」之後，提出社會主義初級階段論，建省及放手開發海南島。加速東南沿海地區的開放，築構參加世界經濟大循環的意識和理論。尤其是趙紫陽提出如何應用資本主義正面因素，來推進中國大陸本身的經濟循環等等之論調，該係其總合性且一貫性之表白。我們應該需要有進一步之學術性研討，來準備迎接來自於大陸之挑戰。

因此，我認為從白貓黑貓論、改革開放、一國兩制、初級階段論到海南島之建省及開發和東南沿海諸省的更進一層的開放，是建立在具有一貫的理論性和政策性決定之上的，而並非是一種孤立的、僅僅出於統戰意圖的政治打算。或者說是，中共只是為了解決香港、澳門以及「和平解決」台灣問題的捷徑而所提示者。換句話說，「一國兩制」是中共擺脫中國大陸經濟發展窘境，導向經濟全面起飛的總體性思考中的一個環節，亦是承認既往之失敗而所作的一種「敗北宣言」。「一國兩制」之一國僅指中華人民共和國，我們當然不能接受。但那一國所指者為我們所標誌的「民主、自由、均富」的一國，抑或平等待我的中華聯邦或邦聯中國時，是否值得我們去加以討論，當然是值得我人三思的課題。

綜上所述，我們來觀察世界局勢和海峽兩岸三地情勢互動關係的時候，必須摘下「有色眼鏡」（它包括道德史觀、唯政治論等等狹窄視角），要進行全面的、綜合的、有機關聯性的結構觀察和分析，由此才能把握住新生事物之本質性的、關鍵性的、結構性的性格。我們不該僅止於戰術性思考，而更應該加速建構出我們的戰略思考框架，為的是迎接我們既緊急又富於挑戰性的課題。這就是我在全世界、全中國（包括台灣地區）大轉換時期、大調整時期中，提出的一些未成熟的看法。

按：本文完稿於1988年7月2日。因「陰錯陽差」放置於書櫃裡迄今，一直沒有讓它上報。若能與下揭〈在虛構和矯飾消失之後——台灣轉型期的社會出路〉一併細讀，頗方便讀者諸賢理解我的一貫看法。

在虛構和矯飾消失之後

——台灣轉型期的社會出路

筆者第一次參加國建會是1972年，距今已16年。那年對台灣來說是非常重要的一年：中華民國從聯合國退出，美國尼克森總統訪大陸發表《上海公報》（2月27日），經國先生接任行政院長，現在的李登輝總統也正好那時踏入政界，而且沒隔多久，日本的首相和外相便到北京與中共建交（同年9月29日）。

今年是我第二次參與國建會。這次回來，主要是有個問題意識（假設課題並想找出問題的癥結，等同於把問題意識化，日本一般稱為「問題意識」）在驅策。國民黨十三全大會剛剛開完，緊接著內閣改組，台灣地區正處於蔣家強人過後，一個新局面的開始，我想回來親身體驗一下。此外，我花了相當多的時間思考、觀察：台灣光復後這40年期間，不論政治、經濟、社會都經過很多的周折，如何用學術的客觀立場來詮釋這段歷史的發展？我探討這主題的一本書（日文版《台灣》，由岩波書店；中文版則由遠流出版公司上梓，書名另題為「台灣總體相」）十月底將同時在日本、台灣出版。我這次回來的所見所聞，也可以為這本書的原稿，作最後的校正修訂工作。

資本主義世界的大調整

在這樣的前提下我返台，首先要提出來的建言是：我們應該認識不只台灣面臨轉型，目前整個世界體系也正進行著大調整。先就資本主義世界的大調整來談吧！美日的貿易摩擦、台幣對美元的升值、韓國急著想跟中共建交……這些調整的背後意味著什麼呢？

第二次世界大戰以後，全球經過四十幾年和平的發展（僅有地區性的小戰爭），這是過去這個世紀的歷史從來沒有過的相對性寧靜。這四十幾年裡頭的經濟發展與全資本主義世界所達到的總生產力，在世界史的觀點來看，是空前的，亦可說已到達飽和點。如此美國、日本之鋼鐵公司都只好裁減生產量。資本主義從英國的產業革命，或歐洲、法國等地的革命，經過一百多年的發展所建立起來的成就，等於是人類過去歷史幾百年所努力的總和，現在亦得加上美國，它不曾受破壞之上次大戰後之總生產力，其龐大一目瞭然。也因此，當前日本、美國、西德這些先進國家所達到及總合的全世界總生產力，已臨界飽和點。

台灣今天經濟發達，社會繁榮，大家賺了錢都很滿足，但是有沒有想到支持社會繁華、經濟循環的實質是什麼？股票市場的狂熱，它的社會基礎是什麼？資本主義的經濟循環是互動相串連的，比如現在日本與台灣的股票市場即相互影響，甚至金錢的運作也連成一氣。但是經濟的循環到某一種程度時，可能阻塞不暢，如同人體患了高血壓，血管阻塞，以致影響投資意願。因此，我們知道雷根前不久為什麼跑到莫斯科和戈巴契夫會晤，接著在加拿大有七國的高峰會議之舉行。一向小氣的日本人也提出第三世界的債務國暫時可免支付利息。美、日的這些動作，主要的就是要讓他們的經濟能夠持續正面性的循環，維持他們的當今生活水準。

台灣的鄉親與朋友們往往以政治來解釋一切，以統計數字上所標誌的投資意願的降低多歸咎於政治。其實投資意願問題，也應該從生產力臨界飽和點和難覓消費之經濟循環方面來分析、解釋。

共產世界生產力不足

為什麼蘇聯侵略阿富汗那麼久，這次撤兵了；越南入侵柬埔寨，也要撤兵了；而中共為何要在海南島建省？又為什麼東南沿海要大規模地開放？蘇聯搞社會主義有70年了，中共也快有40年了，這之間他們發現社會主義的機制與發展模式有其局限性。重估社會主義的建設方式後，他們提出了「改革與開放」的主張，讓外資進來，技術進來，讓資本主義的市場原理與生產力刺激自己的生產，這是當前共產世界非常重要的基本動向。這也就是說，資本主義世界因為生產力飽和了，需要調整及找上中國大陸和西伯利亞之大市場來謀新的正循環；而中共及蘇聯則因為生產力不夠大，也需要快速調整，不然老百姓已有所不答應、加強反彈之趨勢。

共產世界信奉馬克思主義，基本上是思考方式或方法，而不該算進意識形態。馬克思主義的本意是說資本主義發展到了某種程度時，社會內部或經濟建設之具體方案必然會產生革命，革命家只是催生婆的角色而已；但是列寧、毛澤東在社會尚未達到馬克思所預見的高度生產力之條件之前，就先行政治革命，於是政權雖搞出來了，物質上的擴大生產機制、建設卻不易搞出來。生產力又提升不起來，為此，他們要修正、調整，降低與資本主義世界的對抗狀態。列、史、毛時期，才該算是意識形態優勢時期。而兩個世界集團也逐漸地演變成「你中有我，我中有你」互相需要的局面。

虛構和矯飾消失之後

認識了全世界體系正面臨著轉型，再來看看我們自己的社會。我們可以這麼說，過去大陸也好，台灣也好，都是生活在一種虛構和矯飾中，這種虛構和矯飾現在面臨了總解體之大局面。

大陸方面，中共過去藉口美帝國主義的侵略，以及蘇聯的圍堵與壓迫，搞文化大革命，結果把老百姓搞慘了；而台灣的執政黨以往也聲稱中共壓境的危險，會從台灣海峽那邊過來，所以一黨獨大了40年，而現在這些說詞都不便使用了；雷根到長城與鄧小平握手；美國人大量到大陸投資、旅遊；蘇聯也重新跟中共來往了，北京當局雖然口裡仍說不放棄武力解放台灣，其實我們都心知肚明武力解放台灣，這是不可能的事。在這樣的情況下，國民黨已經也沒有辦法用虛構和矯飾來說明一切了。接下去的課題是現在應該怎麼辦？在全世界都在自我調適時，我們如何掌握大局，因應台灣當前的轉型？

經濟的優勢是台灣的命脈。台灣只有2,100萬的人口，而我們的貿易總額佔世界第13位，外匯存底超過760億美元，占世界第三位。從正面看，我們是發了財，舉國上下也陶醉在這樣的情境裡。但是，要知道我們的經濟靠國外貿易中之輸出，出口總值超過生產毛額50%，一半以上的經濟仰賴他人是多麼危險的事。外貿好比戀愛，彼此要情投意合才能互通有無，正面性循環才能成立。萬一雙方不合，依靠貿易作為國民總所得的大部分不成立了，那麼垮下來也將非常悲慘。由此可知，我們現在擁有的經濟奇蹟還是在某一種虛構裡頭，就像肥胖發福其實是成人病的危險徵兆一樣。

在社會方面，近來大眾媒介常說社會脫序？其實，「序」在哪裡呢？從學理來說，正面性秩序在台灣是不存在過的，唯一存在過的是日據50年間，後40年的日本殖民地統治體系的秩序。照理說，光復後，國民政府應該在台灣重建中國屬性的秩序。但是光復沒多久，1947年的二二八事件發生了，哪裡有什麼秩序可言？沒隔多久，1949年12月7日國民黨中央政府在大陸失敗撤退來台。為了保持政權，那時重建的秩序是屬於軍隊、情治機構為中心的，並不是真正由全住民支持且總體性的秩序。其間實施的土地改革，還有美援，都只是為維護政權，假借三民主義、民生主義口號，利用台灣的一些力量來建構的。所以應該說國民黨中央自孫文先生以來想透過國民革命所追求的「國民國家」（nation state）秩序仍然並沒有真正的建立起來。

黨外也一樣。過去可以藉國民黨的壓迫受害者的立場來訴苦、爭取選票。而現在解嚴了，黨禁、報禁都解除了，黨外若仍停留在叫喊口號、街頭群眾運動、自力救濟運動為萬靈丹之階段，而拿不出真正的改革思想與政策對案給老百姓看，政治激情冷卻後，我敢斷言老百姓以後就不投給他們票，可能會逐漸不給他們支持。所以黨外亦需要體質改革。

因為世界體系的調整，加上我們的轉型，面對這樣的總解體，我們要建立新的秩序，要民主與現代化，有必要大家一起來築構出整體性的法治及制衡機制。整體性的制衡不只是黨外與國民黨相互間之制衡，還要諸如：大眾媒介與學界相互間的制衡，民意代表與政、官界的制衡，民意代表與大眾媒介間的制衡等。

國會全面改選的問題，輿論、媒體可以撻伐、敦促。學界也有必要重審，藉一張博士文憑，連博士論文都不敢公開之「權威」及幾十年沒有論文著作、一本筆記行走天下的教授們，大眾媒介也可以聲討。至於大眾媒體報導不公正之自省以及素質之自我提升也有其必要。民意代表行政特權等等，也都要認真檢討並加以糾正。

其次，對制度與人的問題，即是人治與法治的問題，過去大家都誤解我們只有人治，因為中國一直是強人治國，認為民主政治則需要改變成法治，以為人治與法治是對抗、矛盾的，其實這種觀念是錯誤的。舉個例，唐代創制出來的科舉制度，不管其出身階級、有錢或沒錢及身分之高低，只要通過考試，都能夠做官，參與政治。這樣的民主制度是中國對全世界的偉大貢獻之一。然而這個制度沿用下來，在中國卻百病叢生；反觀日本的高考採行中國的科舉制度，加以改進，使其現代化，卻變成了他們優良的制度。英國的官僚制度亦類似。因此這可說是人的問題，並不全只是制度的問題。再好的制度若行使制度之人們政治素養不夠成熟，官僚們不正或欠缺能力革新活用，也只有死路一條。

政治自清的啓蒙工作

對於實際政治的運作思考，我們可以從幾個方面來談。就選舉來說，選舉是一種不用子彈的戰爭，透過公平的競爭，選出賢能的代議士。台灣目前的選舉，為人詬病已久。為因應未來的局勢，有幾個課題我們必須正視。

第一，是鄉下的農村社會，選民的水平有待提升，一昧責怪國民黨一黨獨大，選舉不公正，這是陷入觀念的某個程度之偏見。最壞的是選舉時賣票、拿禮物、到處吃流水席、敲竹槓。選完了，當選人當然要包工程設法弄回老本，這是惡性循環。此外，我們也要克服傳統的政治文化中血緣、地緣、本省與外省、閩南與客家、這個村莊跟那個村莊的封建屬性劃分，要真正的民主政治，大家務必相互突破藩籬並互勉提升。

第二，過去戒嚴時期的政治文化，把一切過錯推給執政黨，這是自己偷懶，很要不得的事。而行政官僚依賴過去的政治文化來思考問題，也是不正常的。還有，大眾傳媒的發達，透過電視、報紙等媒體，往往塑造出虛構的英雄、明星，得到人民的選票，然而實際的能力、才華又是另外一回事，這個問題日本已注意並開始想方法防備了。

第三，我建議由民間組成一個基金會，來做政治自清的啟蒙工作，針對當前選舉的弊病來推行社會教育、開導民眾；另一方面，這個基金會也可以以第三者的立場監視選舉，達到選舉的公平及公正。

建立適合自己的模式

這次回來我發現研考會的報告，所有的標準、模式都是以美國為馬首是瞻。這並不是因為我留日、目前在日本做事，又是本省籍而談日本好。固然我們朝野對日本有某一種抗拒心理，這也無可厚非，但是日本的一些值得我們學習的優點，我們也不必要去排斥它。

日本自明治維新後，為了建立它的現代化國家，起先向歐洲學，有選擇性、有主體性的尋找適合自己的模式。有些它選英國，有些它選法國，最後主要的模式則選自德國，然後，依此建立起自己一套的制度、機制及系統。

日本對美國特別感興趣是第二次世界大戰以後的事。但是，現在日本選擇的美國模式又慢慢在修正之中，把目光的一部分又重新放在歐洲了。這表示日本一直在尋找、摸索最適合他們自己的新機制，日本人的思考方式是紮實的。而我們國內頗多人士好像都認為美國一切都好，美國的太陽特別大，美國的月亮特別圓，甚至於大眾傳媒也多以美國的觀點來看世界，這是很值得我們去省思而加以改正的。

再說，有些海外學人動不動以美國的民主秩序來誇示，殊不知美國兩百多年來的歷史是靠打印地安人、壓榨黑奴，剝削有色人士，而建立起美式資本主義的秩序與美國的機械文明。英國的議會政治是最典型的，但是我們都知道過去英國是以海盜起家，強殺擄掠，靠自海外奪取的財富搞起產業革命，然後才建立它的議會政治。即使是日本，從明治維新以後，「割台」、侵略中國大陸、併吞朝鮮，也花了一百多年的時間，才建立起它現在的戰敗後民主秩序。所以我們談民主，要求民主，是要認識歷史的過程，民主的實現是要付出流血流汗的代價的，要有相當的時間、耐心付出成本才可達成的。我們海外學人到國外拿了個Ph.D，自己個人不曾付出任何代價而只寄生於「充滿了血跡」之民主，而不知其歷史經過與內涵，即誇示國外民主如何如何，以此訓示國人，這一種言論並不適當。

針對官僚系統，我建議將各國的官僚制度做個比較研究。民主政治就是多政黨構成國會之代議士政治，也就是說官僚機構一定要與政黨分開，一定要保持行政中立。法國在1950年代，個人主義很發達，小黨林立，但是並沒有動搖其國本，那是因為它的官僚制度很健全，日本亦然，換個大臣（部長）及總理是常事。日本的官僚制度相當地健全，故不必憂慮其行政之持續性的運作。所以我主張將世界各國的官僚制度作前瞻性的比較研究，對我們國內的民主政治必有所裨益。

本文原刊於《客家風雲》第11期，1988年9月1日，頁63～68。係戴國煇口述，由記者鍾春蘭整理

大家一起來民主
——從警政署長的新人事談起

看到新聞報導，台灣的新任警政署長由警察科班出身的人士出任，是多年來的重大創舉，感到時代意義重大。

記得1988年五二〇農民運動出現街頭衝突後幾天，回台灣參加一項會議，曾獲剛繼任的李登輝總統召見。李總統要海外學界人士逐一發表一些意見，我提及，在日本聽到五二〇事件之發生，心中很擔心，主要是，很不願意看見台灣再發生二二八、白色恐怖、美麗島事件一類之悲劇及社會衝突。雖然五二〇事件剛結束，衝突、逮捕、流血都出現過，畢竟無人死亡，可堪告慰。

在與李總統談話中，我提及，看見相關的報導，知道台灣的警政署長是由職業軍人空降轉任，教人吃驚。以簡單的常識可知，職業軍人是為了保衛國家，需有殺敵意識，快速消滅敵人是平常的專業訓練；警察則完全不同，民主國家的專業警察的任務，不在攻擊而在保護老百姓。

社會轉型期落實民主的過程中，衝突的發生是一種難免的症候群。在此一情勢下，警察的最高指揮命令如果是來自軍人，可能比較容易在處理群眾運動時，引起不必要的衝突。如果警界高層長官老是由職業軍人空降的話，警界內部人事升遷必然地產生阻塞，滋生警察界全面性降低士氣的問題，不難想像。

結束談話之前，我面告李總統，「警察的歸警察，軍人的歸軍人」，人事應該正規化。

雖然當天有總統府第一局副局長馬英九先生（當時）做記錄，也許人微言輕，隔日各報新聞並未提及我的這段建議。當然，此次人事任用，未必是受了我發言的影響，但仍非常歡迎看見這樣的發展。

民主的路要多方參與及支持，各個社會角落、各個部門都得加緊努力。

由日本生活35年的經驗，知道日本戰後的民主警察之公權力很受民眾肯定，他們退休的制度完善，其高級警察退休之後還有去路的安排，生活無愁。這樣的機制使日本警察很少發生貪污、勾結不正人士犯法的問題。

在軍隊的結構問題上，日本戰後成立的自衛隊是「專守防衛」，不是如戰前「皇軍」以侵略為最高目的及至上課題。戰後日本人普遍對皇軍殘忍的負性歷史而對自衛隊並不甚尊敬，甚至尊重都鮮有；但自衛隊目的在保衛而非侵略，以和平時代軍人風格應付各種社會急難，近年逐漸獲得一般日本人之心及支持。

今後的台灣地區軍隊在世界和解的大氣候下，任務將更趨「專守防衛」性質；軍隊應多在角色上，因應新時代而有所調整。

在伊拉克與科威特戰爭之後，許多人將台海對壘拿來與伊科戰爭比較，我以為這是極不恰當的形式邏輯之類推。

中東政情歷來就是「火藥庫」味甚濃。石油、宗教與多年的宗教性仇恨造成今日中東自外於世界大和解氣氛。台海則完全不同，兩岸的政經體系都已分別與美、日產生密切的結構性關係，尤其中共必須與美、日保持良性的關聯，才能繼續開展其「改革與開放」政策，中共不久之前放走方勵之，便表示出，中共一定程度對開拓國際關係的急切需求。

台灣的警察與軍隊的內部自我改革及功能調整，是台灣民主化重要步驟的一環，這個趨勢及努力不能停止，也不應該停止。

本文原刊於《首都早報》，1990年8月7日，2版。係戴國煇口述，由記者楊憲宏整理

建構生命共同體共識，和「台灣人出頭天」的由來

當前，台灣政壇流行著凡事政治考量的看法。一般而言，所謂的政治考量，其實只是局部或戰術性的考量，但一個有哲理的政治家（絕不等同政客）除了必須作好戰術性的考慮外，還要有整體性、綜合性的，也就是戰略性的考量來推動長遠的持續性社會發展的視野；換言之，除了需要具備有發現日常逼人而來的問題及解決其問題之能力外，還必須具備提示將發生的問題之能力，才夠理想。

眼花撩亂的社會政治現象，甚多係屬於一時性抑或泡沫性的。這些泡沫現象不屬於學術界研討的範疇。學術界該探討的便是，社會政治現象深層所潛藏而不易被一般老百姓所察覺的社會、歷史脈動。

國際大氣候的變化以及台灣正面臨轉型的景況，人人皆可確認。但蔣家威權政治結束後所發生的歷次政爭深層所暗藏的社會，歷史脈動或「時代」性課題卻鮮被提出討論。

據我未成熟的思維，大概可以整理出三個綱目來：

一、台灣非殖民地化過程受挫而惹起的「反彈」

眾人皆知，世界性殖民史的一般流程，任何殖民地面臨「解放」時，轉換與光復的主要課題有二：第一為政權移轉；第二為價值觀念和體系的恢復（主體性的恢復）及新建構。台、澎被日帝殖民地化的特殊性（請留意中國的部分性「割讓」與朝鮮整體被吞併的差異）規制了台灣的非殖民地化過程的實況和台民當年的一般性心態。

1945年8月15日，當日本戰敗投降後，台民該具有年號之三種選擇的可能性：一是台灣零年或元年（以台灣為絕對性主體，定好新出發點）；二是1945年（這個年號一方面可與西元連接，另一方面又可與中共所用年號連結在一起的。但台、澎的紅色勢力微弱，不成氣候）；三是中華民國34年。當年的大多數台民選擇的係民國34年。所以有過萬民歡呼復歸中國萬歲，熱烈迎接國府官員與中央軍景況的顯現。

朝鮮的情形值得我人追溯相比。被殖民地化前的朝鮮半島已存在有李王朝的國家體制。它具備過本身的軍隊、官僚及政治勢力。換句話說，雖然有雅爾達體制架構下的南北韓分裂，但它們具有殖民地權力移轉的肩負主體。

反看台灣，雖然存有台灣文化協會到台灣民眾黨等的一小撮台灣人政治菁英，但力量並不曾凝聚。另外尚有一支前往大陸的舊日「同志」，以「半山」的身段衣錦還台，脫胎換骨變為台民的「半敵對」勢力。在台灣的非殖民地化過程的權力移轉的承擔角色，卻是由「母家」來人與「半山」的結合勢力來扮演。結果惹起了二二八的民族悲劇。二二八以後的威權政治繼續加深了台民的被迫害「情結」及「民怨」。「台灣人出頭天」的口號是有其來由，並具有其普遍性社會基礎，便是我們面對的現實。因為它可以通到「當家作主」的普遍性渴望，所以人人呼應。主張台獨者希望它能創造性的轉化為台獨建國。但大多數的老百姓，很可能只是以「賭爛」性激情為基調而響應而已，其實，它的最終去向尚有甚多「可塑性」，並具未可測的變數。這一類草根性情結不易被大陸籍朋友及彼岸的有關幹部們認知及理解，確實可歎！

二、中國革命與現代化領導權爭執的未決

自從中國共產黨創立（1921年）後，國民黨所扮演的中國革命及現代化的設計師及領導角色，受到了中共的挑戰。經過了15年抗日戰爭及勝利後國共內戰的曲折，國府中央終於遷台。韓戰爆發，美國第七艦隊的台海介入，阻撓了國共爭執的終結。國共隔海對峙定形下來，台海便成為亞洲三大火藥庫之一。美中（共）關係的解凍及冷戰結構的崩潰，引發了台海兩岸關係的快速變化。變化促進了因對峙所衍生之後遺症的表面化。戒嚴令的解除，黨、報禁的開放，「萬年國會」的改組，老兵返鄉探親問題等等便是。後遺症日愈部分地痊癒及消褪，新的問題又到來，外省朋友有家歸不得或有家不願歸的情況，則是一例。外省人的危機意識與台灣人出頭天的叫喊成為互動的正比例而逐漸高漲，遂有外省人上街頭之舉。台灣島內社會的「省籍疑慮」不但不見其化解，甚至於有加深、加劇之虞。

三、威權遺制的揚棄與新出發

人人皆知，國共隔海對峙期間，國府主導了威權政治，並促進了經濟發展。老百姓不分其省籍，都付出了頗大的正負面「成本」。一般而言，具有正當性的付出，人人甘願，但欠缺社會正義和正當性，甚至於類似「白色恐怖」等冤案、錯案所累積的「民怨」，卻不易被遺忘。遷台初期的國府上層，自保政權已是難題，哪有多餘的精力去考慮，並安撫台民的草根性情結。雖然力求自上而下的整合，但只見效於部分「台籍新貴」的上級階層，國府主導的「同牀異夢」的政局一直不易改善。

二二八事件、白色恐怖等的陰影，加上國府中央上層整套架構遷入台灣，政治空間窄小，台籍菁英及其年輕一代人士，只好向經濟界以及出國謀求發展。

台灣經濟的發展孕育了廣泛的台籍中產階級，因土地改革而失落的舊台籍中小地主階級的子弟們，以留學為主導的在外發展，逐年形成一股新生力量。他們開始驅使美、日現代主義的價值觀念——民主、自由、平等、人權，向國府挑戰。

晚年的蔣經國有過「我也是台灣人」的發言，以及本土化為基調之新政的推展，方便了政權的和平移轉，但蔣家威權遺制的揚棄，卻不能立竿見影方式地奏效。民進黨的部分人士，主唱一中一台，我們可以解釋為，新第三勢力出現於台灣。它雖然企圖承擔歷史設計師，和推動現代化的領導角色。但迄今為止，他們自限其舞台為台、澎。

上述三種歷史因素抑或歷史性課題，錯綜複雜，纏結為一，才造成了當今難以收場、幾乎連釐清都有困難的社會政治困境。

「同牀異夢」何苦而求

正不正當、好歹與否暫時勿論，當前，不分省籍的我們全體住民都得確認、急獨、急統都無其可能。毋庸諱言，既往的威權式整合已無效，但看來自於它的「同牀異夢」又只好揚棄。近年來一度高漲的「台獨建國」的激情已轉趨冷靜。截至目前為止，台獨運動的主張既見變化，又易見欠缺能力來主導台灣地區的全盤性整合。若只能看到的是另一種，「同牀異夢」亦何苦而來。

時移勢轉，台灣地區住民全般性參與追求「同牀同夢」的課題，已呈現於我們眼前。

我們的最佳選擇可能是，力求化解社會性疑慮，並建構台灣地區「生命共同體」的共識，齊心追求民主憲政的落實在先，繼而建構出兩岸雙方都自立（既非分離又非獨立），但又共生的良性互動關係。

國際大氣候的良性變化及日、美經濟不景氣的深刻化，與兩岸經濟相互依存關係的迅速開展，將是我們全體中華民族的大機會。

我們升斗小民，當然不願看見兩岸人民再一次的流血，更不願貿然當起「冤大頭」的悲劇角色。

本文原刊於《聯合報》，1993年3月1日，4版

李總統欲建設台灣爲中國文化的「新中原」

李總統14日提出「經營大台灣，建立新中原」的理念，是他近年來對於台灣在兩岸關係發展上的定位問題，闡述得最完整的一次。但是解讀這項談話內容時，如果把他在去年年底國民黨年終工作檢討會上所作「挑戰與重生」的講話結合起來，我們可以發現，李總統一直思考著如何把台灣建設成中國文化「新中原」的理想圖像，並且把這項構思的實踐，看作是整個歷史實踐的重要環節。

在李總統的基本構思裡，台灣與中國大陸之間歷史與文明的聯繫臍帶，不可能完全割裂；但是在推動台灣現代化的過程中，卻不能頑固抱守傳統方式，也不能全盤移植西方模式，如何在世界文明中擷取人類共同文化遺產，結合台灣的經驗，突破當前的發展困境，就成為最重要的課題。事實上，李總統有關建立「新中原」的構思，就是從這裡出發的。

不過，從李總統最近幾次對外的談話看來，似乎無法免於外界有關「獨台」、「一中一台」、「兩個中國」等等誤解的苦惱。無疑的，如何化解從二二八以來民間長期積累的怨懟，的確是一道相當棘手而又很容易引起誤解的難題；但是從宋楚瑜獲得國民黨提名參選省長、蕭萬長入主大陸委員會等等作法來看，李總統是有意識地以行動打破省籍隔閡，要求此地人民共同奮鬥。畢竟，要求確立台灣在未來兩岸關係發展上的優勢地位，不能只在口頭高呼口號而已。

另外，中國大陸一直認為自已才是正統的「中原」，但是缺乏實質內涵，甚至面臨文明更新的困境，則是不容否認的事實。李總統顯然有著明確的認知，一個擁有民主憲政、發達經濟的台灣經驗，相對於中國大陸，不僅僅是地理上的意義而已，更是建立中國文明「新中原」的重要基礎。以海洋文明為特色的英國已經逐漸沒落，日本也面臨瓶頸；作為大陸文化與海洋文化交匯樞紐的台灣經驗，才可當為台灣與中國大陸關係上前瞻發展的契機。

本文原刊於《聯合報》，1995年1月15日，2版。係戴國煇口述，由記者林琳文記錄整理

若干問題有待澄清

——我看江八點

對於中國大陸內部情勢而言，江澤民顯然是在為後鄧情勢預作準備。尤其值得注意的是，江澤民在去年底一直對軍隊主要領導人進行整合工作，目前這項軍隊整合工作似乎已經獲致一定的成果，江澤民就是在這個基礎上，配合後鄧情勢的可能情勢作出重要的談話。

兩岸關係的發展，還必須考量國際局勢演變的因素。尤其，美國情勢的變化很大，在政治上共和黨控制下的美國國會，對台灣可能表現得更為友善，而經濟上的復甦，也使美國對中共的態度更為強硬。而在日本方面，村山政權原來面臨的倒閣危機，已經因為阪神地震的發生而暫時緩和。影響所及，今秋的亞太經合會議，李總統訪日的可能性已經降低，日本可能不會帶給中共刺激性的政策變化。不過，中共在兩岸問題上，仍須作出明白的宣示。

事實上，李總統過去早就強調過，兩岸之間不應該再是意識形態的對立，而應該是經濟的競爭。江澤民談話中所提關於兩岸經濟交流問題的看法，正是兩岸經濟交流以來的成果在大陸上的反映。隨著國際情勢的變化和兩岸關係的演變，雙方應該建立共同的認知：兩岸之間應該形成以經濟競爭為主的互動關係。在這個基礎上，我們政府是否會作成將兩岸關係推向國統綱領第二階段進程的政策性判斷，值得觀察。

不過，江澤民的談話仍有若干問題有待澄清。例如江澤民表示歡迎雙方領導人進行互訪，但如果就李總統訪問大陸而言，如何以「適當身分」往訪、中共可能接受的底線等問題，都有待澄清；但這仍可視為中共對台灣發出的一項訊息，我們應該善加解讀。另外，我們的領導人訪問大陸，中共可以控制場面的秩序，但中共代表來台，我們的政府能否整合不同意見，避免示威、抗議的尷尬場面呢？換言之，在面對中共時，台灣內部的統獨爭議，仍是最大的問題。這幾年，李總統不斷務實地面對台灣內部族群對抗的問題，試圖化解族群對立的情緒；未來如能完成民主憲政的改革，真正化解族群的對立，我們才能更為有力地面對中共。所謂「一個中國」，不應是「中華人民共和國」或「中華民國在台灣」，而應該是兩岸必須繼續努力奮鬥的未來的中國。

本文原刊於《聯合報》，1995年2月5日，7版。係戴國煇口述，由記者林琳文記錄整理

以嶄新理想面對中國大陸

——回應李總統提出的「經營大台灣，建立新中原」主張

1994年年底國民黨黨務總結報告的會議上，李登輝總統曾以黨主席身分發表談話，指出「反共不等於反華，反台獨不等於反台灣」；1995年1月14日，李總統在新書《經營大台灣》的版稅捐贈典禮上，則提出「經營大台灣，建立新中原」這兩個新的概念。筆者曾在某個聚會遇見當時甫當選的台灣省長宋省長，宋楚瑜對筆者表示，他非常感謝李總統在黨務會議上引用了他競選省長時所用的口號。在此，筆者就針對李總統所提的「大台灣」、「新中原」、「反共不等於反華，反台獨不等於反台灣」等三個概念，以及李總統近日對「江八點」的穩健、慎重的善意回應，提出嘗試性的解讀與詮釋。

「大台灣」是個很新穎的提法，過去我們不曾以「大」冠在「台灣」前面。從歷史上看，在地區之前冠上「大」，表示加入某些本來沒有的、新的質素，例如德意志曾經提出「大德意志主義」，日本也曾自誇「大日本帝國」，或如韓國自稱「大韓民國」，近年經濟學家也提到有「大中華經濟圈」，所以李總統「大台灣」的「大」可以有兩種解釋：第一，是表明他的氣魄；第二，「大台灣」是說明「台灣」包括了台、澎、金、馬。在去

年年底省市長選戰白熱化之際，民進黨主席施明德曾經發表「金馬撤軍論」，引起強烈反彈，陳水扁先生還因此親赴金馬安撫民意。這令我想起甘迺迪競選美國總統時想搞「一中一台」、「兩個中國」，也曾主張金馬撤軍，後來並未得逞，而今日施明德出此言，從民進黨的立場及其黨綱來看，並不令人意外，但卻引起了民眾與輿論這樣大的反彈，令我不禁有恍如隔世之感。

李總統近年來一直強調「生命共同體」，而民進黨則說「命運共同體」，大家多半混為一談：其實「命運共同體」是防衛性的、宿命的；「生命共同體」卻是前瞻性的、開創性的。李總統說「大台灣」應與他「生命共同體」的主張一起體會，可加深我們的認知。

「新中原」裡的「新」，有自我更新之意，在原來的自我上加入新東西，是有改革意識的領導者都會強調的，例如甘迺迪就提出新「開拓前線」（new frontier）。「中原」本來所指的是中國文化發源地，是中國的文化中心，政治上說「逐鹿中原」也以中原為競爭決勝之地。李總統這次的提法較著重文化與經濟發展的面向，是要把台灣變成全中國的新中原，使台灣成為全中國未來發展基本能量的發源地。

當然，有中原就有邊疆，有中心就有邊陲、邊疆。邊陲在中國文化裡都有野蠻落後的意思，但美國歷史中的開拓前線卻是開創性的，「拓荒者精神」（frontier spirit）就是美國最引以為傲的立國精神。歷史上來看，英倫四島原來是歐洲的邊疆，法國才是歐洲的中心；但是英國稱霸後成為歐洲的中原，並且積極向外開拓邊疆，其中最大的一個邊疆就在北美。美國承繼這種拓荒者精神，成為新的中原，並在二次世界大戰之後提出「馬歇爾計畫」（Marshall Plan），協助歐洲從戰爭中恢復過來，這是美國這個「新中原」回饋給原本的中原——西歐。李總統提「新中原」的意思是：台灣內部各族群若能融合，依其憲政改革的步伐獲得整體進展，則台灣將如美國回饋西歐一樣，以台灣經驗支援大陸的振興。從這裡我們可以發現，李總統近幾次的講話與他對「江八點」的回應，都非偶然，而有其戰略性考量的意義。

最後，「反共不等於反華，反台獨不等於反台灣」其理甚明。但自李登輝先生上台以來，台灣社會一直在動盪中，許多人也對此表示憂心，我個人卻對此動盪現象有不同的解釋。李總統就任前，台灣一直長期處於戒嚴體制的壓制之下，因此蔣氏父子的威權政治一告結束，台灣社會中各種受壓抑的欲望就嘩然湧出；然而在這個新秩序建構的過程中，民眾的理性也漸漸出現。二二八紀念日很快就要到了，我預料李總統屆時將會發表重要談話，宣告悲情時代的結束，以及新秩序、新理性的建立；尤其是用嶄新的理念及理想來面對中國大陸以及建構中的新世界秩序。

許多人批評李總統是台獨、獨台、反華等等，這是因為他們沒有細讀李總統「反台獨不等於反台灣」的主張所致。筆者本身是客家人，客家人常常被忘記也是台灣人。而我反對台獨的原因，第一是因為我反戰，我是和平主義者；第二是因為我反對以流血革命的方式改變社會。所以我認為台獨解決不了問題，而希望兩岸和平競爭，這樣才能解決台灣問題。不能說反台獨就是不愛台灣，這正是我愛台灣的方式。李先生是第一位台灣人總統，筆者非常支持其「反共不等於反華，反台獨不等於反台灣」的立場。也期盼能在這樣的前提下，繼續領導大台灣，朝向更光明的明天。

本文原刊於《中國時報》，1995年12月16日，11版。由記者徐瑞希整理

在務實外交與大陸政策間須更審慎

李總統訪美已經成功地為中華民國在台灣的存在，向國際社會作了最佳宣達及見證，並為爾後繼續在外交上向「不可能」的挑戰，立下很好的里程碑。而日本媒體則對李總統的另一個母校京都大學，能否成為其「私人訪問」日本的敲門磚，極為關切。

其實，李總統在返國記者會上已經作了很好的回答：元首外交只是務實外交的一部分，外交必須作整體的考量；並且，訪日的問題應由日本來考量李總統所代表的2,100萬台灣人民的心聲，日本方面應該繼續努力。換言之，我們在推動務實外交、特別是「元首外交」時，除了運用各種可能資源與方式外，還必須考慮到各國情況與美國不一，不宜用過於主觀的願望來看待問題。

美國對中共的關係，與日本對中共的關係，在歷史淵源、地緣戰略與力量對比上，都有很大的差距，兩國決策體制也明顯不同。柯林頓總統雖然同意李總統訪美，卻也同時接見北京駐美大使，保證「一個中國」政策不變，這顯然是在面對國會與連任壓力時不得不採取的兩面方法，並向中共作了妥協。相對的，日本固然不願兩岸立即統一，卻不能無視於中共的政治與軍事力量。尤其日本現任內閣並不穩定，政界可能還會再來一次重編，村山政權大概沒有力量、也沒有勇氣承擔允許李總統訪日可能造成的衝擊，外務省更沒有這種魄力。至於外傳有意訪華的日本親王六條有康雖能促進中日民間文化交流，但皇室對政治決策其實不具影響力量；而日本的著名大學更與美國大學不同，不易以捐款、講座或其他方式來達到邀訪目的。

另外，從兩岸互動關係來看，李總統也顯然不願看到海峽情勢的緊張，因而有關二次「辜汪會談」的籌備，以及兩岸文化與經貿的交流，仍然不受影響繼續推動。李總統雖欲凸顯中華民國在台灣的事實，但為顧全大局，訪美之行仍頗為自制；訪美期間並多次強調其訪美之行並非製造「兩個中國」，目的只是要彰顯中華民國在台灣的存在事實。同樣的，在返國記者會上，當記者提及中共對其訪美之行所作的激烈批評時，李總統甚至以剛回國尚不清楚為由，一語帶過，明顯是從穩定兩岸關係的大局出發，不願過度刺激中共。

事實上，李總統已經明白指出，中共目前正處在接班的過渡時期。因而我們不能不看到中共內部的紛歧，特別是不能無視於軍隊的強硬立場，在中共對台政策上可能起的作用。如果以理性決策觀點考量，兩岸情勢與中共過去對印度戰爭與懲越戰爭都明顯不同；中共對台動武，不論結果如何，都將造成兩岸間永難彌合的裂痕。但在權力接班過程中可能出現的紛歧，卻使非理性因素不能完全排除。因此，如果說美、日都不願過度刺激中共，那麼我們又何需無故攖其鋒？現在問題在於，兩岸互信不足，因而在務實外交與大陸政策之間，我們必須做更審慎的戰略與戰術考量。

本文原刊於《聯合報》，1995年6月14日，11版

台灣人出埃及是一條民主轉型之路

舊約《聖經》中〈出埃及記〉已經成為商業電影攝影題材，摩西與十誡廣為人知。但如果能進一步區分「出埃及記」與「出埃及」的不同，跳脫以《聖經》為信仰的固有型態，在政治思想史上重新建構新的思維模式，必可以有新的自覺與領悟。

在《聖經》中，可以了解「出埃及記」基本上是以色列人為了擺脫奴隸地位，而由摩西帶領族人越過紅海、流浪曠野，去尋找由神賜給的有「牛奶與蜜的美麗家園」的歷史紀錄。摩西自埃及逃出在西奈山牧羊，有一次在聽到神的召命後，他要冒險返回埃及，經過多種艱難，把族人帶出埃及，這可以當為一群以色列人自我覺醒的過程，是一種具體的歷史事件。

「出埃及記」是歷史上發生的一次特定事件，在事件中以色列人過紅海、後面又有埃及人的追兵，為了重建家園，原本散落的12個以色列部落民眾慢慢集結成一個民族。而「出埃及」是一種運動，可以發生無數次，「出埃及」中所顯現人的活力更是無窮的。美國學者米歇・渥爾查曾經在1985年出版*Exodus and Revolution*這本書，給我很大的衝擊。作者把「出埃及記」與「出埃及」區分開來，把後者當為是一種運動、一種改革來看待。

也因為有著《聖經》的事蹟在前，因此當李登輝總統與日籍作家司馬遼太郎對談時，提到〈出埃及記〉，便在台灣民間引起很大的議論。在那次的對談中，李總統曾說：「當我向內人提起，和司馬先生交談時，什麼話題好呢？她說，就談生為台灣人的悲哀吧！於是兩人就談到舊約《聖經》中的〈出埃及記〉」。在同一次的對談中，〈出埃及記〉的概念與台灣人的命運被連在一起談。當日本籍的編輯問到：「開頭曾提到『出埃及記』的話題，是不是意味著台灣已經邁出步子，迎向新時代了呢？」李登輝的答覆是：「對，已經出發了。今後，摩西與人民都會很辛苦。不過不管如何，已經出發就是了。對了，當我想到眾多台灣的人被犧牲的二二八事件時，『出埃及記』就是這個結論。」

嚴格來看，李總統當初所指的意思應該是「出埃及」而不是「出埃及記」，尚且以色列人是與神訂有契約，還通過摩西服從神的十誡才成為上帝的子民。而中國人沒有這種神，只有人與人之間的關係，內部的規範意識很不容易培養，人的欲望缺乏信仰來規範時，一旦全部活力釋放出來，就會有亂象出現。因此當代的中國人就必須靠全體民意選出民意代表、選出總統來立法及執法，而法律，就可以變成了新十誡。

在台灣，要訂立規範並不是建立制度就好，法治的過程還包括立法、執法、與守法三個部分。但是在摩西五書中，立法也就是神授予十誡的工作，執法是由摩西來擔當，而守法者便是覺醒的一般以色列人。《聖經》中是神選摩西，但是在台灣是老百姓選摩西，摩西與老百姓要靠法律才能發展，追求並維持自由、民主、均富的新境界。

「出埃及記」是一個歷史紀錄，因為人民受了壓迫，發生很不幸的遭遇，而要求解脫的過程。也因為它具有人民培養內部規範意識的深層意義，因此不論是解放神學、黑人人權運動、朝鮮人抗日運動等民族革命，都是以「出埃及記」及摩西來理論武裝自己。然後利用「出埃及」的精神做為抗爭的支柱。而在台灣，當李登輝總統說出「出埃及」的話，又說到「已經出發了」時，其實意指摩西與老百姓還有得拚，因為原本以為會有牛奶與蜜的美景，在巴勒斯坦現實上所展現的卻是一個荒原，並不是理想的桃花源。

在現階段「台灣人出埃及」的義涵中，有些人會以為李登輝總統就是摩西，台灣人就是閩南人。但如果能夠完全掌握「出埃及記」的整體歷史意義，就應該清楚，李登輝總統本人對台灣命運雖具有使命感，但他仍不能稱是唯一的摩西，最多只能算是摩西的一部分。而跟著摩西一同去打拚的人們，並不是單指閩南人，而是要不分本省人、外省人、客家人、原住民，凝聚在一起打拚才是理想。

因此，「出埃及」當然期待多數的老百姓要有寬闊的心胸，及世界市民格局的自覺。要覺悟，應該從本土意識出發，但不能停留在台灣小島之境界，仍必須要靠打拚、守法才能達到目標，不是光喊台灣人意識就足夠的。

但是，現在「出埃及」的概念已經出現泛政治化的解釋，台灣某些人士就將「出埃及」與「獨立建國運動」相結合，認為當初以色列人過紅海、回到祖先居住的地方重建家園，因此，台灣人也可以渡過台灣海峽，在台灣島上獨立建國。但是，這種想法其實完全是誤解，如果以「出埃及記」的歷史事蹟來看，那麼李登輝總統應該是回到福建老家永定去建國，才符合「出埃及記」的史實，而不是在台灣建國，因為台灣是原住民的原鄉。我們不能只是求其方便，把《聖經》上的事蹟，能用的、方便用的就都拿過來用，甚至想以此作為「告別中國」的理由，這完全是因為現實政治上的聯想所造成的誤解。

當李登輝總統提出「出埃及」之後，不但台獨運動人士有意利用這個話題壯大運動，另外連外省朋友也誤會他。現在如果把「出埃及」與「經營大台灣，建立新中原」連在一起，也許可以了解，李總統的「建立新中原」正是出埃及中所說的「可以指望之地」，是一個理想之地，而且，這片理想之地不僅是物質上的，而兼具一種精神上的喜樂。

有的人會認為《聖經》是基督教的經典，《聖經》中的問題不方便來談，也不方便批判，認為一旦批判就是對神不敬，我認為這種想法是不對的。其實，如果把《聖經》當成一本歷史書，就應該可以客觀批判。「出埃及記」是一段從壓迫、到逃亡、乃至出走、最後要走入曠野繼續打拚的史實過程。「台灣人出埃及」可以是在台灣的所有住民追求真正自由的自覺過程。做為一個從日據時代成長，以及40年寄居日本的台籍學者而言，「出埃及」也是我們這一代個人成長的企盼性心路歷程。「出埃及」中的長征，是一條漫漫長路，如今在台灣的政治思想中，更應是一條民主轉型的自由之路。

本文原刊於《中時晚報》，1995年10月18日。原副題「因現實政治聯想出埃及的概念已出現泛政治化解釋，應當予以釐清」

自立與共生應是兩岸的最佳選擇

少小離鄉老大回。去國40年，而今返國定居，卻值台海風起雲湧，正有人行色匆匆而別。

前幾天，我夫婦兩人分批帶了一些美鈔和日幣回來。入境時照例要登記所攜外幣數額，並且載明未來是否還攜帶出境。海關關員顯得有些詫異：「這一陣子不少人買了美金出國，你卻帶了美鈔回國。」

關員還問到這些錢的用途。

「買房子用的。」這下子，關員更是一副驚訝的表情……。

留日多年，我的護照曾被吊銷，並被列入黑名單中，不得返國。

小孩念高中時，想利用暑假赴美遊學，卻發現沒有護照，無法出境，氣得大罵：「要這個國家幹什麼？」

我告訴小孩，國家與政權不同，政權可能轉換，政府政策也可能進步改善，但國家與民族卻具永恆性，不易改變。在類似的情況下，有些朋友已經選擇了日本國籍，並拿它的護照，我尊重每個人的不同選擇，但我不會忘記自己是來自台灣的客家人，祖先來自中國大陸，台灣曾遭受日本殖民，日本又曾侵略中國。這樣的事實很難令人只為圖個方便而改拿日本護照。

當時孩子似懂非懂，其實我自己也沒想到在蔣經國先生晚年，我已經能夠回國參加《聯合報》所舉辦的學術會議了。

是的，政府已經給我護照，讓我回國，甚至可以定居了，去國40年來未曾投過票，現在也可以行使投票權利了。我夫婦兩人的二張選票並不重要，但我以為這投票本身意義就相當重大。

面對中共文攻武嚇，不少民眾心裡惶惑，各組總統候選人也出現互相攻訐的情形。中共意圖影響總統選舉結果，昭然若揭；在野各組總統候選人希望藉此壓低李連配聲勢，也可理解。不過，我仍然認為，台灣人民在這次總統選舉中表現得相當成熟；事實上這些年來，台灣的每次選舉都有進步。

這次選舉，不論看作是中國人5,000年來第一次，看作是台灣人400年來第一次，或者看作是漢族社會在台灣穩定建立300年來的第一次，人民真正能夠表達自由意志、選擇自己的領導人，使得許多人對選舉結果與選後情勢，寄予高度的期待。

這次選舉的確是台灣民主發展進程的最重要實踐。值得注意的是，選舉本身是民主政治的表現方式之一，但選舉也可以形塑政治人物的領袖魅力。而著名社會學者韋伯所稱的這種「魅力性」（Charisma），正是政治權力正當性的重要來源。探討選後政治生態與兩岸關係，不能忽略通過民主選舉所形塑而成的政治人物領袖魅力，將會在未來台灣領導人處理黨政運作與兩岸互動時，提供重要的權力及威信的基礎。

當然還有人擔心，在中共連番文攻武嚇中，已經將未來的台灣領導人「定位」（如界定為地區的領導人）、「定性」（如認定務實外交為搞「一中一台」或「兩個中國」），如果無法被中共接受為談判對手，則兩岸和平之門將無由開啟。

但從過去國共對抗的經驗以及中共對外談判的歷史，都充分說明，中共在乎的是，談判對手是不是一位擁有實權、具代表性的對手，至於中共本身曾經如何為其對手「定位」、「定性」，並不重要。政治上原無永遠的敵人，更何況是兩岸之間的血緣與文化相連。台灣民主選舉過程中型塑的領袖魅力及其賦予的權力基礎，將使台灣領導人成為中共不作第二人想的談判對手。

因此，選後，我們都該袪除激情，冷靜思考台灣的出路與兩岸關係的安排。不過，這個問題，不能單純地只看兩岸，而應該以更宏觀的視野，探尋21世紀亞太地區自立與共生的構圖。我們不能忽略後冷戰時期區域整合與經濟競爭的世界大趨勢，在這個國際架構下，台、星、港、澳與中國大陸其實各有發展的特色，但相互之間關係密切。這可以是亞太地區各國家自立與共生的基本構圖，也是台灣可以追求的世紀目標。

事實上，兩岸之間也應該在這樣的架構下維繫相互的關係。過去曾有「台灣結」與「中國結」的論辯。事實上，以當前兩岸體制差距與發展情況而言，一個被中國大陸完全吸納的台灣，將失其生機；而一個急迫切斷與中國大陸聯繫臍帶的台灣，也將自斷生路。此項關係的內涵與邏輯，筆者過去亦有專著論述（《台灣結與中國結》，遠流出版）。總之，兩岸之間維持一種自立與共生的關係，應是符合雙方利益的最佳選項。

無疑的，選舉結束不會是問題的結束；相反，許多問題將正式浮上檯面。尤其，在選舉期間，中共已經不斷採取粗暴的行徑，有意逼出美國對台政策的底線。經濟發展與民主政治，是台灣賴以生存最重要的兩張王牌，兩者之間更是相互聯繫的；我們當然無懼於中共的軍事威脅，尚未達成現代化建設目標的解放軍是不可能實現解放台灣的夢想的。但不能否認，中共的盲動卻可能毀掉台灣賴以生存和發展的憑藉，也會毀掉中國大陸改革開放的成果。

選舉的激情過後，也許兩岸都應冷靜下來，好好地思考一下中國人未來的出路。

本文原刊於《聯合報》，1996年3月23日，11版

歷史是不可能有斷層的，慎思台灣人眞正主體性的重建課題

——我看香港「回歸」並沉思台灣的自覺存在

人類的歷史，是不可能有斷層的，許多人或因看不見部分歷史的發展，或因自身對歷史的洞察力不足，而以為歷史有斷層。統一前的西德總統魏茨澤克，在1985年為德國過去的罪行道歉時說：「對當為歷史的過去閉著眼睛的，必將盲目於當為歷史的現在。」在香港回歸之際，同時回顧台灣的光復經驗，我們可以發現，歷史提供的智慧更值得人們虛心的學習與省思。

其實，鴉片戰爭後的《南京條約》，已把香港島永久割讓給英國，1860年的北京條約，再割九龍；1895年《馬關條約》對日本割讓台灣後，大英帝國也逼迫清廷，藉口「保衛香港」，以1999年為期，要求租借新界，遂有1898年《展拓香港界址專條》之簽訂。然而，正因為有當年「保衛香港」的新界「租」約，才有今日香港之回歸；歷史的弔詭，莫過於此。

歷史的另一項弔詭是，歷經155年被殖民統治後，鮮聞港人有香港民族、民族自決或英國皇民化之說；倒是才有日本51年殖民統治經驗的台灣，卻常見台灣民族與獨立之論。

除地理因素外，我們仍應回復歷史之原貌，並從後殖民地的

觀點，來探討我們的課題。

1945年邱吉爾並未答應蔣介石歸還香港的要求，羅斯福曾想幫忙，但為英國所拒。延遲了半個世紀之久的香港回歸，雖有新界租約之期，仍然是權力政治運作的結果，而非國際正義的實現，這值得吾人深思。

日本殖民統治與台灣光復，亦均無關國際正義。但台灣迄今仍有上層社會菁英感謝日本人，認為日本人幫我們實現了台灣的現代化，甚至向中國人說「不」。在火熱的政治激情下，根本混淆了中華人民共和國與中國和中華民族的區別。

這裡不能不提及李登輝總統與司馬遼太郎談到的「出埃及記」。

值得深思的是：摩西帶著族人出埃及，騎著騾子四、五天便可以到達的迦南，為何花費40年時間在荒野流浪，然後才到達這塊指望的土地？

摩西的族人在埃及雖然過著沒有尊嚴的奴隸生活，但物質所需卻不虞匱乏；精神的墮落，使得走出埃及的正當性備受處於物欲橫流中的族人的質疑。摩西只好要求族人遵守十誡，並用40年的時間在荒野自我流浪中，等待奴隸一輩人士的凋零，讓人民的劣根性磨損，且確立真正的主體性，而後才能帶領族人到達迦南。

其實，「出埃及記」只是《聖經》中記載的一個以色列歷史故事，但「出埃及」卻是思想史上的重要議題：被壓迫民族，在歷史與政治使命感的召喚下，體會時代精神，擺脫奴隸思想，克服劣根性，凝結內聚力，建立真正的主體性。

已經光復50年的台灣，許多老一輩人精神惰性猶存，仍然懷想著過去沒有尊嚴但秩序井然、甚或被殖民上層比一般百姓優渥的歲月；李總統要「出埃及」，同樣必待日據時代後遺症的劣根思想盡去，才能真正建立台灣人的主體性。

香港在英國殖民統治下，過著有自由而無民主的生活，近幾年才被允許及鼓勵有較多的政治參與。但香港回歸之後，未來前景如何，尚難預料。尤其，香港人真正的主體性何在？

六百多萬港人，在英國殖民統治下，依循資本主義社會運作法則，創造了亞洲經貿金融中心的地位。而資本主義，在毛澤東掌權時代遭到否定；鄧小平卻希望將之納入他所謂的具有中國特色的社會主義體系中，嘗試建立社會主義市場經濟。香港回歸，無疑是世界史上夠有識人士去關切的政治、經濟與社會重建實驗工程。

不過，香港對北京的質疑，已經持續了13年；這項質疑在1989年的「六四」事件時達到最高峰。中共的改革步伐雖未停頓，但對港人的自覺運動仍應接納；因為如果北京只想接收香港在金融經貿上的管理技術與資產，卻漠視香港人的不同看法、生活方式以及歷史所形成的價值體系，是說不通的。

在這裡，我不禁想起親身經歷過的台灣光復的經驗。

當時，台灣人並不了解中國大陸政治事務的複雜性。中國是在開羅會議後，才知道大概可以戰勝日本，並開始準備要接收台灣；而台灣人根本想像不到從祖國來的是一批兵疲馬倦的「乞丐兵」（陳儀的形容語），台灣人只看到來台官僚的貪腐。這是引爆「二二八」事件的重要時代背景，而這個悲劇的傷痕迄今尚未能全面平撫。

台灣人在剛光復時未嘗對中國和國民政府有所質疑；但面對回歸，香港人對中國和北京政府的質疑卻未曾停止。其實，中共在這13年內，以極大動員能量全力準備，駐港解放軍也號稱「文明之師」。但這些努力僅屬於看得到的「硬體」，而讓人們不易察覺的「軟體」部分，具備與否卻令人擔憂。

錢其琛在香港回歸前夕特別警告，不能有「接管香港」思想；但中國的傳統政治文化上，凡是掌握權力後的政客，往往講一套做一套。「文明之師」副司令員會發生「特權闖關」事件，其他部分官僚、太子黨們的權力者心態，欠缺法治觀念，更不待言。香港人的民主經驗雖然不多，但自由的生活方式卻根深柢固。未來如何調適，實為最重要課題。

香港人當然無法「告別中國」，更不可能「反對中國併吞」。不過，光復50年來的台灣人，為了揮別日據思想，猶待摩西「出埃及」精神的引領，才可能重建台灣人真正的主體性。回歸後的香港人，更要對英國殖民統治遺緒採取決絕的態度，才能建立香港人真正的主體性，才能參與建構未來那個未必是中華人民共和國的全新之中國。

至於台灣，在香港主權移交後，可以拒絕香港模式的「一國兩制」，但不要幻想利用美日外來力量嘗試出頭天，更不可能假美、日之手來建立台灣人的主體性。歷史是不可能有斷層的，尤其是不隨人的主觀願望而有所斷層的。在關心香港人如何擺脫被殖民身分後的主體性建構問題之際，回想摩西走過的崎嶇艱難的道路，關於台灣人真正主體性的重建，正是吾人應該不斷思考的重大課題。

本文原刊於《聯合報》，1997年7月1日，6版

邁向民主總統，李登輝仍多挑戰

「民選總統不等於民主總統，李登輝總統目前正在關鍵的中途站上。以李總統的條件，絕對有能力成為民主總統；但未來兩年內，如何成為中國歷史上第一位民主總統，不僅是李總統的挑戰，更有待全民共同努力。」

旅日四十餘年的歷史學者戴國煇教授，兩年前在總統大選後立即提出他的憂慮；返國定居兩年後，也兼任國家安全會議諮詢委員的戴國煇，憂慮依然存在。他認為，李總統兩年前已成就了第一個「民選總統」的地位；但兩年來，台灣的公民意識尚未充分建立，政治素養不夠成熟，使李總統邁向「民主總統」之路仍有許多困難與挑戰。

明天是李總統直選總統就職紀念日，也是第一任民選總統任期的中間點。與李總統有相當交誼的日本立教大學榮譽教授戴國煇先生，在訪談中提出兩年來的觀察。

記者問：你在1996年總統大選後，即在日本媒體上提出「民選總統」不等於「民主總統」的觀念，能否說明其中含意？

戴國煇答：兩年前我提出「民選總統」不等於「民主總統」的道理在於，當時台灣的大部分住民都為選舉的成功，處於一種極端興奮的激情狀態，即使日本人也覺得這是一件了不起的成就。這次選舉對中國人來說，的確是個偉大的時刻，但我引老子的話：「禍兮福之所倚，福兮禍之所伏」，也就是我們在興奮的同時，不能忽略背後的隱憂。

1991年我到德國看倒塌的柏林圍牆，同時到威瑪參觀。德國的威瑪憲法至今仍是世界上數一數二的好憲法，當時制定時，同樣讓德國的知識分子感到興奮；可是在德國的公民意識尚未建立、政治素養不夠成熟時，卻被希特勒利用作為奪取獨裁政權的工具，結果禍延全球。

兩年前，台灣人民第一次用投票方式選出我們的元首，這也是中國人社會第一次的實驗；這個實驗將來還可能拓展到中國大陸以12億人為母體的選舉，對中國政治的演變影響至鉅。李總統是我尊敬的學長，我們的交誼也有一段時間。以李總統的使命感、才華、見識、健康、毅力等條件，他絕對有充分資格當個民主總統，他也必然願意為邁向民主總統而努力。

問：大選後，李總統立即宣稱中華民國已是完全民主的國家，以你的看法，「民選總統」與「民主總統」差別何在？兩年前的激情是否還存在？

答：我一直主張民主政治要大家來參與，並抬轎——只有大多數住民團結，轎子才抬得好。李總統絕對有企圖心，以台灣2,100萬人為母體完成了「民選總統」的選舉；但值得擔心的是，台灣住民的公民意識是否已經成熟，選民的政治素養是否已經足以了解這一票的真正意義？

台灣目前處於陣痛過渡時期，也就是立於從兩蔣時代秩序解體後的重建過程之中。秩序必須在混亂中建立，最後才會有理性的產生。一個法治社會必須包括立法、執法和守法三個層次；真正的法治需要這三個層次合為一套，運作順暢，才可達成。但台灣距離真正的法治社會，還有一段很長距離。

兩年來，我所擔心的問題不幸陸續出現，社會出現很多亂象：林肯大郡、治安問題、政治問題等，都凸顯台灣法治社會尚未建立。李總統提出心靈改革、戒急用忍，就顯示出他邁向「民主總統」的困擾，也是他提出來的治療方法。

問：你覺得我們現在實施的是否是一部好憲法？台灣能否在兩年內成就「民主總統」的條件？

答：這涉及憲法論的問題。我還是強調，再好的憲法或基本法，只有框架是不夠的。如果沒有真正法治的運作，仍是不夠的；人的因素很重要。台灣的問題在於只重形式主義，也就是「外華內貧」：民主架構有了，但還必須做到內容的充實，每個人都需要自我提升公民意識及政治素養。李總統正處於關鍵的中途站發揮其領航角色，無論如何，要在剩下的兩年內將台灣的法治建立起來，才有可能從「民選總統」轉變為「民主總統」，這不論對台灣或中國大陸都有好處。

本文原刊於《聯合報》，1998年5月19日，4版。係戴國煇口述，由記者何振忠整理。原副題「台灣的公民意識素養尚未成熟是李的主要困擾」

美「中」日三角關係傾向北京

美國總統柯林頓此次與中共國家主席江澤民舉行第二度的高峰會談，應該從美日安保新解釋、《美日防衛合作新指針》*合併觀察，因為這正反映了以柯林頓為中心的美國主流戰略思考，以及柯林頓智囊為美國所欲建構的世界新秩序，尤其亞太新秩序之一環的一整套運作。

從蘇聯解體、波灣戰爭結束以來，整個世界秩序一直在重建當中，尤其在蘇聯這個敵手消失後，美國更要重新思考如何掌握它的世界龍頭地位，以因應世紀末並迎接將來臨的21世紀新局勢。基於這個了解，在東亞部分，美國首要以日本為著力點，作為其配套戰略的一環。

對於《美日防衛合作新指針》，國人只注意到「周邊有事」是否將台灣海峽納入，其實最重要的是，美國藉此新指針將日本軍事緊緊掐住，剩下的經濟問題，迫使日本的社會主義管制方式的日式資本主義經濟全面性解體，並將其納入由美國主導的世界貿易組織（WTO）來掌握。

---

* 一稱《美日防衛合作新指南》。

所謂WTO的真正本質性內涵，確係建構由美國可以掌控的全球單一市場為最終目標。美國現在擔心的是，日本經濟發生重大突變，使美國好不容易挽救回來的景氣受到影響，所以美方必須積極因應日圓急貶的事態。

以美國的戰略角度思考，必先建構好由美主控的東北亞——美國、中共、日本的戰略性三角關係，然後才輪到考慮台灣，不可能是先思考台灣，再來建構美國本身在東北亞的戰略位置。關於這一點，台灣不能有過高的自視誤判或自戀情結。

柯林頓此次訪問北京，日本曾私下要求柯林頓在去程或回程順訪日本，但柯林頓只派國務卿歐布萊特（M. K. Albright）到日本打聲招呼，不僅顯示美國的功利主義大過美日同盟外交關係，並且從其國家利益出發，藉此大有離間、挑撥之嫌。日本喪失了經濟優勢的情況，以及軍事上既沒有核武、又非聯合國安理會常任理事國來看，日本在東北亞已不可能保有正三角關係，在現實政治中，日本的聲音只能愈來愈小，教日人自歎日美同盟正在搖擺漂流中。

至於對中共的思考，美國早在1996年底即有與中共展開「交往」（engagement）的共識，美國認為圍堵政策將消耗更大的能量，唯有期待中共和平演變才能維護美國的利益。但美國與中共的交往只是交往而不對抗，先交個朋友，可是台灣有些人就開始怕了，其實美「中」雙方都只是在「拖時間」，拖個二十、三十年，對雙方都有利，這也是柯江會談以及他們企圖建立「建設性戰略夥伴關係」背後的主要動機。

乍看美「中」建構的「建設性戰略夥伴關係」發展，現在的新生國際現象，可以印證柯林頓智囊們的掌握方向是相當準確的。不論是東亞金融風暴、日圓貶值、南亞核武以及北韓核試問題等，美國如果欠缺中共合作，是難於擺平的；另一方面，圍繞南北韓的四邊會談，日本被排除在外，也證明中共在東北亞的水漲船高的地位。

所以，台灣如果還只是把焦點放在美「中」戰略夥伴關係，或是「三不」問題上，恐怕會陷於坐井觀天，這其實都是美國對全球戰略思考的一整套（one set）做法。這也是為何去年秋天的柯江會談出現「交往」以及建立「建設性戰略夥伴關係」後，奈伊、培里（William Perry）等人對我朝野極不客氣的認定台灣是「麻煩製造者」（trouble maker），因為以美國的戰略思考，就是希望台灣乖乖地聽話並配合美國政策維持現狀，既不要你統一，更不要你獨立，而是要把台灣這顆棋子搞活，任由美國擺布。

在了解美國的戰略思考後，我們應該認識到部分人以為台灣有事，美國一定出面幫助，這是嚴重的自我迷失以及自信喪失。在這種國際環境下，台灣有必要調整自己的心態，勿過分依賴美國，我們雖然運作美國國會有些成績，但整體來看，不見得已有很夠本的實際效果。台灣雖小，但不容否認我們「實體」存在的事實，如何自立而非獨立，在這種局勢中才有牌可打，才不怕被人出賣。

本文原刊於《聯合報》，1998年6月28日，6版。係戴國煇口述，由記者何振忠整理。原副題「從柯江會談看華府的東亞戰略思考」

台灣如何在大棋盤上取得發言位置？

柯林頓結束中國大陸訪問行程返美之後，「三不」效應立即在國內發酵；在「三不」的衝擊下，朝野對於美、中、台三角關係變動趨勢的討論，瀰漫著台灣何去何從的悲情。不過，如果我們要冷靜地在已經失衡的三邊關係中，為台灣找到適切的戰略定位，恐怕還得把視野拉得更高、更宏遠些。

只要我們的眼光不自限於島內的話，對於柯江會感到「杯弓蛇影」的，豈止台灣而已；日本也同樣受到柯江會的震撼。甚至，美國國務卿歐布萊特在柯江會後刻意自港飛日，並強調美日關係仍是美國亞洲政策基石，也難以拂去日本的夢魘。

在戰後美日安保體制下，日本一直相信或有意地幻想，美日同盟關係是一種平等關係，但1972年的「尼克森震撼」──美國與中共的親近並未事先知會日本，卻成為其迄今難以平撫的夢魘。打破日本對美關係幻想的第二次震撼，則是去年江澤民的訪美之行，先赴夏威夷，訪問珍珠港，憑弔亞利桑那艦，強調中美人民共同抗日的歷史，讓日本更有如啞巴吃黃蓮般。無可諱言，在美日關係上，日本的「戰敗國地位」是個迄未改變的事實。因此，面對二次柯江會，日本自然惶惴不安。

嚴格地說，柯林頓訪問中國大陸期間，在稱許江澤民與朱鎔基政策表現的同時，卻對日本的金融政策及其在亞洲金融風暴中的角色多次放話，這不是很正常的事。日本固然因此被迫表態，提早宣布設立「承受銀行」與考慮實施永久性減稅計畫等符合美國期望的加速金融改革方案，但也明白表示了日本的「不快」。日本的不安顯非無因。在柯江互訪之後，即使橋本龍太郎首相也將於月底訪美，仍然不能改變美、中、日之間日益形成的一種非等距三角關係的事實。

繼而，我們亦可留意，柯林頓在香港結束訪問後返美，而稍早抵達香港主持「回歸」周年慶與新機場啟用的江澤民，卻未及送行，即兼程飛往中亞。

基於何種考量，未待柯林頓返美，江澤民就急著回頭搞起「北方外交」？而在橋本龍太郎月底訪美之後，江澤民接著在九月間又有一趟東京行。

藉著江澤民的中亞之行，中共不僅與哈薩克簽署協定，全面解決了兩國間長達1,700公里的邊界問題，並且通過與俄羅斯、哈薩克、吉爾吉斯、塔吉克等五國外長的聯合聲明，反對民族分裂主義和宗教極端主義，支持中亞無核區的倡議，保障遵守五國邊境地區軍事互信與相互裁減軍力等協定。

在中亞問題上，西藏或許也提供了另一個觀察角度。在柯江記者會上，江澤民將西藏問題與台灣問題掛鉤，固然是針對台灣方面與達賴近年來交往而發，但江澤民也要求在承認西藏是中國一部分的前提下，可與達賴對話，美國並未挑戰這一前提，而近日接受《時代》雜誌訪問的達賴也證實與北京有著接觸的管道。

或許我們可以作如是觀：在穩住西藏情勢的同時，不僅柯林頓未提疆獨，中共更通過「北方外交」來穩定新疆地區少數民族的反彈。另外，中亞區域及裏海盆地的能源開發亦有美國與中共合作之動態。

相對的，俄國與哈薩克則於日前就裏海石油資源控制權的爭執達成了畫界協議；而近日更傳柯林頓將於九月訪問俄羅斯，舉行美俄高峰會。這些訊息均值得關注。

從全球戰略布局來看，不能忽略中亞可能正是美、俄、中、日之間下一步必爭所在。

事實上，在布里辛斯基（Zbigniew Brzezinski）總結美國全球戰略構想的著作《大棋盤》（*The Grand Chessboard*）裡，正反映了上述的戰略構思；而中亞地區的戰略地緣位置及其豐富的石油儲藏量，使其將成為大棋盤上的戰略必爭要地。甚至，如果進一步考量美國與中共已就聯手穩定南亞情勢達成共識，而北約將向東歐推進，歐元將出現，在這種全球戰略架構下，從東北亞的美、中、日三角關係，擴大而為含括歐亞大陸美、俄、中、日四角關係的大趨勢，將日益浮現。

美國與中共已經在思考，如何在21世紀的世界爭霸中，確立穩定的新秩序；我們應該如何自我定位，如何看待問題，能否作好戰略、戰術兼顧的因應準備？

台灣其實不必自我膨脹，所謂美、中、台三角關係，必須先在涵蓋面向更廣的美、中、日大三角關係架構下，才能找到較適切的定位；這個大三角架構將在九月間江澤民訪日後更趨於明朗化。當然，一個更為廣泛的美、俄、中、日四角關係架構，也將在這個大三角架構的基礎上展現，迎向21世紀「經濟大競爭時代」的全球性新挑戰。

台灣也不必妄自菲薄，認清美國權力政治的現實，朝野都不應繼續存有幻想。天下大勢如此，剩下來的是，我們能否務實地思考，如何在全球戰略大棋盤下扮演具有主體性的角色？如果台灣朝野在柯江會的「三不」震撼中，先為統獨的意識形態糾葛內耗不已，我們如何在未來的大棋盤上取得發言權呢？柯林頓在中國大陸進行的民主人權之旅，也許可以提供我們一些線索。在地緣戰略價值改變後，獨立顯非正途，只有自立自強，充實台灣的民主價值與經濟實力，才能彰顯台灣價值的真正內涵，也才是在21世紀國際上爭取發言位置的基石。

本文原刊於《聯合報》，1998年7月8日，15版。原副題「走出失衡小三角悲情，放眼歐亞大四角爭霸」

江澤民日本行的效應

辜汪會談後，兩岸的外交出擊並未稍歇，中共國家主席江澤民已定於11月底訪問日本。日本東京立教大學榮譽教授、政大歷史系兼任教授戴國煇認為，對於江澤民的訪日，日本的企圖心和緊迫性比中共還強，最後雖然可能還是從第一及第二公報的框架延伸中找共識，但如果中共加強施壓，甚至打出「化學武器牌」，結果還很難說。

但戴國煇認為，我們不應向日本採取求情的態度，而應該大方向思考，擴大雙方共同的利益來說理。以下是專訪內容：

問：在辜汪會談時，我們刻意提出《波茨坦宣言》，強調中華民國的存在，而日本最近也以《波茨坦宣言》，向中共表示日本已無立場對台灣問題發言，你對這個策略的看法如何？

答：我們應該先確認一個事實，二次大戰結束後，真正的勝利者是美國，自此成為世界的龍頭，我們只是慘勝者。蔣介石參加1943年11月22至27日的開羅會議，但開羅會議結束的隔天，在伊朗開了史達林、羅斯福和邱吉爾的德黑蘭會議，便沒有讓蔣介石參加。1945年2月4日到11日，羅斯福、邱吉爾、史達林在雅爾達召開了會議並簽定《雅爾達密約》。

同年7月17日開了波茨坦會議，當時羅斯福已逝世，美國由杜魯門代表，蘇、英則仍然由史達林、邱吉爾談判，但7月24日邱吉爾因為敗選，改由艾德禮（C. R. Attlee）新首相代表英國參加。7月26日發表了《波茨坦宣言》，蔣介石只得到照會，沒被邀參加。至於舊金山和約，當時國民政府已經遷台，韓戰開始，美國此時要把日本扶起並保護中華民國，但這都是美國遠東政策的一環，中共被拒參加外，中華民國也沒能參加。所以我們一定要自立自強，才能有討價還價的本錢，而不是只做些口水之爭。

全世界的國際關係，都是power politics的顯現，是力量與力量的結構性關係的動態，所以不會停留在一地的。而我們始終在舊金山和約的框框裡求生存迄今，不同的是主導台灣的政權中心在變化，選舉全面地實施，民進黨開始有聲音出來，這些還沒能真正融合在一起建立新的國民意識，所以才會有國家認同分歧的問題。

辜汪會談只是為兩岸關係打開窗子通通氣，我們打我們的算盤，他們也在打他們的算盤。但在這個背後，將迎接21世紀的遠東以及亞太地區，整個情勢都在變。所以柯林頓講出「三不」。朝鮮半島也在變，像北韓的核武問題及金大中訪日等。

我們是刻意提《波茨坦宣言》。宣言中，日本把台、澎交還給中華民國，這是對清朝中國割台澎後的善後處理，所以我們藉此主張中華民國沒有滅亡，我們擁有台澎主權。可是如果有人問：「那金馬呢？」甘迺迪前美國總統還曾請加州大學教授施伯樂（R. A. Scalapino）研究處理中國問題的方案，想逼當年的國府從金門、馬祖撤出，以二次戰後日本歸還的台澎為一單位，形成兩個中國或一中一台。當時國府沒答應，中共也發現有問題。

《波茨坦宣言》只處理了台、澎的問題，金、馬則是國共內戰遺留下的問題。這部分的主權是不是共享主權而分治呢？我們必須有個整套的理論來應付。現實政治的實踐與學理是兩碼子事，但在談判、宣傳時，還是該準備一套完整的說法來。戰略與戰術一定要平衡，不能只求一時，因為話講出去以後就收不回來，尤其在有關國際關係上的政府發言上。

問：江澤民即將訪問日本，但對於聯合公報的內容，雙方還無法達成協議，你認為此事將如何發展？

答：我們好像喜歡報喜不報憂，只是依自己主觀的願望作判斷。試問現在對江澤民訪日，哪一方比較有企圖心和緊迫性？當然是日本而不是中共。美國的世界龍頭地位已慢慢重建，柯林頓出這麼多糗事還不下台，就是因為內政外交領航能力受肯定。反觀小淵的民意支持度只有20%，日本百姓對政府、官僚、銀行都不信賴，這是日本近代史上的第一次。美國又一直逼日本開放經濟，所以日本只能尋求重新回歸亞洲，建立一個日本為中心、亞洲獨特的經濟圈，甚至有意把日圓建成國際性貨幣，方便與美元及歐元競爭。

因此日本先把南韓拉過來制衡北韓，另外企圖和市場龐大的中國建立更穩定的關係。可是美國與中共的engagement（交往政策），是美國較占優勢，但日本要與中共建立更高層次的交往時，有什麼牌可以打？

有件事情幾乎未有人注意：日本過去在黑龍江一帶留下了很多化學武器，中、南方也有，「南京大屠殺」也許會變成口水之爭，但化學武器卻有實物證據，加上國際社會又明文禁止，中共若打出這張牌，要日本負責處理，估計要花費一兆日圓，更會影響日本的國際形象。如果中共用這張牌施壓，日本會怎麼辦，值得關切。

日本當然希望能在第一公報和第二公報之框架延伸，取得與中共的新共識。我想可能會用對韓國的方式，把歷史的問題文書化，其他少說為妙，或許會說「日本不便發言」。但不知道中共如進一步施壓，結果會如何，值得我們留意。

我們不應該向日本求情，我們一直對日本太客氣了，欠缺主體性的主張，外交怎能一廂情願地求情呢？至於「周邊有事」有沒有把台灣劃進去等等，這些都只是細節，應該多思考日本的大利益是什麼，我們的大利益是什麼，台日間能共同謀取的前瞻性共同大利益又是什麼。

本文原刊於《中國時報》，1998年11月1日，2版。係《中國時報》記者張慧英訪戴國煇的答話錄。原題「江澤民日本行，大陸若要求其處理二次大戰遺留化武，會否影響聯合公報內容值得關切」

戴國煇全集 

史學與台灣研究卷・六

歷史研究法

林彩美 譯　張錦郎 校訂

切勿幻想利用美日力量出頭天

——慎思台灣人真正主體性重建課題

人類的歷史是不可能有斷層的，許多人或因看不見部分歷史的發展，或因自身對歷史的洞察力不足，而以為歷史有斷層。統一前的西德總統魏茨澤克，在1985年為德國過去的罪行道歉時說：「對當為歷史的過去閉著眼睛的，必將盲目於當為歷史的現在。」在香港回歸之際，同時回顧台灣的光復經驗，我們可以發現，歷史提供的智慧更值得人們虛心的學習與省思。

其實，鴉片戰後的《南京條約》，已把香港永久割讓給英國，1860年的《北京條約》，再割九龍；1895年《馬關條約》對日本割讓台灣後，大英帝國也逼迫清廷藉口「保衛香港」，以99年為期，要求租借新界，遂有1898年《展拓香港界址專條》之簽訂。然而，正因為有當年「保衛香港」的新界「租」約，才有今日香港之回歸；歷史的弔詭，莫過於此。

歷史的另一項弔詭是，歷經155年被殖民統治後，鮮聞港人有香港民族、民族自決或英皇民化之說；倒是才有51年殖民地經驗的台灣，卻常見台灣民族與獨立之論。

除地理因素外，我們仍應回復歷史之原貌，並從後殖民地的觀點，來探討我們的課題。

1945年邱吉爾並未答應蔣介石歸還香港的要求，羅斯福曾想幫忙，但為英國所拒。延遲了半個世紀之久的香港回歸，雖有新界租約之期，仍然是權力政治運作的結果，而非國際正義的實現，這值得吾人深思。

日本殖民統治與台灣光復，亦均無關國際正義。但台灣迄今仍有上層社會菁英感謝日本人，認為日本人幫我們實現了台灣的現代化，甚至向中國人說「不」。在火熱的政治激情下，根本混淆了中華人民共和國與中國和中華民族的區別。

這裡不能不提及李登輝總統與司馬遼太郎談到的〈出埃及記〉。

值得深思的是：摩西帶著族人出埃及，騎著騾子四、五天便可以到達的迦南，為何花費40年時間在荒野流浪，然後才到達這塊指望的土地？

摩西的族人在埃及雖然過著沒有尊嚴的奴隸生活，但物質所需卻不虞匱乏，精神的墮落，使得走出埃及的正當性備受處於物欲橫流中的族人的質疑，摩西只好要求族人遵守十誡，並用40年的時間在荒野自我流浪中等待奴隸一輩凋零，讓人民的劣根性磨損，且確立真正的主體性，而後才能帶領族人到達迦南。

其實，〈出埃及記〉，只是《聖經》中記載的一個以色列歷史故事。但「出埃及」，卻是思想史上的重要議題：被壓迫民族在歷史與政治使命感的召喚下，引領時代精神，擺脫奴隸思想，克服劣根性，凝結內聚力，建立真正的主體性。

已經光復50年的台灣，許多老一輩人精神惰性猶存，仍然懷想著過去沒有尊嚴但秩序井然、甚或被殖民上層比一般百姓優渥的歲月。李總統要「出埃及」，同樣必待日據時代後遺症的劣根思想盡去，才能真正建立台灣人的主體性。

香港在英國殖民統治下，過著有自由而無民主的生活，近幾年才被允許及鼓勵有較多的政治參與。但香港回歸之後，未來前景如何，尚難逆料。尤其，香港人真正的主體性何在？

六百多萬港人，在英國殖民統治下，依循資本主義社會運作法則，創造了亞洲經貿金融中心的地位。而資本主義，在毛澤東掌權時代遭到否定；鄧小平卻希望將之納入他所謂具有中國特色的社會主義體系中，嘗試建立社會主義市場經濟。香港回歸，無疑是世界史上最大的政治、經濟與社會實驗工程。

不過，香港對北京的質疑，已經持續了13年；這項質疑在1989年的「六四」事件時達到最高峰。中共的改革步伐雖未停頓，但對港人的自覺運動仍應接納；因為如果北京只想接收香港在金融經貿上的管理技術與資產，卻漠視香港人的不同看法、生活方式以及歷史所形成的價值體系，是說不通的。

在這裡，我不禁想起親身經歷過的台灣光復經驗。

當時，台灣人並不了解中國大陸政治事務的複雜性。中國是在開羅會議後，才知道大概可以戰勝日本，並開始準備要接收台灣；而台灣人根本想像不到從祖國來的是一批兵疲馬倦的「乞丐兵」（陳儀的形容語），台灣人只看到來台官僚的貪腐。這是引爆二二八事件的重要時代背景，而這個悲劇的傷痕迄今尚未能全面撫平。

台灣人在剛光復時未嘗對中國和國民政府有所質疑；但面對回歸，香港人對中國和北京政府的質疑卻未曾停止。其實，中共在這13年內，以極大動員能量全力準備，駐港解放軍也號稱「文明之師」。但這些努力僅屬於看得到的「硬體」，而讓人們不易察覺的「軟體」部分卻令人擔憂。

錢其琛在香港回歸前夕特別警告，不能有「接管香港」的思想；但中國的傳統政治文化上，凡是掌握權力之後的政客，往往講一套做一套。「文明之師」副司令員會發生「特權闖關」事件，其他部分官僚、太子黨們的權力者心態，欠缺法治觀念，更不待言。香港人的民主經驗雖然不多，但自由的生活方式卻根深柢固。未來如何調適，實為最重要課題。

香港人當然無法「告別中國」，更不可能「反對中國併吞」。不過，光復50年來的台灣人，為了揮別日據思想，猶待摩西「出埃及」精神的引領，才可能重建台灣人真正的主體性。回歸後的香港人，更要對英國殖民統治遺緒採取決絕的態度，才能建立香港人真正的主體性，才能參與建構未來那個未必是中華人民共和國的全新之中國。

至於台灣，在香港主權移交後，可以拒絕香港模式的「一國兩制」，但不要幻想利用美日力量來出頭天，更不可能假美日之手來建立台灣人的主體性。歷史是不可能有斷層的，尤其是不隨人的主觀願望而斷層。在關心香港人擺脫被殖民身分後的主體性建構問題之際，回想摩西走過的崎嶇艱難道路，關於台灣人真正主體性的重建，正是吾人該不斷思考的重大課題。

本文原刊於《聯合報》，1997年7月1日，6版

新歷史的設想與建構

各位先進大家好，今天我的題目是——新歷史的設想與建構，但此題並不涉及新史學。新史學在世界各地引起不同的回響，其中主要來自法國、美國以及日本。在國內也有許多先進留學法國或懂得法文，因此不需要我來提介紹或涉及。至於我要談的新歷史，就請各位聽我慢慢道來。

二個信念與一個堅持

這是我自己最想要達成或保持的理想境界，卻不容易做到。其中二個信念即是：知性的誠實（intellectual honesty）與道德的勇氣（moral courage）。十多年以前，兩岸的知識分子都被牽著鼻子走，在政治掛帥下被指為臭老九、腐儒或被罵是文化流氓，活得真沒有尊嚴。但現在情形已大有改觀。掌權的當局已較為尊敬知識分子，但知識分子本身不尊敬自己的狀況，到處可見。因此，我提出這二個信念，雖然不易達成或保持，但我在日本時卻以此做為努力目標，盡我所能持續地在堅持。

另有一個堅持即係「知性的野蠻人」（intellectual barbarian）的做學問姿態。此種提法與當今台灣「文明人」的野蠻完全不同。像我以下的一種提法大概較少，亦即自己有所批判，學人文和社會科學的，尤其學歷史的，因為歷史科學是總合性科學，更應如此。過去的環境不容許知識分子多做有關時務的檢討、反省和批判性研究，但現在情況變了，知識分子不應該再過鄉愿式生活，演些和稀泥的劇碼了。批判的目的不在無端罵人，而是為建設提出看法和嘗試，突破瓶頸。欠缺反省及批判的社會係難有進步的，所以我提出，我們搞社會科學的學者應該扮演「知性的野蠻人」，企盼能有所突破，此點亦不易做到。我本身非科班、非正統出身，在台灣時是學農業的，自農業經濟、農業經營、農業政策和農村社會學，再轉進農業史。寫了《中國甘蔗糖業之發展》後，逐漸擴展到台灣近現代史、華僑史以及近現代中日關係史，即希望由不同角度，亦可以說係自周邊向中心，從旁門敲響正門，提出一些比較新鮮的不同視角。

時代脈動的掌握和確認

近幾年來看台灣這個小島，二千一百多萬住民，36,000平方公里的面積，已有多元化的發展。但發展是否一定代表進步？其實是不一定的。不管如何，日常生活非常蓬勃，正在往前推動。因此，時代的脈動若掌握不好，歷史研究也就無法趕上時代，只能停留在非常平凡的一般性水平中。不客氣的說，那只是國定即歷史教科書屬性的平庸地步。當然，我們必須編好教科書，但不表示必須停留在此不變、靜態的狀態。因此，有關此點的掌握和確認是很重要的。所謂時代的脈動，可以整理如下：

有關世紀末新秩序的建構的脈動，在台灣反省的人並不算太多，但在歐美基督教文明圈，甚至日本的思想界，對上述的脈動非常重視。由於過幾年便必須迎接新世紀，在此情況下，冷戰結束、威權統治終結，全世界動盪不安，民族、宗教上的分裂抗爭抑或社會的新統合在世界各地展現，但新秩序尚未建立，在此過程中，有正面的大趨勢，也有負面的混亂以及矛盾的呈現。過去我們受西歐中心史觀的影響，認為政教分離是個進步的標誌。但遇上伊朗何梅尼（A. R. Khomeini）革命，將我們先前所提出的前提，用史實的實際性展開來個當頭棒喝，西歐的世界觀並不等同於放諸世界各方皆準的。爾後，宗教、民族問題更明顯地浮現在人人眼前，最典型的例子即為巴爾幹半島的情勢。也許在場的年輕朋友從未意識過巴爾幹半島內部民族、宗教的複雜性。二次大戰後，我們只了解有南斯拉夫社會主義聯邦共和國之存在，但未曾意識到此聯邦內部潛藏有宗教及民族的不尋常爭議，我們在報紙或電視上看到塞爾維亞人對波士尼亞人實行種族淨化的殘酷行為。過去，我們知道的僅是表面的、虛構上的安寧和秩序而已，做為歷史研究者，即應回到13世紀鄂圖曼土耳其時代來思考當今的問題。由此可知，民族、宗教問題並非簡單的事情。從這些例子更可知人類在知性上的傲慢，尤其19、20世紀的兩世紀間，理性主義瀰漫了主流世界，認為人的理性可以解決一切。但上述例子卻顯示歷史在嘲笑人的傲慢。亦可以說人類的傲慢惹了禍，歷史正在向人類報仇。因此本人認為，歷史研究者必須正確地、客觀地掌握住時代的大脈動來重新思考並試圖建構新歷史，才能趕上時代，不會被歷史嘲笑。

歷史的三階段流程

現在，我必須提出我對歷史的看法。我將歷史的流程分做三階段來看，人們常言須把歷史歸還歷史，其中最明顯的說法在當今台灣是有關二二八事件的說法。為了戒嚴令或「有心人」為他們的政治目的而炒熱二二八為「熱點」而有所云。說二二八已是屬於歷史的歸還歷史，但對這種說法與態度，我個人甚表懷疑。這個說法只是迴避並不等同於正視、直視歷史的坦然作法。事實證明二二八的後遺症多麼嚴重，善後花費了我們社會多大的能源，此係人人該知悉的。多年來，我都將歷史的流程分為三個階段來看待。即：1. 當為歷史的過去（The Past As History）；2. 當為歷史的現在（The Present As History）；3. 當為歷史的未來（The Future As History），亦即目前所發生的，便是「當為歷史的過去」在當今的一種顯現。而當今正在發生的事物很快會投射於未來而有所呈現，並對未來將產生某些制約。因此，此三流程是連續的。當然，我們可將其類型化做以上的比較研究。我的整理不知在座諸先進是否接受，但很想提出來與大家討論。

在連續性中，由於我們未必具備洞察力，能透視歷史的「暗流」抑或「底流」，而做好了解歷史的連續性，往往會錯認歷史具有斷層，其實歷史是不會有其斷層的。歷史在其深層具有一貫的脈絡，只是個人或是個別歷史家因欠缺史識或洞察力無法去體會，抑或獲得真正的認知而已。因此歷史學係總合科學，不易全面性地做好研究，更不易獲得真正的、本質性的以及原理性的認知。因此，中國人從洋務運動開始以來即努力追求，總有一天中國人能與歐美人平起平坐，但我認為迄今在台灣也不過只是部分成功而已。甚多人都在談台灣經驗和台灣奇蹟，但鮮少有人把台灣經驗的負面影響，也一併揭示做好總合性的研討，這種鴕鳥作法是不科學的。眾人皆知，現代化課題中的傳統因素抑或歷史包袱係不容忽視的。傳統因素如何整理，如何克服；傳統與現代化之間的關係，如何掌握是相當重要的課題，如日本明治維新後的情勢及它後來的發展究竟有何種有機性關聯，是我們應關切的。今年（1997）6月8日美日防衛合作新指南的中間報告出爐了，但台灣報界所討論的僅止於台灣海峽是否被劃入有事時的「日本周邊」之內，也就是說台灣是否將被美日劃入其防衛合作範圍之內。對於美日兩國去年（1996）4月17日間在東京發布的日美安全保障宣言中的副題：「為了迎接21世紀的同盟」，卻未見報上有人提及。我們的大眾傳媒或許因為有過對岸對台海的兩次年度演習的經驗，所以具有危機意識，而一直圍繞著「『日本周邊』有事」在炒話題，而少有人自《美日安保條約》以及上述「日美安全保障宣言——為了迎接二十一世紀的同盟」與所謂的「新指南」之間的關係有所涉及。

媒體有關人士，忙於追蹤當前的話題是其本業，但欠缺歷史脈絡學養的話，根本無法寫出好報導。我當為研究近現代中日關係史的一分子，願意提出一個看法：《美日安保條約》與《舊金山和約》簽訂（1952年4月28日生效）以來迄今，已漸成為軍事同盟，這個同盟與1902年時的英日同盟可以當作比較研究之好對象。當年的英日同盟後來支撐了日本帝國主義在東北亞稱霸並鼓勵了後來對亞洲的一系列侵略，現在日本又來了個新同盟。我們討論的卻只是末節。短期來看此討論對台灣的安全保障非常重要；若長期來看，美日的戰略性考量才是其重點。我們只從事自身本位的戰術性考量夠否，值得我人質疑。老是只做表面且短視的報導係不負責任的。誰當負此責任，我不便斷言。不過，就此例可以說，歷史學家如何掌握深層的暗流，並提供具有歷史脈絡且夠深度的看法和意見給社會做參考，才是我們搞歷史人士應該努力的方向。

對啓蒙主義、理性主義的樂觀信仰有所質疑

歷史的流向能否由人依靠其理性來自由操作？有一段時期，人人相信歷史是可以用理性來操作的，但現在我們才發現其實是不行的。如中國大陸的計畫經濟即為前述理論所展現的，認為人可依靠計畫來達到目的，史實告訴我們它只對少數人有利，大多數人仍未蒙其利。再如蘇聯的崩解，此一宣示可用理性來建立的無產大同世界，其表面理論層次的理性與內在實踐所呈現的現實虛構曾蒙騙人們許久，但最後仍只好崩潰。另如共產主義者宣稱將可無國界、世界大同，但由中蘇、中越間的抗爭或戰爭的現實，卻也叫理性主義者幻滅。再舉一例，第一次大戰後，當年美國總統威爾遜提出了「民族自決」，其背後的思想亦是出自於可以依靠人的理性來建構理想的世界秩序而來。但有誰真正研究過威式「民族自決論」背後的真正義涵呢？人們只取各自所需，把它口號化，迄今仍然高喊而不衰。再來，大家稍微留意外電的話，應可以注意到，當今的英國有一種新的嘗試正在進行。早

先，EU（歐盟，European Union）的出現是一種由小到大的型態進化，可視為啟蒙主義的另一種提法。它本身是自EC（歐洲共同體，European Communities）發展而來，是為了對應美、蘇甚至於未來的中國大陸的格局而出現。但蘇聯解體後，EU組織的發展更加快速度在進行，這個動向頗值得重視。另一面是為大不列顛之地方分權的實驗。1997年9月11日蘇格蘭做了公投，74.3%贊成蘇格蘭另外成立獨自的議會，將來準備選出首席部長，同時除外交、軍事屬倫敦的中央政府外，它將具有地方政權的自主性，尤其是將具有3%的課稅權。旋即9月18日，威爾斯也來個公投，結果以50.3%的贊成票頗為勉強地通過。此背後代表何種意義？現僅《新新聞週報》將此與台灣獨立運動來類比給予介紹，我認為其解釋有點牽強附會。地方分權是否走向獨立？其實並非如此簡單。

對於蘇格蘭的情況，現有二種解釋，一派主張他們致力於結合成一種新型態的聯邦，再加入EU；另一派則認為蘇格蘭意圖踢開英格蘭，自己直接與EU連接。但我認為後一種說法有點牽強。為何會有此種情況？應與前面所提如何掌握時代精神的脈動或潮流有關。我們先清理一下大不列顛之內涵，它英文叫Great Britain，包括有England、Wales和Scotland。然英國正式的國名即是United Kingdom of Great Britain and Northern Ireland。除了英國史的專家外，通常是不會有太多人去關切它的真正內涵的。但要了解上述的新動向，我們就不得不去了解上述聯合王國成立的過程與歷史。我們可以說工黨經過18年的奮鬥重新掌了權，布萊爾（Tony Blair）首相為了實現其選舉公約（承諾）正在推行地方分權政策而已。我們又可以從此窺知聯合王國（近代大英帝國）成立前，它與眾多國家一樣，內部包含了眾多的族群問題，各自具有獨特的歷史傳統及地域性自我主張，只不過是因為在西歐爭霸權的過程中，暫時把它淹沒拖延下來而已。現在有了條件，讓各自的自我主張來個「出頭天」。這個大部分只是自立並不是獨立屬性的主張，我們最好能不帶有色眼鏡來看，比較客觀些。美、日的資本主義高度發展，因而提出「沒有國界的經濟」（borderless economy）及「全球化」（globalization）的走向和口號。雖然如此，但美、日並不放棄其主導權及主流價值觀，尤其是美國，它在各方面都在迫使其他國家、地區接受其價值觀，甚至於它所構想的戰略。但是否今後世界都願意與其接軌並接受美國價值做為普遍性價值來亦步亦趨，台灣雖然有此傾向，但其他國家還不一定。面對此情形，中國人應提出「No」，否則世界將不是「多元化」而只是「單一化」，情何以堪，多無聊。如此，將是人類及地球村的末日。所以世界向統合和分立屬性的自立主張，同時在進行。我們應檢討，看似既矛盾又弔詭，卻同時進行的時代大潮流將帶給我們什麼影響，我也只是在這裡提出一個未成熟的想法而已。我認為「國民國家」的大架構雖然有日益消退之勢，但民族爭解放，國家忙於圖謀獨立在第三世界仍然是個至上命題。那麼，「國民國家」的架構便不致消失。

新時代帶來了未曾有過的研究條件及新視角

資訊爆炸時代的來臨變成「大溝通時代」的出現，而核武體制的戰爭遏制力更逼使人人不得不透過溝通來解決問題。因此，如何建構溝通的方法即為當前重要的課題。當然，歐、美、日等先進國家與第二、第三世界的國家間如何溝通，更需要我們自己建立主體性，不能再看別人的臉色，否則自尊將無從確立。另外，我提出第二個趨向即為人人在尋找自我等的認同。好比是英語所說的ego identity（自我認同）、group identity（群體認同）以及national identity（民族或國家認同）等。「認同」有許多涵義，我認為應是人人都能爭取到使自己有尊嚴的生活方式為最起碼的需求，並藉而人人能發揮自我的潛力為理想。此涵義在台灣稱為「出頭天」，在大陸叫作「翻身」。其實，「出頭天」與「翻身」的真正涵義係相同的。但若它被利用為政治口號時，則多多少少將構成虛構性。其實認同的「內造化」雖然不易卻是緊急的。而認同所真正確立之課題不僅存在於台海雙方的老百姓之間，更係為全球都普遍存在的共同課題。

對於此，我們更需用心地確認。第三個趨向即為所謂「自文化中心主義」（唯我文化獨尊中心主義）或「自民族中心主義」（唯我民族獨尊中心主義）已正在解構中，如早先的西歐中心主義與其史觀、白人至上主義，在世界各地相當普遍地被主張又勉強地接受。但現在此種意識形態已逐漸在褪色，世界各地的弱勢族群，包括女性、黑人、殘障者等，人人均發出其心聲來了。他們要求被他人及社會、國家尊重。在此大時代的潮流中，如何把自我、自社會、自民族以及自己所屬的國家定位確立清楚是非常重要的。如何重新認知自己為地球村不可或缺的一員，包括有條件地抗拒美、日成熟資本主義文化所帶來的主流價值或思想，並提出自己獨特的看法以符合時代精神及潮流，再者該是對全人類的奉獻。但需注意不能自滿，又不該夜郎自大，更不該停留在義和團式的老套來對應，不能重陷於泛理性主義的泥淖中不知自拔。

當前台灣社會的困境與社會病理

前幾年我曾在一場演講中指出，一般而言外省朋友有親美的傾向，而本省朋友又有親日的傾向，這兩種傾向在台灣社會又形成兩種尺碼來衡量事物的現象。我主張美、日兩種尺碼只能當作我們的參考。我們應建立自己的主體性，在媚日、親日、知日、反日、仇日及媚美、親美、知美、反美、仇美之間，我們亟需的是知日、知美，不可過或不及，如此，才能走出我們自己且具有尊嚴的道路。再者，現有一股重新編寫歷史教科書的世界性浪潮，最近台灣也產生了教科書如何編撰的爭議，其實在美國、德國（東、西德統一後）、韓國、日本內部均有類似的問題，並對此課題有所討論，而如何釐清並定位台灣內部的有關爭議，非常值得我們關切及檢討：如有關辛亥革命以後的歷史，台灣與大陸如何建立共識；另如統獨問題，我覺得在政治激情過後再發表意見，也許對社會有更大的貢獻。我企盼別搞那些「茶杯裡的小風暴」，在爭論過程中，我甚少看見有國際比較的觀點，覺得奇怪。我們的學界已有那麼多的外國博士回國，為何看不到同行介紹相關文章。

最後，我必須強調的是，我們要踩著希望（八分功利、二分理念）前進。這個啟示來自於高爾夫球新英雄老虎伍茲（Tiger Woods）的卓越事蹟。他父親是具有紅人血統的美國黑人，母親則有華人及泰國人血統。但他在運動場上的成就卻顯示，血緣並沒有優劣之分。不論其父母之血統為何，他就是他，他是百分之百的美國人，並不願意被劃進「黑人新英雄」的老套式讚美詞中。他克服了人種的歧視及逆境，搶到了有色人種不曾獲得的名位，真正確立了African and Asian American在美國社會應有的地位。老虎伍茲旋風，還會持續許久，因為他還年輕，在電視和有關文章可以窺知，他的父母具有良好的人種及學養，他本人對東方價值及宗教具有其獨特的信心。我認為，他不大可能掉進「黑人運動員」常蹈襲的「惡性陷阱」中，而美國也並非只是白人的美國。據統計的趨勢，到21世紀白人在美國將成為少數民族。不遠的將來，白人只好處處表示謙讓。但最重要的是，我們中國人也要負起十二億三千多萬人相符合的、對世界及人類共同應負的責任。最後再補充一句，1970年代後半，在越戰將要真正結束時，美國黑人作家艾力克斯・哈雷（Alex Haley）出了一本《根》（*Roots*），名噪多時；《根》可以歸類於歷史文學類。艾力克斯雖然不是科班出身的歷史學家，但他的手法，透過其作品「faction——fact＋fiction」所預見的事態，卻可從老虎伍茲的出現來驗證。我們的同行若能具備「預見力」的話該多好。這個亦是我所追求的。謝謝各位！

（民國86年9月28日中國歷史學會第33屆會員大會開幕典禮專題演講）

本文原刊於中國歷史學會主編，《中國歷史學會會訊》第61期，1998年5月10日，1～3版

台灣史的微觀及宏觀

一、說在前面

光復時的回憶

今天很榮幸能在潘館長及朱副館長、卓纂修的引薦下，到國史館來演講。台灣剛光復時，不曾思考過中國為何，也不懂中國為何；歡迎中央軍抵台後，碰到的第一個問題是大陸同胞的「國語」發音多種，不易聽懂，中國幅員廣，腔調語音差別很大，蔣故總統的演講我在預訓班結訓時直接聆聽過，但不易懂。到日本後，透過電視台亦聽了毛澤東的演講，也照樣聽不懂，顯示中國之大。如何對此情況了解？當年是個大問題。我們曾經受過日本殖民教育，日本人教員的日本語差異不大。我們當年稚嫩，只能透過「日本經驗」來思考並比較問題。新竹中學的故校長辛志平，很多人認為他是位好校長。光復那年我是初中二年級的學生，年輕氣盛，富有正義感，聽說校長和女傭關係曖昧（他的夫人尚未來台），加上他的廣東國語和剛當上校長不久，經驗不足，我實在難以接受，就偷我父親的印章辦轉學插班讀建中。北上不久二二八事件就發生了，當時的建中校長是陳文彬，他有些左傾，陳校長常在《人民導報》等報刊撰文批評時政。二二八事件擴大後，他逃到老友高等法院推事黃演渥家裡避難。

「鄉誼」的弔詭

黃推事是客家人，他在高等法院與吳伯雄祕書長（演講時為總統府祕書長）的二伯父吳鴻麒推事是同一個辦公室，且同為客家人。黃斯時已知吳的失蹤，人心惶惶，只好找邱雲福醫生商量。邱醫生為客家人在台北的名醫。他的院址在當今中山北路二段的邱大樓。邱醫生找誰幫忙呢？天曉得找的卻是警備總司令部的柯遠芬參謀長。理由很簡單，柯是廣東梅縣的客家人。

光復當初，台籍人士懷念祖國，歡迎祖國抑或原鄉的來人。尤其客家上層人士，因客屬在台本來就是少數族群，一知對岸新來的黨、政、軍、文各界有客屬人士，甚快便有聯誼之類活動。

另外，值得我們注意的是大陸來人雖然同屬客家，但在大陸政界所歸屬的派系卻有其差異。有關其具體內涵，台籍人士鮮有認知。好比，柯遠芬係軍統系，但同為梅縣人的李翼中（中國國民黨台灣省黨部主任委員）是軍統的對手CC派來台的大幹部。李在黨部也向台籍客屬人士招兵買馬。頗多台籍人士並不知CC之內情，一聽到國民黨便把它與國父——孫文先生和三民主義連在一起，百分之百地認同起來。哪有人想及CC與軍統抑或與政學系——陳儀三者間具有明爭暗鬥、矛盾曲折、錯綜複雜的內情在。

柯遠芬參謀長有無真正庇護了陳文彬校長，還得追查。但陳校長逃到黃家，黃推事找上了邱醫生，邱醫生聯繫了柯參謀長是有其見證人的。1996年5月17日，我返台定居，我們建中的玩伴們聚了一次。其中有黃推事的二公子，他把多年隱藏的「祕密」對我們公開。他說斯時初中三年級，他大哥高一，幫校長理髮，是為了偽裝，大哥的手一直在抖，記憶鮮明。柯遠芬因為二二八事件發生時擔任台灣省警備總部參謀長，被認為殺人最多，但誰殺了誰，真是不能一口咬定。陳文彬校長後來避難到大陸，常常在北京公開露面。在台灣的任何人士都不會亦不敢涉及上述一段內情才合情合理，我的老同學卻答應我可以把這一段「祕密」公開。理由頗簡單，台灣的民主化已深化，加上有關人士都已故去，不至於有危害於他人之虞。

上述的一些有關「鄉誼」的中國人傳統社會的某些政治文化，頗值得我們考量。不然，甚多事情實難於做好合理解釋的。

二、當代史研究的陷阱

當代史研究因時間的沖洗尚不甚夠，所以必然帶來些陷阱，且為數不少。鑑別史料和口述資料概須費一番功夫與精神的。

陳文彬校長的履歷，我尚未詳查。據我的記憶，他是高雄縣人，年輕時留過日，後來返回大陸在上海復旦大學教授日文及日本文學。七七後再到母校東京法政大學教授中國語及中國文學。類似陳校長履歷的台籍人士不是很多，非常有意思的卻是老台獨的廖文毅。他是西螺人，年輕時在日本念教會中學，然後再轉到美國念大學及研究所，拿了博士學位後到南京金陵大學任化工副教授。光復前返台，二二八事件廖在大陸，並沒有直接參與二二八，但卻遭到通緝。廖在香港及日本搞台獨運動的一段，今天時間不夠，我們就不詳談了。

陳校長有些左傾，係由我看他的文章而言。但我一直在質疑，他為何七七後才到日本的大學任教。他具有強烈的民族主義思想，但他並沒有到重慶又沒有到延安，他是否被派到日本工作的「情報人員」，抑或只是為了生活，單純地返回母校謀一個職位而已。

陳家的二小姐陳蕙貞，比我大二、三歲，她用日文出版了《彷徨之小羊》〔《漂浪の小羊》〕（講者代譯之書名）。主要談的是他們家在日本居留時與候船復員歸台時的觀感，在此書之最後二頁載有校長（小說中之尚文）所作的漢詩一首和自作歌：

鐵蹄之下五十年，六百萬人暗叫天。

鐵靂一聲天降譴，今朝光復舊山川。

台灣光復歌

⑴狂風暴雨五十年

六百萬人日日盼望老青天

老青天竟得見

民國三十四年八月十五非偶然

光復光復我們台灣

光復了我們的山川

⑵青天白日國旗新

三民主義處處喚起大國民

大國民應相親

向著大同前進無忘根本在修身

光復光復我們台灣

光復起民族的精神

作者的結語是：當今，我們要大聲地喊出

中華民國萬歲！

台灣光復萬歲！

這一本小說是二二八事件爆發前出版的。它的末頁印有「民國35年10月10日印刷及民國35年10月25日初版」。印刷日寫明為10月10日以及初版日定為10月25日，實耐人尋味。眾人皆知，前者為雙十節，後者為光復節。

一本小書的「命運」真是有趣，當年的陳校長口口聲聲以其女之才華為榮，我也買了一本保藏迄今。怎麼都不會想及這一本書會變成了解光復前後，台籍上層文化人家庭對光復觀感之寶貴資料。更有意思的卻是，支援出版此書的芳名錄榜上的人名，特此再錄以資大家參考：李修先生、宋斐如先生、沈榮先生、林文樹先生、林以火先生、林江海先生、林東淦先生、陳湖派先生、黃朝生先生、蘇連長先生、蘇新先生。

提到陳文彬校長，我便想起二二八那天建中大門的事，陳校長在上海復旦大學待過，他有大陸經驗，怕我們出事，拿著拐杖站在大門把關，不讓我們出校門，怕鬧事。我們幾個「淘氣鬼」便自游泳池旁邊跳牆而出。到公賣局丟石頭及看熱鬧（現在已過「時效」，可以說一些了）。

跳牆出去的地方就是公賣局本局的旁邊，也就是今天的總統官邸之鄰近，去年（1995）一月初在李總統官邸做客時，回憶起這段往事，而談起二二八事件。談話的內容，在座的年輕朋友都聽不懂，包括李遠哲院長、李亦園及杜正勝院士，另有中央研究院副院長張光直，張副院長當年在建中高我一班。此段話題，只有李總統和副院長與我三人可以對話。

光復時，我只能講些客家話。閩南話，我們說它為福佬話，只能聽懂一點點。同學間尤其在建中大多時間的共同語言為日語。

我本人在二二八後才正式開始學國語的，1954年考取留學考試，就去日本留學，到今年（1996）5月17日才返台定居。在此前，尤其在台時用國語生活，才只有9年，在日本41年，雖然在家裡看中文書，但用中文寫作機會不多。由讀書、思考到撰寫是不能切斷的一套流程，所以國語的表現能力有限，而且國學基礎差，但是40年來，從沒改變過我對中華民族的信心，也沒有改變過對愛好學問的態度。

不曾拿過日本護照，就是當初被有關當局吊銷中華民國護照（依我在日本學界的人際關係以及「職位」，若想取得日本護照，我想不至於太難。但我們全家不曾有過那一種念頭。這個，或許可以說是我們的「頭殼」已成為「控固力」使然），也未改變過我對中華民族的未來所抱持的樂觀以及對其文化關懷的基本態度。今年3月23日總統大選，我們夫婦搭飛機專程返台，行使了有生以來第一次的投票權。

三、從微觀和宏觀想起

（一）微觀——微視——micro——樹木——特殊——一時

（二）宏觀——巨視——macro——森林——普通——春秋

微觀與宏觀如何保持其平衡？日本的歷史學家寫作很謹慎，作品少而精細，立教大學史學系的同仁，沒有人像我有那麼多著作，也沒有人像我一樣到處去演講。這並不等同於我在「老王賣瓜」，只是表示我雖然係台籍，受到日本殖民教育，然後又到日本留學並在日本的大學執教，但是我的做法與日本朋友頗多差異。我在岩波書店出版了一本書《台灣》，岩波書店的社長對中國人很夠意思，不管來自台灣或大陸。他曾支援過郭沫若一千圓日幣，也支援過蔡培火一千圓，迄今岩波書店出版的所有出版物，都會贈送一套到北京、中山、武漢、東北師範各大學及北京圖書館收藏。言歸正傳，中國人氣魄很大，喜歡寫通史，通史如何寫？最後就變成文抄公，集體撰述通史也不是容易成功的。台籍有位推理作家陳舜臣，他的父親跟大陸做生意，一直拿大陸的護照，受到六四天安門事件的衝擊後歸化日本，現在拿日本護照。他很大膽，在六四天安門事件前寫了一部通史，《日本經濟新聞》副刊的主編找我寫書評，但我拒絕了，理由甚為簡單，他並不研究中國史，我若憑良心寫其書評，當然只好批判，最多只能誇獎他之大膽。何必傷害人家的心呢？日本人總是在「探微」，探微也有它的好處，可以反映他們之敬業甚至於「匠」之精神（英文講的craftsmanship）。跟我們的傳統文人喜歡寫通史不同，兩者之間如何達成其平衡？我不能說日本人比較正確，但是日本人敬業精神是我們應該學習的，而我們大格局的看法也值得驕傲，但不能流之於吹牛，變成文抄公而自我陶醉也！

顯學帶來的正負面現象

正面者，我們非常高興也歡迎許多年輕朋友從事並關切台灣史。其他我們就不必給太多的溢美之詞了，因為社會科學原本的屬性係批判性的。解嚴了，威權鬆綁了，思想也解放了。人人等著學界拿出真「業績」來。有無真業績頗堪有識之士玩味。

台灣史成為顯學之後，因為經費充足，反而造成許多陷阱，首先是學界爭著搶奪預算大餅，表面文章充斥於世。有識之士甚至於批判，那些人好像在「包」工程。

其次，許多著作是先有結論後，再找對他們論點有利的偏頗片面性資料來填補，例如：有人說當年國軍在二二八事件的時候殺了二、三萬人，但這個數字並沒有經過考證，一直在流傳。另外他們對當時的軍統、CC、政學系之差異都沒搞清楚。抗戰開始，台籍民族主義者頗多人奔回大陸去參加抗戰，其中有頭有臉的人物又甚多被動員在國際問題研究所。行家應該知悉國際問題研究所係歸屬於軍事委員會的。他們因為是台籍，懂日語，可以搞有關日本情報。因而與通稱的「軍統」是該有區隔的。但是不通此理者不勝枚舉。國共內戰末期，大陸變色過程中，很多人才到台灣來，建中的校長賀翊新在大陸是河北省的教育廳長，像潘館長來台後先擔任成功中學校長也是大材小用，這雖是台灣人的幸運，但是現在很多人不能客觀地面對這段史實。在政治激情下無法接受此種史實，真是可歎！

回憶錄、採訪錄難免有「創作」之嫌

口述歷史、回憶錄等當為研究歷史的素材，不可諱言是重要的。但，眾人皆知，人的記憶往往會摻雜些「創作」的。有時係無意識，有時卻是有意識地「逞強」或「賣瓜」。採訪錄者，我們都知悉，採訪本人時，若欠缺有關素養，是問不出東西來的。解嚴後慢慢地有人開始講話了，出書了，出回憶錄了。亦有人專在做口述歷史。不講話，不出書，不作採訪，當然將欠缺「線索」。

「有」當然比「無」要好，但不加以鑑別或不作批判性解讀的話，是有其陷阱的。中國人之愛面子，人人都知悉。舉個例子，日本敗戰，我們勝利，台灣光復時，生活在日本、學歷愈高、念的是帝大等名校的台籍人士，人人爭著復員返鄉，他們一概地在過去都遭受過日本人的民族歧視。雖然高學歷，但在日本是不好混的，尤其挨了原子彈之後，東京銀座被盟軍炸得面目全非，連日本人本身都鮮有人意料到日本不出20年，可以託韓戰之福迅速復甦起來。當今有一些「老先生」們在敘舊時說，若我那時不返台，留在日本，現在將是如何如何；又有些人只受過日本的一般校園性的「軍訓」，或當了一、二年日本兵（非職業軍人），都自認為能指揮「民兵」搞他的二二八「起義」，我認為這些「牛皮」話最好少吹為妙。最好，能對自己的一生好好作總結，重新「反思」及定位，如此對台灣史的看法可能會看得更透徹、更清楚些，對展望我們台灣的未來也更有幫助。自我膨脹無濟於事，將來只能看其縮水變成殘骸而已。

偏頗功利主義之克服

一般而言，我們中國人的思維世界與日本人、德國人頗有差異。我們不大喜歡談抽象、觀念抑或精神的世界，係非常實用主義或現實主義的，英文所謂的Pragmatism或Pragmatic。知識的真否不會被給予太多的關切，實際上，知識能否派上用場，有無效用才是人人所關懷的。

在這一種情況下，我們常常不很注意「知識」與「認識」內涵之差異，少有人嚴密的把它界定清楚。馬馬虎虎地認為有了「知識」便可以直接派上用場。其實「知識」的累積絕不等同於立即能把這些「知識」直接轉化為「認識」＝認知。認識的達成與深化係需要透過某一種創造性思維的轉化過程才能達到。換句話來說，多麼費神去累積「知識」，對某些事象不一定能做好透徹的抑或真正的「認識」。

我們常常把行動＝實踐放在形而上的觀念或思維之上位，偏愛所謂的功利主義、現實主義，並不習慣於把「理念」與「功利」拉上來，對兩者作好平衡對待。我們當然應該從庶民的生活意識來切入現代史的研究對象，但欠缺理論和理念並過於拘泥於

「日常」，難免會閃失焦點。一旦掉進世俗化的「賣點」時，必然將失去原理性或本質性的考察。

從另一個角度來思考，學術對政治的直接性「奉獻」，也就是所謂的「政治掛帥」的學術研究姿態亦可以劃進實用主義、功利主義或現實主義的範疇之內。勝利後不久，蔣介石委員長對日的「以德報怨」，中共大陸在對日本建交時宣示了「放棄戰時受害賠償」，部分台籍菁英分子肯定並主張了「後藤新平以及日本殖民統治對台灣的近代史有了奠基性貢獻」等，其實都可以概括為與功利主義是「通底」的一種政治性宣示。

在政治、外交上做類似上述的政治性宣示或政策性發言係無可厚非的。但它絕不該干預到真正的學術研究。學界人士若與政客或政治家懷有類似的看法或發言的話，我認為是不妥的。它會誤導中日雙方對歷史的真正認識的。以古為鏡、以史為鑑的格言，不知將飛到何處去？功利主義在學術界的偏頗性流行，甚至於跋扈，我是不便苟同的。

道德史觀的制限

中國人往往喜歡從「勸善懲惡」的舊道德史觀來看歷史。真正看完正史的《三國志》者不會很多，但人人都喜歡看《三國演義》，亦懂得《三國演義》上的各路「英雄」人物。正史與演義之界線在一般老百姓是不求甚解的，甚至於到處可見混淆不清之例子。秦檜與岳飛的正邪意識，迄今仍然緊緊地綁住著一般庶民。我們若從中華民族的形成，宏觀的歷史進程來切入，斯時的金和南宋的抗爭以及秦檜和岳飛各自所扮演的角色來重新評價以及給予歷史定位，將會有哪一種解釋？我認為這將是頗耐我們後代人去尋味的。以史為鑑，歷史上的是非以及歷史人物的人品評鑑、定位，都應該搞清楚。但往往我們連基本上的史實都沒有弄清楚，更不願花精神先做好實證主義基礎的調查研究，便給標上人云我亦云的武斷性「審判」。

鴉片戰爭的例子亦頗值得我們一思。若只依據道德史觀來看待的話，根本無法真正正視鴉片戰爭之本質。研究鴉片戰爭，必須先研究當時的世界史大背景，為何英國人會把鴉片當作敲門磚，拿它來敲開中英貿易之門？這不僅是販毒的問題。還有鴉片如果真有那麼毒，那麼多中國人去吸它的話，為什麼中國人吸了那麼久，現在大陸還有十二億人口？究竟吸鴉片的階級或階層為何？該不該去研究呢？不能只以道德史觀來定論鴉片戰爭是不正義，英國販毒當然不對。正義與否是一回事，予鴉片戰爭正確客觀的歷史定位是學術界該努力之課題。我們該不該反思一下，人家區區四千萬人的島嶼，海賊出身國家，怎麼能把我們二億多人口的「大中國」打得頭破血流。人家為何能自他內部產生了產業革命並發展出資本主義生產方式。晚清中國又為何是那麼亂七八糟呢？

美國電影名片《飄》，另名「亂世佳人」，片中的愛情故事曾經叫年輕觀眾風靡一時。但若能從南北戰爭的真正歷史大背景來加以觀賞的話，將更具意義。當年的歷史背景是以五大湖為中心的北部美國資本主義正在突飛猛進中，它迫切地需求南部美國黑奴之「身分性解放」（自奴隸身分變為自由勞工），藉以解決北部美國工業勞動力的短缺。如此，對林肯「黑奴解放」的真正意圖為何？又可有更深一層的認知。

我二十多年來，主要在日本學界與部分在日僑界提出過對侵犯者責任的追究過程中，既需要對已被侵犯的第三世界領導層應擔負的被侵犯者責任之追究，又需對已應承擔的被侵犯者責任做好反思和檢討。

歷史數字的虛實難辨

當今，我們周邊有二件歷史數字引起頗多的爭議。一個係有關「南京大屠殺」事件，另一個為二二八事件。兩事件的被害者總數字，迄今都無法獲得定論。一般而言，「加害」方不願看到自己先人的醜陋舊事被他人或對方揭發。無法迴避時，則盡其所能，把「證據」隱藏或毀棄。有關被害人的數字則欲數小。「受害」方即恰恰相反，常依據其道德上的正當性來揭發對方之舊惡，並追究其「真相」。有關被害者的數字則盡其所能試圖發掘。不易做到時則常有「誇大舉數」之例。站在學術研究的立場，自求冷靜、理性、公正、客觀是必要的，只顧喊口號來譴責他人是難有說服力的。

我有過一個寶貴經驗，當我在日本發起霧社蜂起事件研究時，我力邀日方有良心暨有識之年輕研究者參加，另外便力圖發掘日方的祕密相關檔案資料。主要根據日方祕密資料，撰寫時還有日方人士之參與，當我出版《台灣霧社蜂起事件：研究與資料》（1981年，日本東京社會思想社）時，仍然有日方右翼保守人士打電話來威脅我。當我在電話中，請抗議人士「先看懂並確認你們天皇陛下名分下祕密資料的正確性，我們再見面一談。」他一聽天皇陛下之祕密資料只好打了退堂鼓，以後便沒有再來電話。然此書雖然價格甚貴，學術性亦高，卻能銷至三版，教我們欣喜。

事後諸葛亮，免了吧！

記得係1980年代後半的事，受邀在紐約哥倫比亞大學演講，我涉及當年編著上述霧社蜂起事件一書時，為了顧慮到日本右翼的反彈，把日方用毒瓦斯鎮壓起義原住民的資料，暫時未列入冊有關經緯。繼後接受聽眾質疑時，竟然有位台籍年輕人站起來指責我欠缺擔當，當場我沒有理他。沒有預料到，幾年後，同一個人又投書到高雄的《民眾日報》，再次攻擊我，我仍然沒有理他。我不認得他，當然也不知道他有過何種擔當。在美國有無台籍人士用英文寫過文章批判美帝或CIA的文章。罵人是不需成本的。我在日本四十多年，一貫地用日文撰述、批判近代日本侵亞之不是，但我還是要考量圍繞我執筆之具體條件的。

我的二二八事件研究已經上梓了。為了蒐集並整理資料花了三十多年的時間。曾經用筆名發表了一些我所蒐集的資料及其有關註腳。我明知有人在抄襲，但那是無所謂的。我只求做事不求虛名，更不準備擺弄事後諸葛亮之把戲的。

台獨運動與二二八事件並沒有直接的關係，政客為了選票，可以「創作」一些故事的。但這些只是泡沫，禁不起考驗。

二二八若是與台獨運動有過直接關係，台獨運動者應該早下功夫真正研究二二八事件吧，但事實不然。而且台獨運動者對二二八的研究，可取的有哪幾本書？我想，大家都難以回答的吧。台灣比大陸的研究條件好，文革為什麼會發生，惹發了那麼大的災難，畢竟受難的大多數是老百姓，不完全是共產黨，他們也是中國人，迄今有關文革的真正研究也還沒有出現。用科學的態度來研究歷史，少用一點道德的角度來解釋或喊口號，可能對社會、民族、國家的貢獻會多些。

韋伯所提出來的研究工作者，如何自覺地做好諸如「客觀性」、「價值中立」及「主觀價值判斷的科學性評判」等的方法論，雖然不易達成，我認為是值得我們去努力營造的。只為了遷就心理挫折所產生的「激情」，而捨棄了研究學術之正道是不智的。史學作品的真正價值，不分東西古今，最後仍然是由其本身的學術品質來作決定的，不可能存在煽動性文字當中。

四、歷史的連續性與三個流程面

The Past as History當為歷史的「過去」、The Present as History當為歷史的「現在（當今）」、The Future as History當為歷史的「未來」，歷史的流程是持續的。當今的事為過去的事在現在的顯現，當前的事將會投射到未來去。所以說，這三個層次係連在一起的。溯及過往，展望未來，歷史教訓可以活學活用，人活在現在，卻對未來感到不安，搞清楚當為歷史的過去，是為了當下活得有尊嚴、更有成就感，而能培養對未來有某一程度之預見能力。去年（1995）4月16日有一個名謂「馬關條約100年告別中國」的示威運動，運動所揭示的口號有邏輯上的問題。「告別中國」為哪一個中國？割台者為清朝中國，它已消滅，不用你花精神去告別。中華民國和中共大陸與《馬關條約》無關。台獨建國運動該是一種革命，革命只能「對決」不該是「告別」。若不對決「國民黨中國」而是「告別」的話，它的政治行為中的「告別」是要離開台灣到別的地方才合邏輯。這個口號顯然未經深思熟慮，誇誕不實的。

總而言之，如何洞察及掌握歷史的地下水脈（暗流）並加以預見，為研究現代史學者之至上命題。

五、台灣史的幾個個案詮釋

台灣的經濟奇蹟如何解釋

比較了幾個被殖民國家事後之發展，我們可以發現，當殖民體制解體，與殖民本國分離後，如何獨立建國？其最大問題在於資金和人才。通常殖民後國家在轉型期都必須面臨這兩個問題。因為帝國主義國家對於殖民地人力的培養僅注重中、下農民階層，在台灣，日本人訓練農業基礎人才訓練得不錯，但高等技術人才則自本國引進。唯獨兩種人才是例外：一是醫師，另一是律師。因為人會生病，必須要有好的醫學技術才能有強壯的工農人才來幫日帝做事，公共衛生設施不佳的話，本國資本亦不會來投資。另外，本國人和殖民地人民之間，常會有糾紛和衝突，裁判官來自本國人，另需要培養當地人的律師來協助解決糾紛，才能使被殖民的人信服，但最終的裁判大權仍然由殖民本國人來掌握。所以日本人撤離台灣後，高等技術人才缺乏，但是從大陸來台的資源委員會、農復會、大學教員等人才剛好填補了這個空缺，與台灣受過普通或農業教育的良質中、下階級人士一結合，農業便發展了，輕工業亦跟著發展，復興了經濟。大專、高等教育以及中小學教育經過幾年的調適也都可順暢地推行。台灣電力、台糖公司、鐵路局、公共巴士亦都可以經營及運作。這種情形在世界史上是鮮有的例子。記得1950年代後期，來自印度的東京大學同窗好友問我：「你們在台灣用何種語言授課？」我說：「中文呀！」他嘿了一下說：「那太幸運了。我們印度迄今還用『敵人』之英文授課，真是氣死人也云云……。」

資金方面，中央政府遷台後，大批外省籍人士來台，突然增加了200萬人口，占了當時台灣原有人口的37%，請注意，這類增加並非自然性增加而是社會一瞬間增加，糧食問題如何解決？通貨膨脹問題如何解決？記得當時台灣銀行天天掛牌賣黃金，黃金哪裡來？來自大陸的四大銀行。在日本的某一次演講時，有人問我：「蔣介石會有那麼好心，從大陸運黃金來給台灣人用嗎？」事實上，蔣介石先生把四大銀行的外匯及黃金運來台灣，是為了保住自己的政權，否則那些錢留在大陸，讓共產黨接收，等於是資敵，對自己不利。那位台籍人士現在歸化日本，已當上大學教授，他好像沒有搞台獨運動，但斯時的他，怨言有餘，欠缺理性判斷，可歎！所以說，從大陸撤退來台的資金和人才，恰恰好填補了殖民地所最欠缺者，造成了後來的所謂台灣經濟發展奇蹟。

有人說因為日本在台灣留下許多社會基本設施，使得台灣可以在那些設施的基礎上，創造台灣經濟奇蹟。基本上，我不反對這一種說法。但我希望大家能確認幾個前提性理論問題。任何殖民地都會留下某種程度之「遺產」。我把它稱為「殖民地遺產」。這個遺產可分為正與負，或硬體和軟體。硬體和正面者易於察覺，但軟體及負面者不易察覺和體會。另外必須確認的是這些遺產原本既不是為被殖民方面建構，又不是殖民方願意留下給被殖民方的，建構它的財源主要是由被殖民方所承擔。尤其在台灣是有其特殊性的。台灣本不是一個國家被吞併或殖民地化，它是由全中國被部分地「割讓」給日帝成為殖民地的。晚清期台灣已有洋務運動之嘗試及某一種程度之近代化基礎，好比台灣鐵路創始於劉銘傳時代，日本把它擴張而已。況且日本人係在台灣之土地上且拿了台灣老百姓繳納的稅金來建造，不是日本人自其本國引進財源來建的。不能因為有那些基本設施，就感謝日本人，這有失我們自我的尊嚴。況且，他們若沒有敗戰，會送給我們嗎？建路時還動用了台籍多少人士的義務勞動，可以從我們老一輩人士聽其經緯的。另外，即使有了硬體也就是有基本設施便能解決問題嗎？不一定也。如何把它變成我們的手段才是真功夫。比較東北的「南滿鐵路」便可知道，南滿鐵路也是日本人建造營運的，被中共接收之後，只是吃老本，並沒有進一步的發展。為什麼？

中國大陸國土遼闊，中共雖在建設，一直不斷地擴散其「能量」在做。台灣地區狹小，在公路上我們做了擴張性建設並修路，但鐵路除了巡迴鐵路是擴建，其他可以說是收斂性建設。另外應該討論的是體制問題。中共的社會主義體制，開放與改革以前是鮮有成本及競爭概念的，但台灣走的是資本主義路線，既要算成本又要講競爭，「活力」當然就旺盛許多。這些原理性、本質性的社會科學分析在台灣少有學者釐清。叫一些人糊裡糊塗的說些日本人幫台灣現代化，甚至於還有人說日本在台灣的皇民運動為台灣近代化運動的一環，真叫人笑掉大牙。殖民地遺產的負面，也就是人性之破壞以及叫被殖民方人士「自我迷失」之心靈傷害是慘不忍睹的，既不易察覺又難於辨明。

割台問題的本質在何？

清朝當時就算沒有李鴻章，也照樣會被逼割台的，割台應該從當年的時代背景來認識才夠科學。只靠純樸的民族主義感情來罵滿清或李鴻章是無濟於事的。明治日本與晚清中國的比較不能只就外貌來比，應就其內涵來考察。我們可以從「Pax Sinica vs. Pax Britannica」談起。所謂Pax Sinica就是以中華帝國的霸權所維持的東北亞秩序。至於Pax Britannica便是以大英帝國霸權所維持擬似的世界秩序。這兩個概念做對比來思考，清朝從康熙到乾隆時代雖然興盛，但沒有發展出自然哲學，所以也沒有能夠發展出自然科學及科技。最後遇到搞出產業革命並發展出資本主義生產方式的區區小島嶼國家英國時，只好挨打。英國只是個漁村小島國，對法國（可以說是西歐之中原）一直有自卑感，後來發展其自然科學，靠他們的砲艦外交，掌握制海權，搞了許多殖民地。

晚清雖然搞了洋務運動，但沒有成功。日本卻搞出一個明治維新，追趕歐美。甲午戰爭時明治日本是在打它的國民戰爭，晚清中國還未形成近代國家，拖著腐朽的封建尾巴僅以北洋地方政權的弱勢基礎與日帝抗爭。但北洋政權仍然還在自我陶醉，泱泱大國怎麼會輸給小倭國？其實Pax Sinica在Pax Britannica東來時，已經失去優勢。鴉片戰爭是個標誌性事件。明治維新後的日本之興起是Pax Sinica崩潰結果的一部分而已。從這個觀點來了解清朝之敗退及日本為什麼要求割台，即可比較清楚並看透其本質。

我們再一次釐清，西方列強東漸時東方三個國家如何因應，而所形成的史實差異為供我人反思的素材。第一，眾人皆知，有能力者，不管你何種列強，你東漸，我就把你打出去。不然便只好全面屈服。完全屈服者為印度。第二，因國土遼闊，內部凝聚力比印度相對地好（有漢字、儒家思想為媒介），沒有任何列強能夠單獨一國吞掉清朝中國。他們只好靠割讓（例如香港、台灣），抑或建構「勢力圈」，割據部分中國，並在後面支撐了軍閥以及軍閥割據戰爭，一直阻礙中國現代化和統一，因而有孫文先生的「中國連殖民地都不是或不如」之話出來。第三，日本非常幸運地迴避了被殖民。然走上「脫亞入歐」、「仿歐侵亞」的明治維新及其日帝路線。

從此可以借史為鑑，我們只能靠自立自強，徹底凝視並正視我們之課題而奮鬥下去，才是自救之光明正道。罵晚清或李鴻章只能獲得一時的「爽」，不過是一種「自慰」行為而已，是不足取的。

自《白團》的序文談起

《中國時報》的資深記者林照真女士，最近出版了《覆面部隊——日本白團在台祕史》（1996年7月20日，時報文化出版公司出版），我受邀寫了序。名謂「台灣現代史上一個重要的課題」。

其實，我甚早就知道「白團」的存在。白團在台的最高領導人為富田直亮陸軍少將，日本敗戰前為日本第23軍（通稱南支派遣軍）參謀長。在台時的假名為白（鴻亮）將軍。我有位鄉親是他的隨從翻譯，因而知悉有日本軍顧問團在台灣活動之事。斯時白團有關事項是屬於極機密，雖然知道些許，當然不敢向外言及。但我一直在思考：日本是戰敗國，為什麼蔣老總統會找日本軍人來，先在圓山繼在石牌代訓國府軍上層幹部，林照真來日本採訪時，我提醒她，訪問時應該注意那些角度？為什麼叫「白團」等事項。

林照真著，《覆面部隊》，時報出版公司，1996年7月

林著被排在「歷史與現場」系列叢書，便可窺知該書並不是學術研究著作。她著重的是史實的報導。林著以前，已有日本人的專著名為「白團——建構台灣軍的日本軍軍官們」〔《白団——台湾軍を

つくった日本軍將校たち》〕（中村祐悅著，1995年6月5日，東京：芙蓉書房出版）。但把白團當為學術研究的對象，可能我是第一個人。

日文的有關著作或論文都有引述拙稿。上述日著的副題稱國府軍為台灣軍當然不恰當。另外頗多人誤認白團的緣起出在台灣，其實不對。蔣老先生對白團的構想早在大陸時，也就是說，國府中央未遷台以前，它所以取名為白團係對抗「紅」＝赤軍而來。因而有關白團的研究已產生了微觀及宏觀如何保持平衡而行之課題。白團就宏觀來定位的話該是屬於中華民國史的一部分，但探其微的話，白團大部分的實際活動都在台灣地區，圍繞著中華民國在台灣地區之有關安全保障，特別在於軍政面起了作用。它亦可以說是屬於台灣當代史之一部分的。

換句話說，中華民國與台灣當代史不能切開而談之。

「美援」如何看待？

研究歷史時甭談「if」（如果……）。但若在個人的腦際玩些「if」的想像空間遊戲將是滿有意思的。1949年底至1960年代中葉，若沒有「美援」（包括軍、經援）及第七艦隊在台灣海峽的巡弋，中華民國是否能維持到現在？經濟的高度成長有無可能等議題。眾人皆知，國際政治及國際關係上講的是「力量」和「利害」，並不是所謂的「正義」。當年，美國的國家利益（national interest）與在東北亞的戰略構想係保住不沉航空母艦＝台灣以資圍堵中共之擴張。美國當局支持何人並不是第一優先的考慮課題。美國曾經在南韓、南越以及菲律賓等常換領導人的所作所為之例子歷歷在目，記憶猶新。蔣老總統對此類「利害關係」洞察得非常透徹，所以才會另外邀請白團拔刀相助。韓戰的爆發促使美蔣關係面目一新。美方雖然知道有白團，但視若無睹。然而雙方為了顧全大局只好相互採取虛與委蛇、相處無事之道。蔣總統始終如一地以黃埔老校長的威信掌握了軍政大權，並處處提防「苦鐵打」（政變）的突發，這些都是人人皆知的史實。雖然有一點「事後諸葛亮」之嫌，我認為蔣老總統對已在美華（台灣地區）關係中的「自我定位」是夠冷靜、夠清楚的，其姿態是忍辱求全的。他不曾有過依靠美援則可高枕無憂的自滿，對美國一貫地採取不卑不亢之態度，是值得我們深思並高度評價和仿效的。

對「台灣經驗」的一得之愚

邵玉銘教授擔任新聞局局長時大聲地喊出「台灣經驗」的口號。在我的學術性觀察而言台灣經驗該具有正負兩面的，只喊出其正面忽視負面時，當為官方的文宣或許可以收到一些效果。不過為了久安之道的話難免欠缺說服力。所以我在提倡該對台灣經驗做好綜合性研究。不然老百姓一問，當為負面的二二八事件、白色恐怖等，你怎麼回答？還有在內外惹發出台獨運動，這個算不算是台灣經驗？或許20、30年後站在中華民族大義的有識之士出來質疑，究竟誰惹發了台獨運動，這個責任該由誰來負責？你又該如何回答呢？我們中國人很會玩四字成語遊戲，又愛作秀，表面文章一大堆。四字成語之美與所呈現之悠久性智慧，雖然能教我們後人同享其利，但毋庸諱言，它同時又給了我們帶來陷阱。我們就暫借「明鏡止水」、「清風明月」、「光風霽月」三句，我們已沉醉於其情境，根本就不會再去追尋其真正的內涵了，人人天天都可以在預售屋廣告看到四字成語的「美麗」卻不實的詞彙。但濫開發與生態破壞之負面遺痕，我們的後代將難於承受，而人人卻視若無睹。日本人雖然與我們同享四字成語之美，但他們只在文學上面，實際的社會生活已完全脫離其情境講究實際了。如何克服「外華內虛」的惰性作法，的確是我們的緊急課題。

六、暫時的結尾語

日美影子下自求出路

法國的文明批評家又是大詩人的梵樂希，於1895年和1898年的歷史轉捩點時，已經預見世界激變之徵兆。1895年係日本打敗晚清，逼清割台之年。1898年則是美西戰爭後，美國取代了西班牙統治菲律賓的頭一年。他在一百年前就看出美日兩個新興國家都學到西歐那一套機制和方法向外擴展，它們將影響亞洲情勢。大詩人的靈感閃現得準，迄今一百年來，日美兩國，中間雖有過戰事，但兩國在亞洲稱霸燎原確是舉世皆知的事實。籠罩當今台灣的兩個大影子，一個是日本，另一個是美國，我們既需要他們的支援又要受到他們的制約。這不是親日、親美或反日、反美層次的問題，而是在台灣的中國人應該先確立好我們應備的主體性，再思考如何利用美國、利用日本，來為自己找出自己該走的路才是正道。只求外援仰賴他人的做法，將經不起時代的考驗。

政治激情將降溫

自經國先生的晚年以來，台灣社會瀰漫了政治激情。人人忙著自我主張，高揭「台灣人出頭天」之大旗，企盼改寫、新釋及「創作」歷史。激情的根源主要來自於威權時代的社會性壓制。它的顯現可以說是一種反彈性的情緒洩恨。激情的能源多是發自於台籍中、上層知識界人士。

自1950年代初至1980年代中葉，台灣的特殊情況孕育出「垮掉的一代」抑或「失落的一代」。他們多數是受日本高等專科學校教育的，在沒有意料中的時局變動下，獲得了「重生」，二二八和白色恐怖給他們帶來的心理挫折卻甚難釋懷並痊癒的。他們的後一代，亦仗著黨外改革運動及「本土化」訴求之高潮，急欲「救出自己（我）」而有所狂飆。

明眼人早已看出，這一類激情既欠缺庶民生活意識的普遍性支撐，又不具有全面性的社會基礎。從而判定激情將是短暫的。「賭爛票」的俗語流行一時，確實其來有自。

「西瓜派」占絕對性優勢的台灣人社會，庶民哪有可能皆甘願犧牲舒適的經濟生活環境，去換取不確定的理念性未來。

當二二八被擺平，白色恐怖的平反訴求可以公開於立法院檯面，本土化訴求逐漸實現時，狂飆的能源逐漸消減，遂有目標模糊化，既不知為何而為，亦茫未識其所以然。鮮有思考探索，以及思慮粗疏的社會風氣，加上眾人僅能看到他人靈魂深處的齷齪，但不察自己亦難免具有不易負荷的脆弱性社會性格，教有識之士難與共鳴。激情人物日益變成自我迷失的一群。這般的政治激情能否獲得生機，改革台灣，解決我們的問題？值得質疑。

政治激情頗類似泡沫經濟。激情將降溫破裂，最終回復其常態是可以預料的。

在此我願意提出諸葛亮的名句：「君子之行，靜以修身，儉以養德，非澹泊無以明志，非寧靜無以致遠」，與來會歷史研究工作者同仁們互勉。

認同（identity）亦具正負兩面

據我的初步了解，在華文世界初次出現「認同」一詞是1980年代初的事。認同本是哈佛大學著名精神分析榮譽教授艾利克生的identity的中文譯詞。特別是近幾年的台灣，有關統獨爭議成為關切性話題以來，認同一詞在傳媒的出現頻率不可說不高。

有關認同的課題，我第一個得提出來的是，它具有正負兩面，即負面性認同（negative identity）和正面性認同（positive identity）。我曾經在拙著（《台灣結與中國結》，遠流出版公司，1994年5月出版）做過如下的闡釋：

> 被壓迫或被殖民的民眾受到外來勢力的壓抑，從而引起自我同定（認同）的迷失、糾葛或危機。在一個漫長的過程中，受壓

抑的人們慢慢被迫接受並習慣外來勢力強加與的外來價值體系，由此形成負面的、陰性的、否定性的自我同定，也就是前面所言之negative identity。這自然是一種悲劇。但是，這種負面的、陰性的、否定性的自我同定並非是一成不變的，在社會歷史條件的變遷下，如果通過積極的轉化，它也可以轉變成正面的、陽性的、肯定性的、健康的自我同定，也就是正面性認同（positive identity）。（同書頁22～23）

我主張過反「台獨」不等同於反台灣，反中共不等同於反中國，甚至於我評定具有台灣意識和台灣人意識無可厚非，它不一定會轉化為台獨意識。

我又自我確認過，我本身便兼有客家（人）意識、台灣人意識以及中國人意識。我不曾徬徨、自我迷失過，我的中國人意識卻是前二者的上位意識。這係屬於我本身的正面性認同是毋庸避諱的。

第二個我要提出來的是，自我認同當為哲學用詞時，可以翻成「人的主體性」。主體者英文名為subject。認識行為抑或意識之擔負者可以名謂主體。

人的主體性可以說是「近代人」之所以為「近代人」的必備屬性。在人類史上，具有所謂主體屬性人的出現乃至人的主體性構成了人性追尋的中心課題，係在人類邁進當為歷史階段的「近代」以後的事，也就是說，與近代知識分子之出現是同一歷史時期。依據西洋思想史來看，前近代的個人主要只是教會、封建王侯抑或國家等機關或主宰者之附屬物或客體而已，因而人常被囿於或僅止於被動且消極的存在。

自封建的束縛或桎梏解放以後的人，才能成為能自我判斷，能自扛責任行為的真正主體。

人在實踐活動（包括日常生活）中，有意識地自我確立、自我確認並自主地建構自我的主體地位，便是我們所要宣明的主體性樹立之必經過程。如何自成具備有主體性的人便是「近代人」，尤其是自認為已是近代知識分子的至上命題。

眾所周知，任何國家、民族、社會、群體、個人，當面臨危機或歷史性轉換期時，一概會引發出反思自我定位以及自我認同（ego identity）的重新建構之社會性需求。當前，在台灣所興起的有關「中國結」與「台灣結」以及國家認同分歧有關的爭論，亦不外是其同一類型的顯現。

返台定居還不足半年，天天都在調適中，但已發現，做好正派人及說真話頗難為，解嚴以來台灣一片混亂，看起來脫序現象甚為嚴重。在此，我得特別指出，轉型期社會必然地會帶來混亂和脫序現象。我們必須知悉混亂在先，再經整序後才能逐漸地呈現理性屬性的效應。不是先有理性才有秩序的，所以我們還是應該相信台灣老百姓的意願和走向。回到原點，我仍然提倡寧靜致遠，以長期的眼光來看當前的狀況，不能只看到台灣一時的混亂而心慌意亂。「澹泊以明志，寧靜以致遠」可能又是當今研究台灣史的最佳姿態。台灣史研究的微觀與宏觀的平衡點，一句話即是「寧靜致遠」。

與新人類的一夕對話

新人類說：「我們與大陸斷絕來往已有100年，已經沒有太多的關係了。所以未來不一定要統一在一起吧！」

我回答：很多中國人到了美國就要拿美國護照，變成美國人，他們究竟跟美國有什麼關係？民族上與美國人有什麼關係？與美國的制度又有何種關係？與黑人、紅人，有過什麼關係否？那麼，人們為什麼還要認同美國呢？你明明講的是中國話，寫的又是中文，吃的並非西餐而是中餐，信仰又不是基督卻是「大伯公」或媽祖婆，你卻要說已與中國大陸沒有關係。退100步來看，有沒有關係並不重要，問題是美國過去的100年代表了全世界的時代精神，它是人人的託夢之地。雖然在美國難免得受到歧視，但比起移民之原鄉有更多的機會，比自己的母國有發展的可能，所以很多人要拿美國的護照。

1983年，我受邀到美國的大學當訪問學人。斯時便有位華裔美國人教授問我，為何日本人來了一、二年就返國，他們都不很執著拿博士學位，與台灣或中國大陸的來人大有不同。日本本身，社會穩定，大學教授之位置與美國的博士學位無關，加上日本的薪水、福利相當好，日本人當然不會要美國的博士學位與職位。他們只要是東京大學的畢業生，或其他知名大學的畢業生，在日本找事不困難，可以活得比在美國更方便更尊嚴些，何樂不為呢？除了一些黑人的前衛文學家，一些比較有個性的文化人，認為美國是「野蠻」國家，二次大戰前拿了美國哈佛的學位不算什麼，德裔者認為柏林大學，英裔者認為劍橋、牛津大學，義大利裔者認為羅馬大學才是夠風光的，我們卻相反。而中國共產黨文革結束前在大陸搞的那一套，不得人心，既不能代表我們這一代中國人的時代精神，又欠缺引誘我們的魅力，所以甚多中國人和華人不便苟同，更不認同它而已。但是不能說我們跟他們100年沒有關係，所以不跟他們怎麼樣。你可以看到，解嚴後的台灣，已無政治犯，經濟繼續在發展，又可以與大陸來往，加上可以享受與外國來往自由之實況，甚多人都願意回來定居了。唯一社會治安有欠佳之處，叫人生活不安，確是遺憾。

最近夏威夷開始有獨立運動浮上檯面了。夏威夷的土著認為他們過去擁有女王，為什麼要成為美國的一州？他們曾認為美國國力強盛，被當為美國富人家之休閒島嶼的夏威夷，土著人相對地又可過其滿愜意的日常生活。

欠缺主體性思考的土著，相當普遍地認已成為美國一州沒什麼不好，但是情況在變。美國本土的黑人、紅人的自覺運動又波及到夏威夷來了。眾人皆知美國有「美國人」的概念，但是「美國民族」的概念係不存在的。取而代之的卻是華裔美國人、德裔美國人、日裔美國人、夏威夷裔美國人、非洲裔美國人（Afro-American）、原初美國人（Native American）等，他們互相間族群差異之確認和主張不一定會發展成分裂或分離。他們又可以主張「統合」或「融合」在「美國聯邦」下過其自主性的生活。他們主要在企盼能獲得尊重與平等的待遇。同樣地，曾經世界上有過「蘇聯人」的概念，但沒有「蘇聯民族」的概念。蘇聯解體以後，連蘇聯人的稱呼及其概念都消失了。目前存在的是「俄羅斯民族」等的概念。如此一來，名為蘇聯的實驗性「國家」解體，實際上的統治民族也就是俄羅斯民族的優勢反而彰顯出來。以俄羅斯民族為核心的俄羅斯聯邦逐漸成型，有取代舊蘇聯之勢。但看起來不甚樂觀。新的民族問題或因主張族群差異所惹發的摩擦將繼續展現出來。所以硬邦邦的中國大一統的觀念，可能需要修正一些，中華民族雖然存在，但是好像一直很模糊。

我認為大陸和台灣、香港、澳門間的關係，就如同「睪丸與本體」間之關係，可以自立但不能割離，自立不等同於獨立，是一種各自自立並求自強但要互謀共生的善循環的關係了。有關此理論架構請參照拙著《台灣結與中國結——睪丸理論與自立、共生的構圖》（台北：遠流出版公司，1994年5月）。（筆者按：本文是根據演講錄音整理而成，特此註明。）

本文原刊於《國史館館刊》復刊第24期，1998年6月，頁7～26。係戴國煇在國史館之演講內容，由薛月順記錄整理而成，1996年8月28日

回顧李登輝時代

◎ **林彩美譯**

2000年3月18日的台灣，特別是都市密林的台北深夜陷在喧譁與興奮的漩渦中。第二次大戰終結後半世紀，台灣一黨專制統治下的中國國民黨政權終於在直接投票的總統選舉落敗而崩潰了。

我與友人一起「觀賞」台灣第二回總統直接選舉即日開票的電視轉播。我把國民黨政府的崩潰當戲劇的第二幕在觀看。第一幕是李登輝主政的12年。1988年1月13日，蔣經國的逝世、副總統李登輝就任後繼總統，繼之李又由國民代表大會之委任選舉當選、就任中華民國第八任總統（1990年5月20日～1996年5月19日），又當選憲政後直接投票的民選第一屆總統，即第九任總統（1996年5月20日～2000年5月19日）。以上12年謂之「李登輝時代」。李登輝時代由激烈的政爭而開幕，然而其閉幕的退場卻太不風光，勞駕消防隊的噴水車方勉強壓下了流血暴動，此算是不幸中之幸運。

把膠卷倒轉回顧看看。

李登輝無「敗戰之辯」，民衆追究敗戰責任

3月18日夜深，電視現場直播接近尾聲，筆者腦海裡幻出尚未出現在畫面的李登輝，充滿悲痛與忿怒參半的嚴峻表情。

近二、三年熟悉李的人士之中，對李微妙的政治姿態變化，常有擔心的聲音傳出：曰，愈來愈自以為是；曰，抱福音主義「使命感」，處處教訓人當下罕見；曰，任何事都非親自下手不可，因好勝而「獨斷專橫」，不在乎別人感受的事例增多，一個人喋喋不休地講，聽不進別人的話等等。

等到18日的深夜，結果李至終都未出現畫面。很多有心人在期待李的「敗戰之辯」也當然會有道歉才合乎情理。這是中華民國的總統同時也是中國國民黨主席的「公眾人物」李登輝的「喪失自我」的一夜。

然而如果有借電視對著台灣的全住民，向當選的陳水扁新總統與呂秀蓮新副總統致辭祝賀。再加上，「這次選舉是多黨民主政治系統上了軌道。今後全體選民與住民，一同攜手向更成熟的民主政治的目標來努力」這樣招呼不知有多好。

被台灣內外善意人士譽為「台灣民主之父」、「台灣民

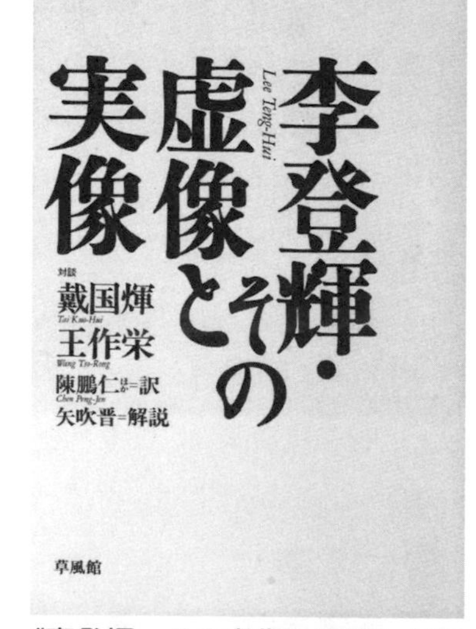

《李登輝・その虛像と實像》係為《愛憎李登輝》的日文版，東京：草風館，2002年5月

主先生」之稱讚，而自己也如是自負的李如此的表現，確是逸失良機的一瞬。果然，對李的責任追究示威在3月18日深夜便爆發，由駐在台北的諸多外國媒體向全世界大大地報導了：被噴水車的水淋得濕透的日本人電視記者歎曰：「敗戰處理真難。受政治白癡的『司馬遼（太郎）』之煽惑，李變得自信過剩而自我迷失了吧！」比如司馬在其自著《台灣紀行》敘述：「李登輝先生以一介學者難能學得政治技術訣竅在身，政治家的同時，連那政治的泥濘也學到了。」（朝日新聞社刊，頁500）

李終於在3月24日留下任期不得不辭去黨主席而下台。

連戰、蕭萬長「候補指名」之怪

就任總統職以來，李很早就培養連戰，以為拔擢連為後繼者而做準備。並且是本次〔譯註：第十屆〕總統選舉的中國國民黨的唯一指名候補、以極牽強的情形下將其推上。連處於李下第二號人物的現職副總統之位置，但舉凡其形象（立場上有不得已之同情之聲），在一般老百姓眼光裡，不說魅力就連大眾性的碎片都找不到。

從選戰初期到中期，李頻頻出現於檯面上在努力，連卻躲在背後，暴露其無個性淋漓盡致，副手的副總統候補蕭萬長也不是連的選擇，而是由李將行政院長職的蕭充當，這之前的蕭的行政院長之職的新任，也是李的提拔。這樣的拔擢，李不但未考慮民意，幾乎黨意（國民黨內的總意）也未十分尊重。完全是依李個人的好惡，自我評價、獨斷專橫下的產物，是諸多識者對李的看法。

改革與革命等任何場合，都是領導者與其同志們自己相信的「未來的價值」以此試著否定裁斷「現在的價值」。但其裁斷如果是獨斷專橫則易犯錯而變成致命傷，這樣的情況史例多見。晚年的蔣經國還善聽身邊者的話。李在不知不覺中已變成凌駕蔣父子的強人？

善意的日本觀察者，認為超群的資訊收集力與判斷力使其在改革過程獲勝的李，因受司馬等的煽惑而自我陶醉，大凡以一己之力承擔過來，自以為今後亦能的過信自己能力的觀察。亦有人認為台灣人把他寵壞了，但說什麼都為時已晚。不特定多數的民意已不能照「御意」去左右，加之「御上」近年的失言與失分遽然增加，威信也隨之徐徐下降。李的友人邱永漢也擔心，特於選舉前有指摘（《財訊》，2000年4月號，頁78）。

台灣型「人民黨」主義的高揚，與相反的「參加型」民主主義指向，也確實地開始徐徐紮根在老百姓階層，這也不可忽略。

貴族氣味於選舉無補

連家大女兒的「世紀大婚禮」，台灣住民是不會忘記的。1995年1月，傳說台北花店的花都被買光的豪華婚宴，一般百姓當時以複雜的心情在觀望。

在行政院長官位的人，主持一個仿如藝人的奢侈結婚典禮，有些人質疑他的政治敏感度。以第一夫人帶頭，大官顯耀的夫人們，百花爭妍般地競將名貴寶石全佩上身，飄向華麗的會場。電視轉播是當然的，連娛樂性八卦雜誌也競相以此為話題，各打其主意組編特集。某雜誌把掛滿寶石的第一夫人的放大照片當封面的特集，不難想像其居心為何。不知道的只有「本尊」吧。

大車隊護衛隨行的連戰的出外，出訪地方要訂500元的特製便當（一般為60～100元）被媒體暴露等，連的負的印象固定了。人們把連看成是養尊處優不諳世俗的獨生子，不具大眾性的人物。民意調查的支持率一直沉淪，也因那些理由吧。

連的瀟灑與貴族氣味是自留美以來就有的，1964年在芝加哥娶了中國小姐，由李登輝的引薦而獲得任命最高官位的行政院長是最近（1993年2月）的事。

從世界最長戒嚴令的壓抑下終於獲得自由的台灣，已經不存在蔣家的保護傘＝「溫室」，代之而出現的是李的「關愛的眼神」。如果惹上「御上」的不悅，烏紗帽便一下就吹掉。周圍變成奴顏婢膝的馬屁精，「大樹之下」的明哲保身的生活哲學渲染了政官界，連的處身法即此中一例。

花枝招展、絢爛豪華的大婚禮，在一般投票者心理會引起如何嚴重的反彈，對此全未預想其感覺是不尋常，一般老百姓的生活者感覺是敏銳的。連的大敗已確定的翌晨，散步時無意中聽到路邊婦女們閒話：「這回選舉，把連戰從貴族拉下到與我們同樣的平民，可真痛快。」

「台灣之子」當選的意含

去年（1999）歲暮，作為選舉運動的一環，陳水扁的自傳

《台灣之子》由晨星出版公司出版。出書之地，不是政治文化中心的台北，也不是出生故鄉的台南，而是選在台中、台灣的中部，令人想像其處心積慮。台中是前台灣省政府所在地，宋楚瑜的地盤很強之地。這回選舉被預測，不管誰當選得票率都不會超過40％。結果果真如此。因「弱勢總統」為了能全盤關照，所以不得不組織「全民政府」。既非台獨亦非統一、新中間路線與考慮總體的均衡做號召之地，台中是絕妙的選擇。

陳與連的本籍均為台南。把台南市與台南縣之各得票率做比較。陳水扁的得票率在台南市為46.6％，台南縣為53.78％，連卻只有25.93％與24.7％。台南市縣的鄰接地高雄市與高雄縣是45.76％與47.14％，第二名的宋楚瑜是29.76％與28.43％，連則只有23.97％與23.95％。

從以上可看出，陳為「台灣之子」之前是「台南之子」，在此地草根支持之強勢是一目瞭然的。

投票時歷史的記憶被叫醒是世之常情。所謂歷史記憶，高雄於1979年12月10日發生「美麗島事件」。因反體制的《美麗島》雜誌集團在高雄舉辦世界人權日集會，政府施壓、發動大逮捕、強迫反體制運動使之一時停滯的事件。但通過公開裁判，體制方的不正義與專制性格明確地暴露，是民進黨今日隆盛的契機與基礎。陳水扁是裁判時的律師團一員，搭配的呂秀蓮是該雜誌的幹部。

據傳連的祖父連雅堂與父親連震東的歷史記憶不只台南人，在全台灣都絕不是好的。圍繞敗戰之將的連家世上有些「怪譚（談）」。「想想連戰為什麼形象上不來？父親死時，免交遺產稅；隔幾年，財富百億」（唐湘龍，《聯合晚報》，2000年5月21日所載「月旦集」）是一例。如果是屬虛報，是會被告追求法律責任的，可是也沒發生訴訟情事，且一再被提起，所以大多老百姓都相信。

陳公開自己的出身，堂堂將自己是佃農之子與年輕（49歲）一併訴諸選民，其率直、年輕與大眾性〔譯註：平民性〕吸引了南台灣「草根」的老百姓。

李登輝是舊殖民地菁英、舊制台北高校、京都大學中輟、學徒「出陣」〔譯註：大學在學中出征〕，光復後畢業於台大，留學美國，獲康乃爾大學農業經濟學博士學位。光復後的台灣，有為數不少的同學、友人、熟人在二二八事件（1947年2月27日夜，取締走私香煙為發端，台灣都市住民、青年、學生抗議國民黨台灣政府當局的失政而暴動），白色恐怖犧牲是眾所皆知之事。

以李的後繼者，自認與被認的連戰的家庭背景則更為複雜。殖民地台灣文人的祖父，父親畢業於日本慶應大學卻受祖父之命去大陸，抗日戰爭中在對日情報機構＝國際問題研究所做調查研究。母親瀋陽出身，連戰在抗戰中生於西安。以台灣通俗的講法是以「半山」之子回到台灣。畢業於台大，擁有芝加哥大學的政治學博士學位。於第二次世界大戰終結前就住在台灣的本省人，敬稱二次戰後從對岸來台者為「唐山人」或「長山人」。然而二二八事件前後便把外省人蔑稱為「阿山」，與他們一起從大陸回台的原台灣人為「半山」（不全的阿山）。

戒嚴令下的台灣，在蔣政權的庇護下，連父子是極少數的能接近政權中樞的地道的國民黨員「半山」與國民黨員二世菁英。李有企圖的推舉稱呼連戰為台灣人，但因母親的出身之故，周邊的人都不把連戰看做是純粹的「台灣之子」。特別是老世代的台灣人。

本次的總統選舉可說是「草根」加年輕與「殖民地菁英」加老世代的對決。

李、連體制的安定化，可能從一開始就不對的。李、連體制的開端是，李任命連為行政院長（1993年2月），其雛型是第一回的總統選舉（1996年3月）的結果而誕生。然而李、連體制下的「中華民國在台灣」（李自己定位的稱呼）受派生出的國民黨反主流的「新黨」與留在國民黨內的「隱型新黨」雙方的繼續挑戰。他方受乘勢逐漸壯大的在野黨「民主進步黨」的震撼，所以不得不迴避著這些並汲汲地切開活路。李登輝的「走鋼索」政治，可謂之無終點之路。

李是身兼國民黨主席的中華民國總統，然而卻堂堂不忌憚地主張國民黨政權為「外來政權」。對他旁若無人的作為，外省人國民黨員應該是極感忿怒，但啞巴吃黃連只好忍受。也可說沒出息，但在此台灣型人民黨主義橫行的當中，裝「阿Q」可說是生活的智慧。但是忍耐也有限度，李退下總統職的第七日，在李的別墅所在地的運動會上，退役將校老人史力行，拿紅墨水潑李的背部（5月27日）。老人是外省人，原是三大特務機構之一「警備總司令部」的上校，本來就是忠實的國民黨員吧。

真是變天了。曾經在紐約的廣場酒店、狙擊訪美中的蔣經國、已從亡命國歸台的黃文雄是陳新總統的擔當人權問題的國策顧問；因郵包炸彈而把台灣人（半山出身）第一位副總統謝東閔（當時為台灣省主席）的手掌炸開、服役的王幸男是現職的立法委員。「萬物流轉」講的確切。

李政權的另一個口號是「本土化」。國府體制的本土化，即以台灣化為本來的內容。問題是，其台灣化是李登輝主政以來意味著最多數的福佬人（為多數派的閩南系本省人、占全住民人口的約71%）化，因此受到原住民（法定用語：約0.18%）、客家人（約14.5%）與外省人（約14.36%）等弱小族群強烈的抗拒。是提防新異化（疏遠）狀況的再現而來的警戒心與嫌惡感。本土化波及意外的方向，族群也覺醒了。特別是一人一票的直接總統選舉為首的廣域選舉區、福佬沙文主義濃厚的本土化或者台灣民族論的集票力不夠。族群矛盾（對立）取代省籍矛盾（對立）的話題浮現，此還是不能解決問題，所以有「族群和解」、「族群融合」與社會大和解的叫囂。

退任之前的致謝之旅，李特別致意：第一，此次平和的政權交替欣喜徹底地終結了「外來政權」；第二，把政權在和平裡移讓他黨＝民進黨，是顯示自己推行的民主政治的成果不勝欣快等大言不慚。不單是地道的國民黨員，連日本讀者也會感到難以理解的吧。

李曾經與司馬的對談說「生為台灣人，曾經有不能為台灣做事的悲哀」（一般簡略為「台灣人的悲哀」）以吐露其內心。李的「台灣人的悲哀」的邏輯從背面看，可說從一開始李便憎惡國民黨。若把國民黨和平裡送往墳場是李的本心與隱閉目標的話，對李的精明強幹只有投降。

我預測，什麼時候他把國民黨「台灣化」——其實是「李登輝化」（龐大的國民黨資產不能忽略）後，完全掌握軍、情報機關，改稱並把實質內容變成「國民進步黨」以裝飾其退路。

他巧用體制外的能量與和民進黨做權益交易的手法，重復修憲達六次。但是，設想在連蕭體制下做垂簾聽政以完成此路線的嘗試無奈何遭遇挫折。

因連之大敗而所受之打擊很快就恢復了。因為弱體的陳新總統向他表示敬意，李發覺有繼承「李摩西」的「陳約瑟」搭檔的苗頭。恢復元氣的跡象，表現在陳總統就職典禮的5月20日前後的李的言動。他向人們講：「能在和平裡與自己存命中，把政權交給後繼者是自己的夢，現在夢已成真所以不勝欣快。」云云。

他曾經對周圍的人表示，最不喜歡被說是「獨裁」、「獨台」。獨台是與台獨不同，把「中華民國在台灣」提升為主權國家，拋棄「一個中國」論，實質是要製造「兩個中國」之謂。假設李成功地把國民、進步黨結成，又能確保全住民65至75％的安定支持基盤，李又準備把台灣全住民帶往何處？

筆者未能解讀李之企圖，便離開了在總統府二樓的國家安全會議辦公室，時為1999年5月19日的傍晚。

第二得票率宋楚瑜所扮演的角色

政治常以結果（包含數字）來論斷。

3月10日，台灣人唯一的諾貝爾獎得獎者（化學獎，中央研究院院長），集全台灣的人望於一身的超人氣李遠哲站出來組織

「國政顧問團」，並把成員公布出來以表明支持陳水扁。這是決定最後勝敗的原因，持此看法的識者很多。這之前，勝利的女神，向陳候補或向宋楚瑜競選者之任何一方微笑都不為奇，因為競爭太火熱幾乎不能預測孰上孰下。

陳於1994年12月3日的台北市長選舉的時候，適逢國民黨的分裂而占了漁翁之利。與此同樣，這次的選舉，陳也因連與宋的分裂而從國民黨手中摘取勝利的果實。1994年台北市長選舉陳水扁得票數61萬票，第二名是從國民黨分裂結黨的新黨的趙少康候補得42萬票，現職市長，李登輝的得意弟子黄大洲候補得36萬票的最低點。當時流傳的風聲是「棄黄保扁」效果。虛實如何不管，一般老百姓認為當時的李登輝如日中天依託其「威信」，致今猶相信曾有如是動作。

本次選舉的最終階段也有同樣的期待與觀測流傳於街頭巷尾。即「棄連保扁」。因有其效應所以陳才能當選的揣測不斷。

筆者卻持另外的看法。就是有「棄保效果」，也不是「棄連保扁」，而是「棄連保宋」的逆方向的票流。如果是這樣就與李的意圖於完全相反的方向顯出效果，這暫且不提，社會上普遍相信以「最高層」有「棄保」操作的可能性的氛圍猶濃，這其實才是問題。

省籍矛盾與族群矛盾

此氛圍或者是老百姓的「信以為真」的暗流，是由於台灣近現代史的特異性所形成的「省籍矛盾」、「族群矛盾」的「休火山」的存在使然。在此把省籍矛盾與族群矛盾，稍微詳細的提一下。

1972年6月1日蔣經國就任行政院長，在形式與實質上繼承了其父蔣介石的權力。

1947年爆發的二二八事件，接著發生1949年的四六事件（警察於3月20日夜，非法逮捕共乘一輛腳踏車的台大與師範學院學生兩人，因抗議引起台北市的學生運動。而由此惹起大逮捕與「學園」整頓。是後來白色恐怖的起端）；再是1950年代前半，以地下組織的中共台灣工作委員會關係者為主要對象的大肅清。

以上一連串的鎮壓，一般老百姓認為是外省人（光復後從大陸新來台的人）＝國民黨對本省人（光復前就居住台灣的人）的壓制與鎮壓。將此單純化即意識的「省籍矛盾」的常態。很少去追問本省人與外省人的實際情況，卻在老百姓的心底，繞著省籍堆積了對立的情感。

蔣經國於1972年掌握了實權，與美國對中國大陸的接近（融雪）的嘗試，在同一時期進行的歷史意義不小。

對外方面，台灣的「貿易立島」政策漸上軌道，隨著經濟發展，島內的中產階層也增大。其能量變成推動島內民主化的力量。對外交流（出國留學生數的增大與貿易活動，還有外國旅行的見聞增廣）頻繁，省籍矛盾的面罩徐徐地被揭開，真實的面貌開始顯現。本省人與外省人間的通婚更加普遍化。民主進步黨的組黨（1986年9月28日），繼之1987年7月15日世界最長的戒嚴被解除了。眾多的政治忌諱逐漸解體，長期累積的怨忿與鬱憤隨著民間能量的噴出而被充斥於街頭。

跳出來的政客對二二八不學習不做研究，為了集民眾的人望於一身利用了二二八的怨懟。國民黨＝外省人＝惡的化身三者為一體。本來只是人類學或地理學的概念的外省人稱呼，變成負的政治符號而膠著化。本省人＝台灣人的想像共同體好像有變成「台灣民族」的氣勢。

然而，歷史的進行經常是「必然」與「偶然」互相糾纏曲折演變的。蔣經國的晚年陸續出現特務政治的破綻，與大眾運動的鎮壓與暗殺事件的頻發、顯現相結合。反體制事件的多發，戒嚴令與特務專制政治對既存秩序的維持已沒有多少威力，國府當局不能不領會到。

1987年7月27日，蔣經國解除戒嚴的民主化的第一步，接著他自己談：「居住台灣40年，我也已經是台灣人」的發言，而可知事態發展之快。可謂國民黨由上的「台灣化＝本土化」的烽火由強人的蔣自己發放。因為是蔣的發言，所以國民黨＝外省人的上層，即權力中樞便不可能有異議。

在此之前的1984年3月，蔣經國續選第七屆總統的搭配選了李登輝。做為台灣人副總統李是第二人。前任者是「半山」出身的謝東閔。以蔣經國為核心的當時權力中樞不讓謝連任的用心可能不少，在此就省略。蔣經國選李的象徵的歷史意義無他，是將蔣家政權主導下的「本土化＝台灣化」政策的正式化，向一般台灣人更明確的表示。至此被收集在國府中樞的當作裝飾「花瓶」的台灣人不是「半山」出身的，就是舊地主及鄉紳或是其子弟占大多數。

李的條件特別。既存的政治勢力與他差不多沒關係。代之他有日、美留學經驗、愛讀書、好議論、不算富有而只是一介研究者。有趣的是由京都大學光復後轉學台大，並未改變初心對農業問題與農業經濟學的研究、用功。在其過程，受時代風潮影響，兩度與中國共產黨的地下組織發生關係，又與此關係脫離兩次，可說是非常奇特的經驗。沒有在白色恐怖的槍彈倒下是極幸運的，昔日的友人如是回想（請參照藍博洲著《共產青年李登輝》2000年2月，苗栗：紅岩出版社）。

蔣經國提拔李之前，對李的前歷很難想像全不知情，毋寧說有蘇聯共產黨員前歷的蔣經國自己，企圖將國府與國民黨在台灣的本土化＝台灣化的更加深化而起用李。

本土化政策最初是蔣經國提出的，因有跟著時代走的必要。比其父蔣介石時代較基於能力主義起用台灣人人才而已。接蔣家政權的李登輝，為補強自己脆弱的政權，他使本省人、福佬系台灣人為中心的民間能量全面地釋放出來。一般人把此事過大評價為全面的民主化政策的推進。大有情緒性的省籍矛盾不過幾年即可緩和，非無理由的。

李登輝的領導力

話講回來，李登輝因蔣經國的去世而繼承總統職位。是台灣人的第一個總統。由後繼總統經委任選舉當了第八屆總統的就任期間，李的權力基盤說不上強固。

正式的全面掌握權力是1996年3月的第一回直接總統選舉以54％高得票率當選時。在此之前李未受過民眾的直接選舉的洗禮。李做為兩代強人的後繼總統，欠缺領袖的超凡魅力與權力的廣泛的社會基礎。一般地說中國人對看不見、不能以自己的眼睛確認的事務不能相信。李登輝的實力必須以高得票率獲得民眾的相信。換言之，把台灣人投票的絕對多數以直接選舉確保之，這是李鞏固自己權力基盤必須而緊急的課題。把總統選舉從國民代表大會的間接選舉制或者是委任選舉制改為民眾的直接選舉制，自己首當其衝接受洗禮，1996年3月，李堅決舉辦了總統直選。

此時國民黨還是占絕對優勢。如果李不能深深地潛入到國民黨，不能確保實權，其改革與李設想的終極目的就會化成一場夢幻。他的深謀遠慮與精明強幹的功夫徐徐地顯現出來。幫助他成全的是中央黨部祕書長（1989～1993）宋楚瑜。宋長年在蔣經國身邊，太熟稔聚集在國民黨權力中樞的舊臣們性格與行動方式。加之，受晚年蔣之寵愛與信任於一身餘蔭燦然猶存，宋的相助，對李確是好比孫悟空得了如意棒。

宋在黨祕書長的四年間（1989年5月～1993年3月）與李的搭檔完成了為數不少的改革，從人事面說，李在蔣經國去世後第一次黨大會（國民黨十三全大會，1988年7月7日）正式就任黨主席。利用此餘勢將黨副祕書長的宋楚瑜提拔為祕書長，把蔣經國體制下掌握黨的實權的李煥成功地祭上行政院長的神位。在那當時炙手可熱的省籍矛盾的漩渦之中，第一代外省人文官所能瞄準的目標最高職位是行政院長。李煥當然認為機不可失，二話不說便跳進這個圈套。國民黨的體質改善且不說，把當時國民黨最高實力者排除，李登輝自己掌握了黨的主導權的意義才大。李煥的就任行政院院長（1989年6月）當然的歸結是把前任者俞國華趕下台。俞是蔣介石時代以來的，蔣家的掌櫃人物。

1990年5月後繼總統的任期將屆滿，李登輝開始了續任第八屆總統的準備於年初就起動了。對於黨歷淺、支持基礎薄弱的李的旁若無人的黨・政營運，原先就覺得不愉快的蔣家的舊臣們，以為把李自「寶座」扯下來的良機到來。早在同年二月初就集聚了。

集合的有李煥、郝柏村（蔣經國晚年，當了八年之久的參謀總長，軍部最高實力者，時任國防部長）、蔣緯國（戴天仇與日本女性之間的庶子，由蔣介石養育，對外是蔣經國之弟，自己也如此表現。當時蔣家最高代表者任國家安全會議祕書長）、林洋港（黨歷、官歷、人望，在李登輝被提拔為副總統時止都排在李之前，台灣人國民黨菁英，時任司法院長）、陳履安（原副總統、陳誠的長子）等。

他們所企圖的是，實施黨內民主制為堂而皇的藉口，以無記名投票方式選總統與副總統，然後巧為操作，把李登輝與他意中之副總統拉下。附帶說一下，蔣父子政權時代是企圖完全控制，所以採取起立方式選出。

這時李登輝便控制場面，成功地採取原來的起立方式的選舉，於千鈞一髮迴避了危機。這就是「二月政爭」。渡過二月政爭不久的4月18日由國民黨主導通過《資深中央民代自願退職辦法》，這意味著在立法院本土化政策的實施已登上日程。

李就任第八屆總統的同時，實施內閣改造，李煥被撤換，其後任為郝柏村。但是法律規定新任行政院長必須脫離軍籍。一方拔掉虎牙——軍，他方封殺李煥。郝的後任由陳誠（蔣介石軍的幕僚，後來蔣經國把陳的勢力解體）的原部下支持下，利用陳之子履安，在蔣、郝之軍體制打進楔子，並把陳履安釘在軍中使之動彈不得，真是完全的高等戰術。林洋港的人望，李提升自身威信的同時，徐徐地強化其低下的速度，可解讀為操作其安撫的策略，延引對決的時機的戰術。感歎李的精采戰術構圖的一方，我們也不能忘記容許其戰術展開的當時內外情勢。

當時，省籍矛盾完全暴露，台灣人意識高揚到頂。第一個台灣人總統，雖是蔣經國指名的後繼總統，但他沒有犯什麼大錯，二月政爭時，黨內總統指名選舉被拉下的話，按照全體台灣人的意向，無論如何也不能原諒。事態的惡化，說不定會爆發二二八事件以上的騷動是可預測的。美國當局也不希望台灣發生動亂，中國大陸的中共當局也想暫且觀望原「同志」的手段吧。這種狀況筆者命名之為「恐怖的均衡」下之李的統率力行使。

在那裡，有宋楚瑜為中心的外省系「顧問」角色人物拿出智慧相助是沒錯的。

1990年6月1日，郝柏村組閣。9月12日，總統府開設國家統一委員會（簡稱國統會）。1991年1月28日，內閣設置大陸委員會（簡稱陸委會）。同年2月23日，由國統會通過《國家統一綱領》（同年3月5日由總統確定）。同年2月29日，對大陸民間交流窗口，設立財團法人海峽交流基金會（簡稱海基會）。

1991年5月1日零時，終止「戡亂時期」（第二次大戰終結緊接著開始的國共內戰期，國府規定之為中共叛亂軍之鎮壓期間，發令總動員令），並廢止為了對應而附記於《憲法》的長年惡法《動員戡亂時期臨時條款》（於上述期間所發動的總動員法關係之條文），同時公告回歸本來的憲法體制。以此為法源，以後不把中共看做叛亂團體，定位為對等的政治實體，通過對話以求兩岸問題的解決。同月17日，於立法院廢止《懲治叛亂條例》，終結了白色恐怖時代。

與上述改革相並行，確實地推進對二二八事件的政治解決政策。以後，四六事件，以及白色恐怖關聯的實態調查與紀念活動，對於被害的補償立法等，於明裡暗裡李登輝都加以相應的「激勵」。內情不免有差，對大陸、老外省人上層，與台灣人長年的怨恨的發洩等等，也有周到的關照。

然而，李登輝與郝柏村的蜜月並沒持續很久。1993年2月9日，郝辭去行政院長職，連戰自台灣省主席轉來接任，連之後宋楚瑜被任命為最後的省主席。是李為省籍矛盾所構想的緩和政策，也可想做對宋之論功行賞。

1993年8月10日，國民黨內的反李組織「新國民黨連線」割黨組織「新黨」，國民黨正式分裂。

8月16日國民黨十四全會開幕，由黨代表投票選出黨主席，國民黨的性格由革命政黨改為民主政黨。再當選為黨主席的李，驕傲地宣言：「國民黨清倉，老店新開」。

同年11月27日舉行的縣市長選舉，國民黨全面地推出「李登輝」牌打選戰。國民黨於15縣市獲勝。

1994年5月4日與司馬遼太郎的對談被公開發表，前述「台灣人的悲哀」與「國民黨（政權）是外來政權」的發言被公開，引起島內的外省人，海外的外省系華僑、華人，再來是中國的當局者與一般知識者的忿怒。

7月28日，於新國民黨代表大會的臨時會，通過從第九屆總統、副總統選舉，擬以直接選舉選出的憲法修正案。再者，一般的大選舉區的直接選舉，外省候選人不可能當選的常識，宋楚瑜的票數卻大贏民進黨的候補陳定南而當選第一屆直選台灣省長。台灣省長選舉時，李登輝說：「宋是真台灣人」、「我與宋的關係親如父子」等推舉、誇獎宋。筆者天真的認為，這是李登輝超越克服了省籍矛盾的政治實踐，在暗地裡大大支持他。

然而李與宋的蜜月也持續不久。李登輝就任第九屆總統的1996年末，為了排除宋而藉名為行政合理化之一環的「廢省」（廢止台灣省）表面化。此中原委錯綜複雜，尚有諸多不明之處：對宋之精明幹練生懼說、宋為外省人曾經是蔣經國的身邊寵信，宋的實力逐漸加強、李的終極目標將崩毀於中途的疑慮等流言傳來。

宋邊克服打擊與封殺、邊贏取很多本省人政治菁英為夥伴，在總統選舉中宋緊追著陳，惜以小差而敗選。但是，被國民黨除名、以無黨派候補、在總統選舉善戰的宋楚瑜與支持團體，於選舉後重新結組「親民黨」，台灣政界的再編正式開始。李已回不了國民黨，大約不回去了吧。連戰主導的國民黨的改造成功也無望，聲望是不確定的東西，宋的親民黨是否能使選戰中的能量持續並發展之？初次獲得總統職的民進黨，是否能不腐敗？台灣正在迎接全新的局面。

代結語

李登輝的走鋼索最後的20％以失敗告終，不料陳水扁登上「寶座」。公稱「政黨交替」，實則只換了總統與副總統所屬黨籍而已。陳為了彌補自己的弱體政權，把行政院長職位交給他以往最反對的外省出身、國民黨籍的軍人——原國防部長唐飛。選戰初期照舊喊台灣獨立萬歲的陳，突然犯了記憶喪失症似地唱起新中間路線。像是超越台獨、統一、省籍、族群等爭端的「新思維」志向的路線。

以往被評為傲慢、旁若無人的他，一轉身變得謙虛、姿勢低、過於有禮貌而感到不對勁的人也有。

陳的賣點是年輕。他沒有殖民地被統治的經驗、戰爭經驗、國共內戰經驗、留學經驗、白色恐怖經驗全無的「白紙」般的人物。又是以無原則為原則的、特別的實用主義的政治家。

總統就任演說，他避不使用所有李登輝的常用語。是對美國與中國大陸的考慮嗎？但他所用的人物群約三分之一是與李有關係的，取代李、連、蕭體制，扁（李）體制正醞釀中，有權威評論家如此指摘。

我想，賢明而腦筋動的非常快的陳水扁，應只是要吸收李治政的剩餘物，活用於自己體制的建構才是他目前的打算吧。

蔑視亞洲與對不適合時代的「日本神國論」等的發言，素不忌憚的日本右翼民族主義集團的路線，期待陳總統千萬不能乘錯車。《紐約時報》與《華盛頓郵報》等論調，反映美主流派對已抬頭的日本右翼民族主義者已皺起眉頭，與之進一步深交的危險性是有識之士應可輕易判別的。

陳總統所面臨的難題堆積如山：財政赤字，因不良債權之故一直惡化的金融體系；議會的「黑金」（流氓與金權）為因的腐敗與墮落；治安的惡化與人心的荒廢相牽連的內政諸問題；美國下議院通過對中國恆久的永久正常貿易關係（Permanent Notmal Trade Relations，PNTR），加入WTO所引起的受中國大陸追趕的經濟問題；圍繞海峽兩岸緊張與緩和政策的課題。任何一個都很緊急。特別是終於實現的南北韓的首腦會議更不能不注意；東北亞已然是脫冷戰、脫意識形態的時代，並向著應有的共生的新秩序的構築推展。21世紀的美國戰略戰術應與以往有不同。台灣住民在過去的一世紀間，深切盼望從日本帝國主義，及接著的國民黨政府的統治中獨立。然而國民黨政權在台灣崩潰的今日，迎來參加構築東北亞應有的和平新秩序大好良機，居住台灣的2,300萬同胞，有何目標指向何處來嘗試「造國」，正是應大大地注目與期待的。

本文原刊於《世界》678號，2000年8月，東京：岩波書店，頁160～173。原題「台湾——新時代の始まり」

旅日時台灣史料及資料的蒐集與運用

一、舊書的愛好癖和「四六事件」前後

1949年4月6日，台北學生界發生四六事件。前中央研究院副院長張光直博士在半個世紀後，把這事件定性如下：「49年4月6日國民黨的情治機構詳細地計畫，執行台灣學生運動的消滅，並且基本上是很成功的。」（張著《蕃薯人的故事》，聯經出版公司，1998年1月，頁55）。

張博士斯時在建中上高三，本人則低他一班，念的是高二Ｂ班。我大概不會記錯，光直那時亦是我們全校學生自治會的主席。我是高二Ｂ班的代表委員。張主席大概聽出我的蹩腳國語＝北京官話，並瞄了我黝黑的面孔一眼，便說：「你是體育健將？派你當個康樂股長如何？」我只好點了頭，接下那可有可無的盲腸屬性閒差使。

據《蕃薯人的故事》之回顧，他被逮捕與建中學生自治會活動全然沒有關係。四六事件後不久，自治會便解體並消失。

藉政治社會學和語言心理學的觀點可以詮釋，二二八事件的後遺症終於轉化成台籍人士的「情緒障礙症候群」。尤其對當年的青壯年一代學習國語（北京官話）產生的「障礙」，不可說不

大。二二八的傷痕尚未痊癒。四六事件以及一連串的「白色恐怖」事件又繼踵而來。學校及社會陷入更深一層的凝重氛圍，我們本省同學已經可以判讀並頗喜歡的1930年代大陸作家之文學作品，很快地被列為禁書。

光復不久，國學底子欠缺、生澀又善感的台籍黃口孺子們，不走上左傾不歸路，便換軌向操場奔馳以消耗他們充沛的精力。在閱讀方面則有重拾日文有關書籍來自娛之傾向。

出了建中校門，經過台灣省參議會（現為美國文化中心）向右拐便是古亭町，再向前走即可至兒玉町。此街名是為紀念兒玉源太郎第四代日人台灣總督而所取者。他是後藤新平民政長官之老搭檔。後藤由我的觀點來評定是惡名昭彰，既精明又強悍的殖民高級官吏。當今卻被台獨人士及其同路人稱讚為「台灣現代化之父」，教我們抗日台胞先烈在天堂有哭笑不得、難於釋懷之處境。

舊日名為古亭町和兒玉町的左近，1940年代末迄至1950年代前半是台北市區舊書攤的集中地帶。那時的台灣，鮮有人看好日文版的上乘舊書，真是價廉物美。我蒐集了日本著名哲學家西田幾多郎《善的研究》、三木清《人生論筆記》〔《人生論ノート》〕、《哲學筆記》〔《哲學ノート》〕和辻哲郎《風土》等。對我更可貴的卻是自由主義派學者河合榮治郎為大專青年們所編寫的一系列啟蒙書，諸如：《學生與讀書》〔《学生と読書》〕、《給學生之贈言》〔《学生に与う》〕、《時局與學生》〔《学生と日本》〕、《第一學生生活》〔《第一学生生活》〕、《第二學生生活》〔《第二学生生活》〕及《學術與政治》〔《學問と政治》〕等，這些既通俗又可讀性甚高的啟蒙書，幫助我磨鍊閱讀日文的功力之外，還促進我構築「研究學術的方法論」、「問題意識」暨思索如何做為大學生或研究生在社會上的自我定位等相關課題。

1950年5月中旬，在舟山撤退，兵荒馬亂中，校園駐滿了軍隊。6月25日，朝鮮戰爭勃發，台灣海峽情勢極度緊張下，校方省略了期考和畢業考試，我們即畢業了。我因「家變」，遠離家父南下投靠三姊，考入台灣省立農學院（中興大學農學院之前身）。在台中上大學之四年中，偶爾也北上，南昌街（古亭及兒玉之日據時代舊街名已逐漸被新街名「南昌街」所取代）的舊書攤依然是我最愛訪逛之所在。這段時期，我購進且最值得一提的有：1. 台灣總督府農事試驗場編纂《台灣農家便覽》（昭和19年〔1944〕10月25日改訂增補第六版）。這本書之內容，可以說是日本農學通俗化在台灣的集大成，本文2,280頁，加上了索引146頁之大部頭書，它的價格昂貴，我還把它買下來保藏至今；2. 製糖研究會編《糖業便覽・第一卷・糖業家必攜參考資料》（昭和13年8月25日第二刷）。本書雖然是會址設在日本首都的「製糖研究會」，為其創會20周年紀念而編纂出版，但涉及台灣糖業為其主要內容，包括索引和補遺一共1,432頁；3. 林竹松著《蔗農便覽》（昭和17年8月26日再版）。本書雖然是個人在退休後的紀念性著作，但著者是日本人，他曾經在「大日本製糖株式會社」服務了二十多年，期間從事栽培甘蔗的直接業務近二十年，著者林竹松的敬業精神值得敬佩，他把學術研究與現場實踐結合成書，其內容之可貴不必贅言。

上述的前期經驗既提供又塑造了我本人赴日後，更進一層的

「舊書愛好癖」，以及讓我短期間內可與東京大學為中心的日本學界，搭上橋且又接上了軌。在我微小人生路上，真是「無心插柳柳成蔭」。

二、與東京古書老鋪街及「古書會館」之邂逅

1955年11月21日，乘坐國泰的螺旋槳式飛機（斯時噴射式飛機尚未出現於民航界），花了整整八個小時，自松山機場飛抵羽田機場。我赴日的1955年深秋，台灣的經濟尚未起飛，在預備軍官訓練班（簡稱預訓班）第三屆剛受完訓的我們，金馬的緊張叫我們恐慌。同學們尤其是台籍的，人人心中不但恐懼又一而再地在嘀咕並質疑：為何我們要被徵去當砲灰？他們（國共）兄弟鬩牆與我們台民有何關係？其心情正可藉馬英九台北市長之前言「為何而戰？為誰而戰？」來表明。這一切當然可以說是稚嫩，但確確實實是當年台灣同學由衷之基本心態。

留學考試不但難考，辦出境手續又不是易事。留美需要2,400美元之保證金，留日不需保證金卻需要人保。

偶爾又可聽到上船（赴美同學為了短欠旅費或省錢頗多搭便貨船）或上機之前被情治人員拉下來的例子。

因坐牢而晚了一年進大學的光直，入伍第三屆預訓班受訓，因緣際會在後期的裝甲兵學校（台中）時，我有近半年與他相處的機會，斯年考取留學考試的幾位同學受到裝甲兵學校校長的特別召見。同學們都知道光直之才華及精神集中力。他已考取高額留美獎學金，但時而聽到他在擔心能否出得了國。他憂慮的當然

是他的「舊案」，但知情者不多。他人緣好，有同學知道我是建中校友，問及張光直有何出不了國之理由，他性格溫和功課又好。記得他在預訓班拿了第一名受完訓，我雖然知悉有關他本人及他家的一些情況（因他父親張我軍先生常在客家產茶地帶走動，與我家的親友們成了好酒友），但我不曾對第三者提起過。1960年代中葉，在東京，我新認識了我軍先生之恩師林木土老先生，他告訴了我張我軍先生的不少軼事，寫到此，我得對光直兄表示深謝。他在軍中給我「惡補」了幾堂中國史地課，讓我順利闖過留學考之難關，並因對他父親有分外的親切感，後來促成我在日本蒐集日據時代的「台灣」相關文學資料（還牽涉到發掘我軍先生之《亂都之戀》之孤本，這又是後話）及支援尾崎秀樹兄完成其《殖民地文學研究》之舉（將在下文詳述）。

或許是遠離了「是非之島」，心理上的壓力大大地減低，飯量反而增加許多。或許也因軍事訓練之結束，短欠了日常運動，體重計日見增碼，甚感不妙，只好多走路以試減肥。

早上八點半，從位於新橋五丁目，近銀座七丁目的家兄宅出門，經皇宮前，越過神保町交叉路口便可看見駿河台的新建明治大學本部大樓，再前走不到三分鐘右邊便可看到御茶之水國家鐵路站。跨過御茶之水橋，前面則是東京醫科齒科大學之二棟並排大廈。其左側隔一條馬路是以體育醫學揚名於日本的順天堂大學的附屬醫院。再直行，向左拐不到十分鐘，本鄉三丁目之「交番」（警察的小派出所）很快就跑進視野內來，走過本鄉三丁目交叉口便可到達目的地東京大學廣大的校域，它的赤門、正門、農學院正門等三大門各自相隔約有50公尺一排成列。自家門到農學院大門約需一小時又四十分鐘。

曾經走過這個路程的朋友們不難發現東京古書店（日語稱呼）的三大據點都在此線上。著名的神田神保町古書店街，眾人皆知不需多介紹。「古書會館」在駿河台、明治大學斜對面的巷子內。它每週六及星期天都會有「古書展覽會（兼小賣）」。週日該館則開「古書投標會（只准註冊書商參加，一般人不得入場）」。對古書展覽即賣會感興趣者可向主辦團體（據我的記憶，當年約有七、八個。會員雖然有些許重複，但主辦團體卻是由各具特色的書店群結盟而成）登記。通常在展覽會前幾天便可收到該展覽會的展覽目錄。欲購者可以用電話預約書名。預約者如有二人以上時就由主辦單位代為抽籤決定，價格不會因搶購者眾而臨時漲價，書頁都經過檢查，欠頁者不當商品先行說明，貨真又是定價交易，他們書商之商人倫理已樹立，值得國人學習參照之處頗多。

東大之三大門前面整條街，可說是著名的學術性古書店聖地，近十多年來，整條街的面貌改觀甚多。老書肆不是因後人不繼，即因改建大樓遷移至神保町等，不再於原地營業，因而大失其整體文化氣息，叫老常客歎惜不已。

三、尋寶第一冊是《帝國主義下之台灣》*

把《帝國主義下之台灣》評定為日據時期有關台灣政經研究

---

* 為配合行文起見，此處開始以至頁430，皆用此直譯書名，而不用本全集之譯名「日本帝國主義下之台灣」。

影響戴國煇跨進歷史殿堂的書：矢內原忠雄《帝國主義下の台湾》

的經典之作，大概不致有人異議，此書是東京帝國大學教授矢內原忠雄之主著，早熟的本人在二二八事件發生不久就知其存在，但苦覓台北舊書攤，卻不見其蹤影。想來其原因有二：第一，此書在日據台灣期間係禁書（台灣不受明治憲法之保障，日本本土可以公開發行者，台灣總督府可以適用其「律令」在台禁售），本來書就不多；第二，因為是禁書，物以稀為貴，知情者更加深藏，不得出其門。

1955年10月間，利用趕辦出國手續之空檔造訪了新竹中學的老前輩陳加祥先生，記得他是我們平鎮鄉（現已改制為桃園縣縣轄市）第一位考取台灣高等學校（全稱是台灣總督府高等學校）的秀才，1930年畢業，斯年，他再上一層樓考上東京帝大經濟學院。一度志在抗日而奔回祖國大陸，但不順遂，再返日轉念醫學的外科醫生。我造訪的目的在於，若考上東大大學院（研究所）時該去聽哪些教授之課，以及有關矢內原教授的為人及其學問等。他說：他本身是有澤廣已先生之門生，但他要我一定得去訪問矢內原教授，而最好先細讀《日本帝國主義下之台灣》再去訪問，比較有親切感。陳前輩還介紹矢內原教授是「無教會派」的基督徒，他信仰基督，但用的方法卻是馬克思的唯物辯證法，非常麻煩的是，我們台灣社會不分青紅皂白，把馬克思主義、列寧主義、社會主義、共產主義等搞混成一鍋「雜炊麵」或雜燴粥。

矢內原先生只是自由主義派學者，他若是真正的共產主義者或是列寧主義者的話，他就不可能既信仰基督教（根據「主＝神」凝視地上之真理）又併用馬克思主義方法（根據地上之事實凝視地上之事實），來做他的學問的。

四、爲何矢內原被趕出校園？爲何又被請回來並被推戴爲東大校長？

熟悉了神保町、古書會館以及本鄉之古書街道後，我一有時間便進去探覓《帝國主義下之台灣》，但這一冊寶硬是與我無緣，只好一方面向圖書館借覽，另一方面試圖了解矢內原為何被趕出東大校園。我看了一些相關書籍，逐漸對九一八（滿洲事變）前後的時局動盪以及圍繞矢內原教授的東大講座開始有些概念。

當為殖民政策講座教授的矢內原，上梓了《帝國主義下之台灣》（1929年10月10日第一刷）後，更加鼓起道德勇氣在講壇上向日本的殖民政策實施了既學術又實證的批判，經過科學及實證合而為一的講學震撼了日本當局。

日本明治政府打勝了兩次對外戰爭（甲午及日俄戰爭）後，獲得兩塊大肥肉，一為台灣，二為朝鮮，另外還添加了所謂「旅大」和「滿鐵」的相關權益。日本帝國主義者食髓知味，愈來愈囂張，1927年春至1929年秋，日本經濟發生了金融風暴，繼而源自紐約股市的世界經濟大恐慌，震撼了遲來的日本資本主義體制，日本惹發了未曾有過的社會動盪與不安，其軍國主義便乘其危機而逐漸成型。日本帝國主義者看著中國北伐（1926年7月～1928年12月）的進展，深怕其成功時將導致中國的統一大業，並對其東北及華北相關權益有所威脅，遂有向山東的出兵令（第一次為1927年5月28日，第二次為1928年4月19日）並發動了濟南事變（1928年5月～1929年3月）和張作霖爆殺事件（1928年6月）等一連串的內政干涉及侵略戰爭，企圖維護及擴大日帝在東北及華北的諸多權益。

矢內原忠雄自他上梓了《帝國主義下之台灣》迄被日本法西斯趕出東大校園（1937年12月1日）之前，一貫地認為「日本對台灣、滿洲、朝鮮及南洋的殖民政策，經過實地的檢驗，可以以帝國主義屬性政策來概括它的本質，日本根本不是什麼人道主義、民主主義或和平主義一類的殖民政策，若一定需要加以定性，只能給它界定為戰爭主義屬性來的更適當些」。

日本法西斯早已露骨地向矢內原展開圍剿及迫害。他不曾動搖，依然堅持對真理及知性的誠實，有話直說，他挺著腰桿不為保持飯碗轉成鄉愿，更不肯向權力折腰。

將被趕出校園前夕，他在《中央公論》1937年2月號發表了剛直逆時且「審時度勢」的〈中國（支那）問題之所在〉一文。文中所呈現的高見仍然清晰有理，值得當今台灣社會價值迷失、黑白不分明的人士細嚼詳讀。以下為筆者的簡譯，他說：

中國的半殖民狀態可當爲邁向經濟、政治的近代化過程來掌握，從此觀點來看當代中國，它所標誌的事態正是爲實現民族統一國家的必經過程。

民國革命是其第一頁，北伐成功是其第二頁，共產軍之遷移（所指者爲長征）爲第三頁，滿洲事變爲第四頁，最近所發生的西安事變亦該占其第幾頁可計，不管能否保持或丟失滿洲暨能否成功或失敗於阻止華北工作等，諸多國內的或對外的事變不是積極便是消極地推動促使中國走向「民族國家」的統一事業。

有關中國成立「民族國家」所具備的基礎事實簡介如下：

1. 社會的：中國在種族、語言、宗教層面上雖具有多元性格，但其中心的主力在於漢人，可以說漢人的色彩瀰漫全體社會。因而，中國所具備的民族統一的社會基礎比較簡明。比起印度的統一要容易得多。（筆者按：矢內原撰文時的印度大陸尚未分裂成印、巴、孟三個國家）

2. 政治的：爲了建立民族國家，需要先把封建的地方政權加以整頓收拾，隨後務必樹立軍事及政治兩層面的統一中央政權。但中國殘存有封建的地方軍閥，另又有地方共產軍的存在，尚不能說國家的統一已趨於完成，南京政府在財政及軍事上的實力已逐漸迫使地方軍閥改編，概括來言，其事業已略見其譜。

3. 經濟的：組織民族國家的前提在於民族的形成，民族的形成又需要事先把分裂的地方及封建民眾組成爲一體的生活共同體。從而，民族國家之成立將與該社會邁向資本主義化之路相伴而行，貨幣經濟之滲透、鐵路的開通等莫非係建構當爲民族成立之生活共同體之社會基礎。另一方面，爲了維持中央集權政府及軍隊的財政基礎，又不能或缺新興資本主義的資本力。

當今中國的社會組織暨生活方式或多或少尚殘存著封建性質及相當有力的地方豪紳地方性勢力。但我們不可忽視立足於浙江、廣東、天津等地的新興資本主義正在發展之實況，其中雖有相當數量的外國資本之介入，但中國本身的資本也在活動是不能否認的事實，中國經濟界最有力的爲浙江財閥及廣東財閥，前者的金融勢力占有壓倒性的優勢，因而廣東財閥只好接受前者的金融支持或居其下風。這個事實透過中央軍對廣東軍之攻陷及廣東政權之沒落呈顯無遺，南京政府則以封建的土豪勢力與浙江財閥（資本家勢力）爲基礎。

隨資本主義的普及，封建的地主豪紳的財富將轉化爲資本家之財富，前資本主義屬性的商人資本暨高利貸資本亦將轉化爲近代商業資本及銀行資本，由而所積累的資本將以產業資本型態開始從事其運作，這是前資本主義社會進入資本主義化過程必經之過程。在中國資本主義的事例亦不是例外，它已成爲事實。這都可以確認的。

因此之故，只從地主豪紳之財富暨買辦、高利貸、錢莊等的財富型態來評定南京政府的經濟基礎，而不正視上述諸多財富已轉化成爲資本主義屬性的資本是錯誤的。一方面只注目於浙江財閥的主要活動在於金融抑或銀行層面，而否定其資本主義屬性，另一方面判定它僅是前資本主義屬性錢莊的另一型態，這一類看法，同樣亦是謬誤的。

4. 對外的：中國在近世帝國主義時代初期以來喪失了不少邊疆的領土及政治支配；安南被法國、西藏被英國、滿洲被滿洲國、外蒙被俄國所呑進。至於有關内蒙古的政治支配又產生了爭奪糾紛，這些邊疆地域之喪失，深深地毀損了舊中華（支那）帝國的名譽心。但不能從此判定中國建構並發展其爲民族國家的基礎已經全被破壞，中國只要能保持住中國内地的大本部，對建立中國民族國家的基礎仍然是足夠的。

毋庸置疑，南京政府之基礎是資本主義屬性的，由而有人認爲南京政府不可能承擔民族國家統一事業的肩負者角色，這是把階級解放與民族解放之區別混淆之一種謬論，中國（支那）民族的社會的解放暨民主之促進該由國民黨＝資本家的政黨抑或共產黨來完成係屬於中國國内的階級問題，以建立民族國家爲目的的抨擊帝國主義諸國對華政治支配的事業，不能説資本家的政府（指的是南京國民政府）就一定完成不了。當然資本家的政府在多方面需要與國際資本主義作某些妥協是難免的。妥協不一定都是負面的，妥協在另一方面，可以藉它促進中國資本主義的發達，甚至於可以轉化成爲扶助民族國家發展的經濟性動因，中國民族國家所欲抨擊的對象該是帝國主義對中國領土的侵略，及政治支配而並非經濟及資本的相互連結。因而，資本主義諸國的對華活動，只要自我節制於經濟暨資本的範圍及方法之内，當爲民族國家的中國不但可能與資本主義諸國建構妥協及親善關係。

5. 思想的：建立民族國家之思想基礎在於民族意識、國家精神、愛國心等的覺醒。這些覺醒，一方面得自於民族國家建立運動的刺激而更深化，另一方面它卻是刺激民族形成思想及感情的基礎。民族國家意識在民族國家初成期，爲了抵禦外敵的侵略和保衛國家獨立之緊迫課題，將招來白熱化的刺激而更加凝聚並有所整合。這些亦是所有民族國家發展過程常見的必然現象。中國不可能例外。諸如把中國人看作只會打商利算盤而欠缺「國家心」，抑或中國人的國民性不具愛國心，僅具「個人＝自私」主義等是根本的錯誤。這一類誤判是封建的前資本主義時代的中國社會觀感使其永恆化，並把它類推及當今民族國家形成期中國人之思想，仍然受其制約而引發的。不然，澎湃於當今全中國的抗日精神如何加以詮釋。

矢內原在其結語說：

中國問題的核心在於如何精確認識中國正處於走向建設民族國家的統一道路上。（日本的）對華政策能符合上述的精確認識者，在科學上才算是正確。至於最後能奏效的實際政策除了上述政策外不可能有別的，根據以上的認識務必肯定中國民族國家的統一事業在先，然制定並實施對華支援政策爲後，方能幫助中國，又可幫助日本，並且才能對東洋的和平發生助勢之功。

若違背了上述科學的認識而硬幹專斷獨行政策的話，其災禍將延及後幾代人，它不但會給中國、給日本國民帶來痛苦，甚至還會危害到東洋的和平，日本的對華政策應該回到正道上來。尤其不是基於上述科學認識爲基礎所制定者是不該承繼下去。日華外交關係重整的根本原則除了上述之途徑外是沒有第二種選擇的。

> 日本人具有依靠明治政府成就了建立民族國家大業之可貴經驗。這個歷史經驗並不是發生於很久以前的。走過幕府末期「尊王攘夷論」的群情激昂期的我國國民，有何種困難去理解並肯定中國問題的核心所在呢？

西安事變（1936年12月12日）發生不久，矢內原竟能寫如此貼切的論文，他深遠的眼光及道德勇氣不僅教我吃驚又敬佩。雖是警世之作，卻引發出筆禍而被趕出學園。

言歸正傳，本人一直藉矢內原的論述來思考二次大戰結束前的民國史迄今。

矢內原自九一八前後以來，一貫地向快速法西斯化的日本主流思潮敲起警鐘，其主旨則在強調應肯定中國的新興民族主義，並同情以此作為動力，企求近代化民族國家統一事業的實現而正在掙扎奮鬥的中國之時代脈動，他甚至警告日本當局，千萬不該干涉中國的統一事業以及去搞滿洲國，若如此去做的話，將自抱「定時炸彈」，豈止害人又將害己。最後的結局竟然是二次大戰末廣島、長崎吃了兩個原子炸彈。它成為和平主義者矢內原警世之言的真實寫照。

日本敗戰後，矢內原被禮聘返校重任教授，不久亦被推戴為院長以至東大總長（校長），當時的情景是十分熱烈的。

五、「研討會」（seminar）的試辦與追蹤

追蹤矢內原業績的副產品

1957年以後，來自台灣的東大留學生逐漸增多。剛進東大時，教我們最不習慣的授課方式，該係「研討會」*（seminar，日語稱為「演習」）方式。這個方式，在解嚴後台灣的相關研究所亦逐漸在普及中，這是可喜的趨勢。

我與念人文社會科學的同學們試辦了研討會，偶爾念理科的同學亦會來參與。為了認識台灣的現狀及其歷史，我們幾個友好，把東大各學院圖書館的《國家學會雜誌》及《經濟學論集》（未成書前，矢內原教授先把他相關的台灣研究論文刊載於這二個權威雜誌）的相關期號及《帝國主義下之台灣》等借出來。配給大家當為研討會的課本來輪流報告暨討論，斯時影印機尚未問市，同學們只好自作札記，是頗值得回味的笨工景況。

從而我發現了當年日本良知對日帝的台灣統治作過批判的不僅止於矢內原一人，著名者另有山川均，他早矢內原約為三年的1926年12月，便有了《殖民政策下之台灣》一書之上梓。

經過《殖民政策下之台灣》與《帝國主義下之台灣》兩相對比研讀後，我發現了非常有趣的些許線索。

1. 山川均為民間學者，其意識形態及方法都立足於馬克思的唯物史觀暨其唯物辯證法，他雖然不屬於日共但乃是左傾社

* 即今日台灣各大學系所中的「專題討論」課。

會運動家，他有關台灣的資訊提供者（informant），主要是連溫卿（為曾任總統府資政黃信介之母舅）。他為了保護連之安全，在其論述中有意圖的套些「迷彩」，山川在成書前先在《改造》（日本敗戰前著名中立靠左的月刊雜誌）的1926年5月號以「弱少民族之悲哀」為題發表，斯時此文已經開了部分的「天窗」（日本人叫它為伏字＝××）。「天窗」的開法因時代氣氛有異，多時則由編輯與著作者的合作和默契下自願而開，為的是迴避當局之沒收、禁售及其他處分。

2. 矢內原的資訊提供者即以蔡培火等人為主，蔡與矢內原的交誼還衍生出蔡家二小姐與張漢裕教授之築構新家庭。張教授為矢內原的學術界得意門生，矢內原介紹張漢裕給蔡培火，蔡是台南出身福佬系名人，張斯時尚未出道，不過是台中東勢角出身的饒平系客家人。雖是以「秀才」揚名於台中一中及台灣高等學校，閩、客間尚存有頗深的「門戶之見」，在此歷史背景下有這個新家庭的出現，一時傳為佳話是不難想像的。

矢內原除了學術界（比張教授早的有朱朝陽先生，光復後，他後半生在延平初、高中從事教育。日據期因朱仕官日本大藏省，矢內原與朱之間有意迴避公開的交往）外尚有「無教會派基督教」信仰及人生觀上的弟子陳茂源教授、葉榮鐘先生等均是其交往對象。

陳教授本是學法律的，光復後返台就任台大法學院教授。1940年代末受託於台灣省文獻委員會完成了《帝國主義下之台灣》的中譯本在台的第一本（請參照台灣省文獻委員會編行、台灣叢書譯文本第一種《日本帝國主義下之台灣》，1952年6

月）。

其實，矢內原的中譯本的第一本卻是上海神州國光社於1930年10月出版的楊開渠的譯本。

記得我曾經自東大經濟學院圖書館借出楊譯本瀏覽過。楊譯是匆匆忙忙為應付始於干涉北伐、山東出兵、炸死張作霖以及濟南事件等一系列侵略東北和華北的抗日熱潮而所作，沒有譯序或譯跋之一類「闡明文章」，因為是應景譯本便難免有其失誤的。

至於陳譯本雖然是「力作」，但那一代的台籍人士之中文修養是不甚夠翻譯經典之作的。有幸的是，當今的學子可以購進周憲文先生的譯本《日本帝國主義下之台灣》（帕米爾書店，1985年7月）。周教授，二二八前已自大陸來台。事變時任職於台大商學院教授並兼其院長，為京都帝大經濟學院河上肇（馬克思經濟學名教授）的得意門生之一。他目擊了二二八的慘劇後，自願退居台灣銀行經濟研究室，為台灣文獻的整理奉獻了他寶貴的後半生。1969年，我出國後首次返台，前赴台灣銀行經濟研究室探訪他，他只給我半個小時。不但不願意針砭時政一句，更不願談及有關二二八事件的任何相關事宜。

3. 我在查尋矢內原未完成其著作前，他曾否訪問台灣及調查之行（1927年3月18日～5月6日），斯年日本金融風暴已爆發，日本法西斯日趨瘋狂，但東京帝國大學的學術權威尚可通行於殖民地的台灣。當局雖對接待矢內原的台籍人士施展監控，對其東京帝大權威教授乃是有一定程度的客氣及顧忌的。比起矢內原，山川均卻沒有那一類幸運。他沒有訪台的機會及「保護傘」。山川在台的日、台朋友一概是左傾人士，連溫卿是透過日本女流

「進步人士」，山口小靜的引薦而認識山川的。山口為當年台灣神社「宮司」（最高神官）的女兒，是位才女型的「反叛」人士，她患了肺結核病，仍扮演日方與台籍左傾人士之聯繫（藉其父親及女流的背景為「保護傘」），並協助在台推行世界語普及運動。山口與連則是透過世界語而相識的，世界語在台灣的日籍左傾人士界之學習活動觸發了我的問題意識，終於我物色了東京女子大學的學生松田はるひ同學作這個題目，她後來去英倫留學，返日後考上了東京大學國際關係專攻的碩士課程，完成了〈植民地台灣的世界語運動史〉。

松田同學日後在我們的「台灣近現代史研究會」認識了金子文夫君（他分擔了日本植民史之研究，現為橫濱市立大學經濟學部教授）相戀成婚改了姓。

金子夫人透過她的世界語研究進一步與台灣老世界語同仁胡鑫麟醫學博士（1919～1998年）認識及交往，我亦分享了知遇之福。胡博士是一位多才多藝兼具實踐志趣的愛民之士。

1940年代末期至1950年代初期，左傾愛國主義及民族主義都是不見容於當局的。1950年5月胡先生被捕，在火燒島的政治牢整整坐滿10年才返家。中央研究院院士李鎮源是他的妻舅，世界級名小提琴家胡乃元則是胡博士出牢後的愛之結晶，1998年1月25日早上，我以治喪委員之一員參加了胡老的告別式，會上還看到中央銀行總裁許遠東先生亦到場行禮，堂皇總裁仍然念舊教我銘骨於心。始料未及的是，不多久，我們卻得送走許總裁於大園之空難，情何以堪！

（按：胡鑫麟晚年終於完成了《實用台語小字典》、《分類

戴國煇（右一）訪台灣世界語前輩、台語研究者胡鑫麟（右二），左一為李鎮源夫人，左二為胡鑫麟夫人，攝於台北，1997年（林彩美提供）

台語小辭典》及《台文初步》三本專業＝眼科學以外的偉大業績。三冊概在1994年5月由自立晚報出版。沒有想到我收藏的些許有關語言的資料還能幫上胡老先生的一點小忙，深感為幸）

4. 開端在於日本資本主義論爭。為了進一步了解山川均，我遇到了山川為核心的《勞農》雜誌（1927年12月創刊），為「勞農派」這個詞，有需要多認識日本經濟學及農業經濟學的發達史，我閱讀了不少相關學者的回憶錄等書，在此過程中我非常自然地發現了岩波書店所刊行的《日本資本主義發達史講座》（以下簡稱《講座》）全7卷（1932～1933）。卷中刊載有殖民地統治相關論文（其卷數一時找不出來，俟後補記），當然，那是我關心的主要論文。

《講座》一出，立即引發了著名的日本資本主義論爭。《講座》的大部分作者，雖然有有無參加日共組織之分，但他們的基本立場和觀點卻是支持日共當年的「32年『革命』綱領」的。這一派學者和論者，隨後概被稱為「講座派」。對《講座》的論點展開了猛烈批判的學者和論者所據有的主舞台便是山川均為核心的《勞農》雜誌，因而，他們又被概稱為「勞農派」。

連溫卿與山川均的關係已如上述，連為何在台灣的社會運動裡被台共排斥，理由是再清楚不過了。

繼後，我窮追連溫卿的相關活動。經過一位日本朋友中村（ふじえ）女士的引薦，我探訪了連在日本的世界語及思想上的琉球人知音比嘉春潮先生共有兩次，首次為1972年7月5日，第二次為翌年1973年2月24日。當年比嘉已是90歲的老翁。但他的記性絕佳又健談，讓我受益良多。日後我將邂逅的經緯詳述並把比嘉貸給的連溫卿未發表稿件加以校訂刊登出來，有：⑴〈台灣抗日左派領導人連溫卿及其稿件〉；⑵連溫卿著〈日本在台的殖民政策之實況〉（同時刊登於《史苑》第35卷2號，1975年3月）；⑶連著〈日本帝國主義在台灣掠奪土地的過程）（一）〉（《史苑》第37卷1號，1976年12月）；⑷連著〈日本帝國主義在台灣掠奪土地的過程（二）〉（《史苑》第39卷一號，1978年11月）；⑸連著〈連溫卿日記——一九三〇年之三十三天〉（刊登於和第4篇同號之《史苑》）。

比嘉翁另外還提供我連的中文〈蠹魚的旅行日記——一九二四年〉的稿件。因是中文，我不便刊登於《史苑》。盼望最近的將來能找出來公諸於世。

5. 日本資本主義論爭，又誘發了我對中國社會史暨社會性質論戰的興趣，且讓我發掘了台灣類似的論戰。

第一，行家皆知，日本人學者雖然敬業，但其多數人卻有欠缺宏觀和比較分析視角的通弊。說起來也難怪，他們學界重視第一手資料的運作，更不屑抄襲及人云我云之做法，研究日本者因語言上的限制只顧抑或只能自我設限於日本之課題，研究中國者等於走入「偉大的迷宮」，根本就無暇去深究自國日本的課題。筆者非常有幸，懂得中日二文，便惹發了我既笨又苦之闖禍傻勁。

在神保町的古書會館，我發掘了有關中國社會史、社會性質論戰的一系列中文書。我有一位朋友，為東京龍溪書舍社長的北村正光君，北村是我在東京大學農經系晚一屆的學弟，他發明了復刻印刷的新技術，由而企圖向出版界發展，便找我提供些孤本之類書試作復刻，方便他學習出版業。

首先我提供了何幹之著《中國社會性質問題論戰》（生活書店，青年自學叢書，1937年1月初版，但我的藏書則為1939年3月的第五版）及同著者的《中國社會史問題論戰》（生活書店，同叢書，1937年7月初版），依據其出版年序，我建議取名為「中國社會性質・社會史問題論戰」合成一冊在龍溪書舍復刻出版（1972年2月15日，平裝本）。看它在「市場」及學界的反應如何，再決定下一步如何走下去。意料外的正面性反應讓北村樹立了信心。龍溪書舍編輯部終於決定自編「編集復刻版——中國社會性質・社會史問題論戰叢書」。

為了莘莘學子參考之方便，不嫌其煩列記如下：

⑴《讀書雜誌——中國社會史論戰專號Ⅰ—Ⅳ》（四大冊，1973年5月31日，一次上梓）。

⑵嚴靈峰著《追擊與反攻》（附中國經濟問題研究，1973年8月5日出版）。

⑶薛農山著《中國農民戰爭之史的研究》（1973年11月1日出版）。

⑷何幹之著《中國社會性質・社會史問題論戰》（按：初印平裝版已售完之故，用精裝本方式再版；1974年5月20日出版）。

今次，為了撰述本報告，再查尋我藏書，乃發現了李季著《中國社會史論戰批判》（神州國光社，1934年7月初版，1937年3月再版）的原著在我書庫。為何沒有提供給龍溪書舍復刻？理由在何？已忘記。

在籌備復刻出版過程中，我撰述了二篇有關的小文：

⑴〈中國社會史論戰的若干問題——介紹與研究之間〉（《亞洲經濟》13卷1號，1972年1月）。

⑵〈中國「社會史論戰」與《讀書雜誌》之周邊〉（《亞洲經濟》13卷12號，1972年12月〔參見《全集》7〕）。

1970年代初期，在東京我已掌握了《自由中國》和《時與潮》的全套雜誌。另外我還訂閱《中華雜誌》，所以社會史・社會性質論戰的主要的「非共系」筆手：胡秋原、鄭學稼、嚴靈峰等諸先生在台的一些動態是我關注的。但我一直與他們不曾有過聯繫。直至1985年春以降，我能自由往還台、日後，才有機會與胡鄭兩先生會晤。大概是在1985年的暑假時，在一次餐會時鄭先生談起，他花了很多錢購進龍溪版《讀書雜誌》的中國史論戰特刊復刻本。我只好向他道歉（其實我不曾拿過任何手續費抑或資料費，我只拿龍溪版各五套轉送給好學之士）。學稼先生笑而再說：「嚴靈峰先生倒是滿高興的，認為他的舊作在日本尚有市場。」這些都是後話。

第二，《台灣民報》上的中國改造論爭。

1960年代後半，因我已正式就職於亞洲經濟研究所（1966年4月1日到任），收入暨在日的居留身分的安定化，使我能進一步地蒐集資料。斯時，台獨運動在留學生界已興起，他們或許是忙於「搞革命」，我鮮少在古書會館或神保町等古書店街碰見台獨系朋友們。中共系台灣人僑界亦同。這個表示有關台灣歷史、資料，除了我以外，沒有人在蒐集，沒有搶購的競爭給我頗多方便。

某一天在古書展覽會場發現了老《台灣民報》一帖。其中的第120號（1926年8月29日）的雜錄欄刊登有署名芳園的〈最近之感想（二）我的中國改造論〉。在第126號（1926年10月10日）則刊載有署名東京・許乃昌的〈駁陳逢源氏的中國改造論〉，從此我才知悉芳園者是陳逢源的筆名。許乃昌繼續在該報的第127號（1926年10月17日，斯時的《台灣民報》為週刊）至第129號（1926年10月31日）連續寫了後三篇駁陳逢源的文章。

陳和許兩人，雖然取名中國改造論，其實是假託中國而議論台灣的，為的是迴避台灣總督府的鎮壓之所需。

大約經過約為四年的1971年間，我自台灣購入《台灣民報》

的復刻本（全10卷）。至於這個版本貸給一位日本學生，不見歸還，查不出哪個書店的復刻本，甚感遺憾。另外我在《龍溪》（龍溪書舍的宣傳冊子）的創刊號（1972年2月）寫了〈《台灣民報》的故事〉〔參見《全集》8〕的小文，當做介紹及推薦之用。在上述復刻《台灣民報》本上，我才知悉中國改造論的後續發展及其概貌。

許的反駁終於真的挑起論爭來了。陳逢源仍然署名芳園一連串地撰述八篇的〈答許乃昌氏的駁中國改造論〉。連載於《台灣民報》之第130號（1926年11月7日）至第139號（1927年1月9日）。但中間跳過了第138號（1927年1月2日），在次號登完。

另外值得注目的是，到了《台灣民報》的第134號（1926年12月5日）論戰者加上一名，則為蔡孝乾。他亦來一篇〈駁芳園君的〈中國改造論〉〉，據蔡本人在文末的追記，可知本文是蔡在暑假返鄉的9月21日草於彰化八卦山下的。

筆者一直抱有如何把台灣的中國改造論爭釐清，並把它放在台灣抗日運動史裡頭，嘗試總合性的考察之夙願。若能先搞清楚當年的第三共產國際的強勢領導下，台灣左派究竟所意圖的是何種路線？左派的許是留莫斯科的唯一非共台籍左派人士，亦是建國黨幹部許世楷博士的伯父。蔡則是日後參加中共長征的唯一台籍幹部，光復後祕密返台，就任中共地下組織「台灣省工作委員會」的負責人。1950年初被逮捕二次後轉向就任調查局少將職，享終其天壽。他們在中國改造論爭（其期間雖然台共尚未正式結黨，但已在籌備醞釀中）所主張的本質性問題又是什麼？再把日本資本主義論爭暨中國社會性質・社會史論戰三者連結起來剖析，將是更理想的學術研究嘗試。至於陳逢源、許乃昌、蔡孝乾三人，光復後所走的行跡為何？亦該值得年輕台灣現代史學徒們去追究並探討的。

六、若林正丈君的台共史及台灣抗日運動史研究

我在亞洲經濟研究所服務後期有位同仁矢吹晉兄（現為橫濱市立大學教授），他是東大經濟學部出身的才子。他既同情大陸貧農的「翻身」又關懷台灣如何克服日帝所留的殖民遺緒之課題。因他經歷過《東洋經濟》（日本著名的金融、股市及經濟的週刊雜誌）的記者生涯，文筆既快又健。更難得的是他的中翻日譯工之高妙。當然這又標誌著他的中文解讀能力之高水平，因而，他被聘回東大教養學院通識課程的中文兼任講師。1970年代初，東大進步學生圈已趨脫離日共及蘇共式思維枷鎖，在文革內幕的逐漸浮現的大勢下，毛派日本學生亦深感挫折。他們的研究興味導向又日見轉至東南亞乃至非共第三世界。普遍又可見到脫離意識形態暗流正在胎動之徵兆。

在這般時代背景下，矢吹君的中文弟子的若林正丈（現為東大教授）、松永正義（現為一橋大學教授）及宇野利玄（英年早逝）三君一道到亞洲經濟研究所探訪本人。此時時機已成熟，為了保護我收藏的台灣相關史資料，有需要蓋一小棟鋼骨水泥的書庫。在諸多朋友的支援下，我在東京郊外的船橋市新興住宅地區選了地，找上念建築的日本朋友設計並完成了約為八坪大名謂「梅苑」的小書庫及25坪的木質住房。歷史資料除了保藏還需要

善於利用。我終於接受了若林、松永、宇野三君，不久故王崧興博士之夫人，吉原女士又介紹搞日本近代文學的河原功君來。

我們同仁的研究會（初期稱謂東寧會）逐漸成形，1970年夏遂正名為「台灣近現代史研究會」。其機關學報即創辦於1978年初春，創刊號於同年4月30日上梓於市。

我除了提供相關史・資料外，還視各人興趣之所在與專業（他們有需要寫各自的碩士論文）而給了一些問題意識。

他們四人之中，若林之反應最為敏銳，行動力頗強，我給了台灣左派（包括台共）之相關資料並鼓勵他先從周邊打好基礎，漸趨「核心」課題。由我引薦並審稿，在《思想》（岩波書店發行的最高學術權威月刊）發表的〈「台灣革命」與共產第三國際——台灣共產黨之創黨及重建〉（1975年4月號），一鳴驚人。最後以《台灣抗日運動史研究》（研文出版，1983年3月10日初版）完成其博士論文。

其實，當年的日文文工水平來說，宇野要比若林高。

斯時，我們研究會同時在進行霧社蜂起抗日事件的總合研究。《展望》（已停刊，敗戰後迄1970年代享譽日本輿論界的高水平思想、文化雜誌）雜誌的編輯找我能否編一冊台灣特刊。我答應撰文外還推薦宇野撰述一篇。

1986年3月與4月之交，我利用假期返台開學術會議。有位朋友傳來「新潮流」的朋友們希望與我會晤。我們在福華大飯店的大廳約時間暨場所，盧修一也出現在場。我吃了一驚，向他問安：「辛苦了，你剛出來？」他說是的。然後招他到一旁，低聲問了他：「修一，你被逮捕時，說了我些什麼？」他說：「饒了

戴國煇（前排右一）與友人：前排左起：橫濱市大校長加藤祐三、吳濁流，後排左起：一橋大學教授松永正義、東大教授若林正丈、橫濱市大教授矢吹晉，攝於日本，1970年代（林彩美提供）

我吧！在那一種極限狀況下，連我自己都不記得我自己講過些什麼！」我問他這個是有理由的。大約修一被捕不久的1983年暑間，有一位台大教授假借我鄉弟的介紹來了電話，希望與我能會一個面（幾年之後我問那位鄉弟，有無這回事，他說根本沒有）。我們倆在東京的一家既豪華又著名的大旅館會晤。他不像一般台灣學者訪日時的節儉舉措，教人感到「壓陣」的怪氣氛。寒暄一陣後，他把話題轉至修一之事。斯時，圍繞修一之事件並不很明朗，我只在報上看到幾小行的新聞報導而已。聽到盧獲得博士學位後，返校即刻被聘為「政治系系主任」，我憶起他說過的「我是李煥的學生」那句話，為他的「衣錦還校」甚感合理欣慰。但為何好日不久呢？真是一頭霧水。這個謎困惑了我許久。但，不管如何，我是不會去找那位台大教授問個徹底的。修一也把他被「逼」的「瑕疵」帶走了，真是阿彌陀佛！

七、「台灣文學」資料的蒐集暨支援尾崎秀樹的傷痕文學研究

考進東大研究所第一年（1956年），東畑精一老師找我談。他說：「你是來自台灣的留學生，多聽些課，千萬不要即刻自限研究課題的範圍，更不要管哪一位教授是屬於那一派，諸如勞農派抑或講座派等之區分。任何學院、任何學科的課你都可以去選，我都可以幫你寫推薦名片的，大概不至於有教授會拒絕你的，真正為學術研究者是不拘泥於『單位』（學分）的，好好努力吧！」談完了，還在本鄉的學士會館分館，賞我一頓高級洋餐。

斯時的我仍然在「反叛」我那個封建地主家庭。初中三年級時我已看完了日譯本的《大地》（*The Good Earth*）（賽珍珠〔Pearl S. Buck〕的知名小說），還精讀了尚未被禁的巴金著激流三部曲——《家》、《春》及《秋》。細讀後又涉獵至魯迅的《祝福》，尤其對祥林嫂之命運，被封建道德和迷信所困住的婦女們的悲劇深感同情。我們老家的婦女們還不是囿於一樣的境遇。如何代其求解脫是我當年的私人緊急課題。

翻遍了社會科學研究科（當年所施行的是開放性的大編制。

本人雖屬於農業經濟專門課程，但課程上面的機制卻是歸屬於社會科學研究科，後年改成農學研究科）的課程表冊，我發現了雖然是屬於專業之外，但對我來說，確是夠魅力的二個專題「演習」。一為東洋文化研究所中國法制史的大牌教授仁井田陞先生開的「新中國的土地法與婚姻法」。另一個是研究魯迅的日本人泰斗竹內好兼任講師（他雖是東京帝大校友，但一直拒絕就任母校之教授職位。1956～1957的二個學年度是個破例，他到東大兼課。斯時，他是東京都立大學的教授）開的「中國近代文學上的有關『家』的諸多問題」。

東畑師讓我選本系的農村社會學的神谷慶治教授所開相關社會學專題研究合為一套，來進行學習。目的不外是促使我擴大視野並打好廣泛的社會科學基礎。

竹內師的「演習」，只有我一個中國人。日本人同學不習慣討論。他們認為沉默為金，比較注重「細讀」，並不長於「快讀」甚至於言談。我的開放性性格獲得竹內師的欣賞。或許，因我是台灣出生的中國人之故，易於接受到照顧。日後我們間建立了相當友善的亦師亦友關係，一直到他逝世（1977年3月）為止。

經過半年對我的觀察之後，竹內師認為我的日文讀解功力尚可，他特別指點我，多看日本近代文學有關描寫「家」或「家庭」之作品，諸如島崎藤村（1872～1943年）的《破戒》、《家》、《新生》及《黎明之前》（《夜明け前》）等，以及志賀直哉（1883～1971年）的《暗夜行路》、《和解》等作品，可以藉而與中國近現代文學之相關作品作比較分析。他又突然想起來問我，台灣有類似的作品否？竹內師的這一句話觸發了我對「台灣文學」之無限興趣。

大約近一個月後，我拿了庄司總一著《陳夫人》（1944年10月10日改訂第三版，東京：通文閣發行）、坂口䙥子著《鄭一家》（1943年9月7日，台北：清水書店發行）及辜〔顏〕碧霞著的小說《流》〔《ながれ》〕（1942年9月20日，台北：原生林社發行。最近在報紙看到它已被翻成中文，重新出版）等到課堂去。人生中的風雲際會，往往既是偶然又是必然的。

在竹內師「演習」的二年間，本人學到了如何運作文學作品來剖析歷史、社會、人文現象的方法。所謂的文學作品，有虛構（fiction）的小說類又有非虛構（nonfiction）的紀實文學類之分。甚至於艾力克斯・哈雷的名著《根》暢銷後，還有faction（fact＋fiction之合成詞）的新區分。

獲得了上述的方法論外，我發展並擴大了新人脈關係。第一，我新認識了《鄭一家》的著者坂口䙥子女士。繼後對我蒐集她有關霧社事件的一系列作品發揮了作用以外，我還能夠採訪到她。她的「台灣體驗」是珍貴的，助我充實了許多台灣現代史的臨場感，顯然對我日後全面性展開霧社蜂起事件研究之助力不可說不大。透過她，不但直接認識了吳濁流先生，還間接地與剛自綠島返來不久，正在耕耘東海花園的楊逵、葉陶抗日伉儷。

第二則與尾崎秀樹先生建立了關係，尚受竹內師之託，幫忙他從事日本近代文學傷痕中的台灣相關部分之研究。尾崎本人於台灣出生並長大，他和其異母同父哥哥秀實都是台北州立第一中學（建中前身）的校友。除了竹內師之介紹外，算是既是同鄉又是學長，我不知不覺中對他產生了格外的親切感，1960年前後，他剛自肺結核病活回來，生活窘困，還碰到他第一本書《活著的猶大（Judas，叛徒，背義之人）》〔《活きているユダ》〕（主題係他哥哥秀實所捲入的蘇共間諜案之破獲及敗戰前夕的刑死，是日共大幹部伊藤律之出賣而惹發者。他把伊藤斷罪成叛徒及背義之人來敘述）的正負兩面之爭議而苦惱。竹內師等非共系先進教授及作家，在批判日共之一系列舉措中，自然地對秀樹給了有形與無形之支援，他的研究題目是竹內師給他的，還引薦他的成果能在岩波書店之《文學》（頗具權威的月刊雜誌）連載。尾崎從而獲得文壇上「名利雙收」的好機會，是行家皆知的史實。

人世間的事情，往往就是那麼詭譎。伊藤律遭受當時的日共中央之陷害在北京被幽禁於黑牢27年。一眼全盲，另一眼亦近乎失明，廢人一般地於1980年9月3日歸返日本妻子家。蘇共崩潰後，機密檔案之解密抑或流出，1930年代的日共與第三共產國際間之內情終於曝光。秀樹所定的「猶大」並不是伊藤而是百歲尚健存的日共名譽議長的野坂參三其人。野坂在1992年3月30日在日共黨員歡呼下度過他的百歲生日。日共本身亦在同年7月30日高高興興地召開了創黨70周年大慶酒會。出了日本多數人的意料之外，同年9月17日，日共中央委員會解除了野坂名譽議長之職。年底的12月27日，連他70年黨齡的黨籍也加以剝奪。不久，野坂不留隻句辯解之言而死去。這些是題外話了。

尾崎秀樹把他的論文結成一書——《近代文學的傷痕》（1963年2月15日，勁草書房發行）。繼後，本人給他全面性的支援，遂有《舊殖民地文學的研究》（1971年6月30日，勁草書房發行）的上梓。近年，有人稱此書為經典之作。

八、毛遂自薦，當起無酬且匿名的編輯顧問

竹內師，在所謂「六〇年安保鬥爭」過程中，為了抗議岸信介總理的「獨斷專行」，斷然辭去東京都立大學教授職，但他辭而不隱，可能是學界及文化界之「竹內迷」暨他的弟子們不讓他從而完全退隱的吧。不久便有以他為核心的「中國之會」同人屬性且非政治性研究會的創立。此會先是得自普通社（小出版社）的支持，發行小型「中国新書」的叢書（第一冊始於1963年2月）。尾崎秀樹的《近代文學的傷痕》即是該叢書之第三冊。每本叢書都附贈一本取名《中國》的小雜誌。這個新創意卻叫好而不叫座。出了六本叢書，便遭受普通社的經營不振之波及而面對改制，遂有「中國之會」的擴大公開化之舉，《中國》雜誌亦自附錄改成公開發行分售。

尾崎秀樹為該雜誌主編之一，他為了延續其殖民地文學研究，繼續拉住了我。記得《中國》雜誌有過三次的台灣特刊。第一次為小冊子時代的第19號（1965年6月），本人與他合撰了〈台灣小史〉〔〈台湾小史〉〕（但不署名）。第二次，則大型化後的《中國》第69號（1969年8月）題為「台灣高山族之叛亂『霧社事件』」的特刊，本人所推薦的吳濁流著《無花果》（加添了副題——台灣七十年之回顧）的連載（始於第65號，1969年4月），亦在此號連載完結。第三次為第102號（1972年5月）。我正式署名撰了〈郁達夫與台灣〉〔參見《全集》15〕一文，並

提供了楊逵的〈送報伕〉的日文版重新把它刊登。好讓日文文壇能想起楊逵仍然健在。

如前述，1966年4月，我就任亞洲經濟研究所的研究員。翌年的1967年3月，我出版了博士論文《中國甘蔗糖業之發展》。此為本人生平第一本專著。閉塞性頗強的日本學界及文化界，對我開了小門。本人即藉「打鐵趁熱」的勢頭，除了學術性論文，又積極地撰寫半學術性或通俗些的時事相關雜文。當然，不曾放棄在日本輿論界的發言機會。只要對我合適，不分演講或座談會，本人不會讓該難得的機會流失。由此類活動所得的報酬一概轉存為蒐集資料之資金。

活動的結果亦可化為文字，積多便易成書。本人的第一本評論集《與日本人的對話》（東京：社會思想社，1971年8月15日出版）即為第一個例子。

評論集上梓的波及力之大教我驚訝，社會思想社繼而找我出版霧社蜂起事件相關的專著。其實，我們的「團隊合作研究」剛有了頭緒。同人的功力仍是參差不齊，要結成書尚需一段時間。我雖作下如此般的判斷，但我們有需要與社會思想社保持住良好的關係。由此，我自告奮勇地當起他們的無酬匿名編輯顧問。

我與該社實力派編輯田村研平君合作，推出如下幾本膾炙人口的書。

1. 竹內好導讀、戴季陶著《日本論》（1972年3月30日，東京：社會思想社發行）。追記：這是經過《中國》雜誌的連載及修改結成專書的。我除了提供給「中國之會」一些所收藏的包括敗戰前的日譯本等不同版本，以資參考。除此以外，本人尚介紹田村君與竹內師等中國之會的幹部人士們相識，藉而促成社會思想社能出版早被貼上右派反動國民黨的理論權威標籤的故戴季陶先生的名著。

更難得的是，《中國》雜誌尚舉辦由諸多名人參與的多次座談會，積極地宣傳了季陶先生對日本的深奧認知。

2. 吳濁流著《黎明前的台灣——自殖民地的控訴》（1972年6月15日發行）。

3. 吳濁流著《在泥濘中掙扎——台灣子民的困境》〔《泥濘に生きる—苦悩する台湾の民》〕（1972年11月30日發行）。

按：這二本的中文書名*皆是筆者今次由日文的意譯而成者，特此聲明。

吳著的出版受到了關注。新人物往來社的資深編輯內川千裕君（他目前是自創「草風館」的社長）來探問我。第一，邀我在他的出版社出版評論集；第二，若有可能的話，霧社蜂起事件的團體合作研究的成果結集成為專著，也讓他出版；第三，吳濁流先生還有無其他稿件，若有他亦願意考慮出版。

我先從第二問，回答：霧社相關研究已經答應社會思想社。吳老還有，但曾經在日本上梓過二次（第一次《亞細亞的孤兒》〔1956年〕，第二次改了書名為「被扭曲的島嶼」〔1957年〕），但都沒有成功。我們倆都「心知肚明」，上述二次的出版社皆是不入流者，有何可能受到人們的注意？何況，吳老之日文當為商品尚有一段距離。內川問我，社會思想社新出的二

＊ 分別為《黎明前的台灣》、《泥濘》。

本，日文相當不錯。我只好笑答：「那是吳老授權予我，我與飯倉照平君（本亦是竹內師之門生之一，現為東京都立大學教授）商討，不歪曲原意下加以潤色過的。這些都是實情。」「不管如何，你先把前二本都攜回，代我考慮一下好不？」

繼後，內川出了個條件，要我寫導讀。我則不得不只好撰寫了〈殖民地體制與知識分子——吳濁流之世界〉的一文〔參見《全集15・吳濁流的世界》〕，藉此報答了吳老多年的賜教。終於出版了《亞細亞的孤兒》（1973年5月25日，〔日本〕新人物往來社發行）的全新版本。

同年秋間，內川又幫我編好了第二本評論集《日本人與亞洲》（1973年10月15日，新人物往來社發行）公諸於世。

自此以後，我與內川結為好友，凡由我推薦者，不管是著者抑或稿件，他都會往好的方向考慮。但我不曾隨興或所謂的「神來之筆」式地推薦過任何人。

內川已出版了原住民問題相關的書：高愛德、許介鱗編《證言・霧社事件——台灣山地人之抗日蜂起》〔《証言・霧社事件——台湾山地人の抗日蜂起》〕（1985年12月8日，草風館發行）；林榮代著《證言——台灣高砂義勇隊》（1998年5月15日，草風館發行）；下山操子著、柳本通彥編譯《遙望故國——殘留霧社之日本人》〔《故国はるか——台湾霧社に残された日本人》〕（1999年8月5日，草風館發行）。

九、暫時的結語

不知不覺地，敝人正在敘述我所構思的研究經營論了。

資料暨史料的蒐集（包括發掘、購入、保藏）運作係需要「愛書的癖好」，與一定的主客觀條件，諸如地理的、資金的以及個人所具有的識別力等。

保藏變成了「死藏」時，貴重的資料變成「死料」，等同於社會資源的一大浪費。這個邏輯的所趨，顯然是把運作區分為二：一為個人層次的，二則為社會層次的，兩者若能保持平衡是個理想。因有此觀念，我透過了龍溪書舍（該包括它的支流，不二出版及綠蔭書房）復刻了不少珍本或孤本公諸於世，方便予莘莘學子們。

曾經，我又透過《台灣近現代史研究》、《史苑》以及《台灣與世界》等學報或雜誌把手裡的珍貴資料先公開於一般，以資同好之士的方便及利用。

在資本主義體制下，一般人的生活已相當優渥，功利主義隨而瀰漫於當今台灣社會，我親友們知悉我的行徑則罵我是「傻瓜」、「控固力腦袋」，我只好笑而置之。不過，我已暫時停止了追求我的理想境界。話說回來，當我想起在日本從事團隊合作研究時的愉悅則是難於忘懷的。

資深研究者該向外追求發表園地，空出《台灣近現代史研究》的空間，讓新世代人士來活用。達到某一個階段，資深者又得與出版社建立關係，便於推薦新世代研究者有「立言」或「著書」之機會。

資、史料的蒐集、保藏、提供、發表園地的開拓，以及和出版社建立友好交往關係等係我設想的研究經營論之三大核心作業。這三個柱子若能善配成為一套且運作順暢時，研究成果將可拭目以待。

我所構思的研究經營論，創造性地轉化成為研究經營哲學的時間暨機會，很可能只是一種理想。

以上是我首次把我所構思的研究經營論的實踐抑或實驗過程文字化，因我小恙未癒，只好報告到此。這僅是未定的初稿，俟我病癒，我將再補充一些史實藉而定稿。撰述此文時，我一而再地咀嚼並玩味錢鍾書先生的警句「回憶最靠不住，一個人創作時想像力往往貧薄、可憐，回憶時則豐富離奇得驚人」，究竟，敝人的想像力是屬於何種類？亦正該敬請諸多先進的批評指正了。（妄言多謝）

戴國煇1999年9月15日晨於新店梅苑

本文原收錄於《中國現代史專題研究報告》第21輯，2000年10月，頁77～116。係於中華民國史料研究中心主辦「台灣史料的蒐集與運用學術討論會」之論文發表，1999年9月17至18日。

譯者簡介

林彩美

1933年生。中興大學農經系畢業，日本東京大學農經系博士課程修畢。旅日長達40年，中華料理研究家，曾主持梅苑中華料理研究室（日本）二十餘年。致力於梅苑書庫的保存與研究，長期投入《戴國煇全集》的編譯工作。

著有：《中菜健康瘦身法》（文經社）、《新灶腳的健康料理》（文經社）等；主編：《戴國煇文集》；策劃：《戴國煇全集》等。

校訂者簡介

張錦郎

1937年生。台灣師範大學社會教育系圖書館組畢業。曾任國立中央圖書館編纂、閱覽組主任，並任教於世界新聞專科學校、東吳大學，現爲台北市立教育大學中文系兼任教授。研究專長爲文獻學、出版學、圖書館學，並長期研究關注二二八事件。

著有：《中國圖書館事業論集》；編著：《中文參考用書指引》；曾主持《中國近二十年文史哲論文分類索引》、《中國文化研究論文目錄》；主編：《台灣歷史辭典補正》等。

戴國煇全集（全27冊）・各冊內容

全集 1・史學與台灣研究卷一：境界人的獨白
全集 2・史學與台灣研究卷二：殖民地文學／台灣總體相
全集 3・史學與台灣研究卷三：台灣往何處去／愛憎二二八
全集 4・史學與台灣研究卷四：台灣結與中國結
全集 5・史學與台灣研究卷五：台灣近百年史的曲折路
全集 6・史學與台灣研究卷六：台灣史探微／歷史研究法
全集 7・史學與台灣研究卷七：未結集1：台灣農業與經濟
全集 8・史學與台灣研究卷八：未結集2：中國社會史論戰
全集 9・史學與台灣研究卷九：未結集3：中日關係
全集10・華僑與經濟卷一：從台灣稻米的脫穀與調製看農業機械化／中國農村社會的「家」與「家族主義」／中國甘蔗糖業之發展
全集11・華僑與經濟卷二：華僑
全集12・華僑與經濟卷三：未結集：東南亞華僑研究
全集13・日本與亞洲卷一：日本人與亞洲／未結集1：探索日本
全集14・日本與亞洲卷二：未結集2：邁向國際化之路
全集15・人物與歷史卷：殖民地人物誌／未結集：我的人生導師

全集16・文化與生活卷：四十年日本見聞錄／未結集：中日文化之我見

全集17・書評與書序卷：書癡者言／未結集：殖民地史料評析

全集18・採訪與對談卷一：探尋東亞安定化／愛憎李登輝

全集19・採訪與對談卷二：台灣史對話錄

全集20・採訪與對談卷三：未結集1：討論日本之中的亞洲

全集21・採訪與對談卷四：未結集2：談日本與亞洲（一）

全集22・採訪與對談卷五：未結集3：談日本與亞洲（二）

全集23・採訪與對談卷六：未結集4：談中日文化

全集24・採訪與對談卷七：未結集5：我們生涯之中的中國

全集25・採訪與對談卷八：未結集6：多元化的亞洲視野

全集26・採訪與對談卷九：未結集7：台日觀察綜論

全集27・別卷：殖民地的孩子——歷史學家戴國煇（照片、年表、日記、總目錄、著作目錄、評論目錄、評論選篇及索引）

國家圖書館出版品預行編目（CIP）資料

戴國煇全集．1-9，史學與台灣研究卷／戴國煇著．
-- 初版．-- 台北市：文訊雜誌社出版；遠流
發行，2011.04
冊；　公分
ISBN　978-986-85850-5-8（第1冊：精裝）．--
ISBN　978-986-85850-6-5（第2冊：精裝）．--
ISBN　978-986-85850-7-2（第3冊：精裝）．--
ISBN　978-986-85850-8-9（第4冊：精裝）．--
ISBN　978-986-85850-9-6（第5冊：精裝）．--
ISBN　978-986-87023-0-1（第6冊：精裝）．--
ISBN　978-986-87023-1-8（第7冊：精裝）．--
ISBN　978-986-87023-2-5（第8冊：精裝）．--
ISBN　978-986-87023-3-2（第9冊：精裝）

1. 史學　2. 文集

607　　100001708

戴國煇全集 6
【史學與台灣研究卷六】

著作人　戴國煇
策劃／總校　林彩美

編輯製作　財團法人台灣文學發展基金會
10048台北市中山南路11號6樓
02-2343-3142
編輯委員　王曉波　吳文星　張錦郎　張隆志
陳淑美　劉序楓（依姓氏筆畫序）
主編　封德屏
執行編輯　江侑蓮　王為萱
美術設計　不倒翁視覺創意

出版　文訊雜誌社
發行人　王榮文
發行所　遠流出版事業股份有限公司
10084台北市中正區南昌路二段81號6樓
（02）2392-6899
http：//www.ylib.com

排版　浩瀚電腦排版股份有限公司
印刷　松霖彩色印刷事業有限公司
初版　民國100年（2011）4月
定價　全27冊（不分售）精裝新台幣16,000元整
ISBN　978-986-87023-0-1（全集6：精裝）
978-986-85850-4-1（全套：精裝）